Martelaar

Rory Clements

Martelaar

Karakter Uitgevers B.V.

Oorspronkelijke titel: Martyr
© 2009 by Rory Clements
Vertaling: Jan Smit
© 2009 Karakter Uitgevers B.V., Uithoorn
Opmaak binnenwerk: ZetSpiegel, Best
Omslag: Mariska Cock

ISBN 978 90 6112 570 9
NUR 342

*Ter nagedachtenis aan mijn vader, die beter dan menigeen
wist wat het is om tegenslagen het hoofd te bieden*

1

Rose Downie zat op de koude keien met in haar armen een ingebakerde baby die niet van haar was.

Ze leunde met haar pijnlijke rug tegen de muur van het indrukwekkende stenen gebouw, dicht bij de eikenhouten toogdeur. In normale omstandigheden zou ze nooit in de buurt zijn gekomen van dit huis, waar een angstige, onheilspellende sfeer omheen hing, als de stank van talg. Maar de man die hier woonde, Richard Topcliffe, was haar laatste hoop. Ze was naar het gerechtshof geweest, maar de rechter had afwijzend zijn hoofd geschud. Zelfs áls hij haar geloofde, zei hij – wat net zo onwaarschijnlijk was als appelbloesem in november, voegde hij er verachtelijk aan toe – zou hij niets voor haar kunnen doen.

De schout was al weinig behulpzamer geweest. 'Vrouw Downie,' had hij gezegd, 'doe dat kind in een zak, als een jong katje, en gooi het in de Theems. Waarom zou je het in leven laten? En ik zweer bij God dat ik het niet als een misdrijf zal beschouwen maar als een daad van genade. Je zult er nooit meer iets over horen.'

Daarom zat ze hier nu te wachten, voor Topcliffes huis in de besneeuwde straat, dicht bij de begraafplaats van St. Margaret's in Westminster. Ze had al eens aangeklopt. Een stevige jongeman met een dun baardje had opengedaan, haar misprijzend van hoofd tot voeten opgenomen en haar weggestuurd. Toen ze weigerde, had hij de deur in haar gezicht gegooid. De bijtende kou zou iedereen naar huis hebben verjaagd om in dekens gewikkeld dicht bij de haard te kruipen, maar Rose wilde niet weg voordat ze Topcliffe had gesproken en om hulp had gesmeekt.

De laatste, bittere restjes zonlicht verdwenen achter de gebouwen van St. Margaret's en de abdij, en het werd nog kouder. Rose was knap, jong, niet ouder dan zeventien, en had altijd een stralende lach voor iedereen klaar. Nu rilde ze onbeheerst in haar dikke jurk en klemde de baby dicht tegen zich aan om het beetje warmte dat ze nog had te delen. Zo nu en dan ontblootte ze een grote, welgevormde borst om het kind te zogen. Haar melk vloeide rijkelijk en haar behoefte aan verlichting was bijna net zo groot als de honger van de baby. Damp steeg op in de ijzige winterlucht toen het kind krachtig dronk, en Rose was er dankbaar voor. Hoe monsterachtig ze de baby ook vond, een instinct dwong haar het kind te houden en te voeden. De dag ging over in de avond toen ze daar nog altijd zat, roerloos en onverzettelijk.

2

John Shakespeare bleef nog laat op, en toen hij eindelijk in bed stapte sliep hij onrustig. Zoals alle Engelsen in die dagen vreesde hij voor de veiligheid van koningin en vaderland. 's Nachts vertaalde die angst zich in nachtmerries, waaruit hij zwetend wakker werd.

Nog voor het eerste ochtendlicht was hij alweer uit bed voor een eenzaam ontbijt aan zijn lange tafel. Hij was een lange man, een meter tachtig, maar niet fors van postuur. Zijn donkere, geloken ogen weerspiegelden de zorgen van de wereld. Alleen als hij lachte, waar hij de afgelopen maanden maar zelden reden toe had gehad, leek hij de last van zich af te schudden die voortdurend een schaduw wierp over zijn gezicht.

Zijn dienstmeid Jane, in haar linnen nachthemd en batisten kapje, had nog rode ogen van de slaap toen ze de haard aanstak. Zo zag hij haar graag, onverzorgd, weelderig en nog warm van haar bed, met haar borsten los en vrij onder de dunne stof. Uit de manier waarop ze naar hem keek leidde hij af dat ze hem warm, gul en energiek zou ontvangen als hij ooit de zoldertrap naar haar kamertje zou beklimmen om onder haar lakens te kruipen. Maar wat stond daartegenover? Zulke pleziertjes hadden altijd een prijs: de klop van de priester op de deur om hem tot een huwelijk te dwingen, of het huilen van een baby die niemand wilde. En Shakespeare was te slim om zich op die manier te laten strikken.

Jane zette hem drie kleine kippeneitjes voor, hardgekookt, zoals hij ze het liefst had, vers tarwebrood met zoute boter, wat Hollandse kaas, saffraankoekjes die ze de vorige dag bij de bakker had gekocht, repen gekruide biefstuk en een kroes licht bier. De kamer werd verlicht door bijenwaskaarsen die flakkerden in de tochtvlagen door het glas-in-loodraam. Het was een koude winter, begin 1587, en Shakespeare had een stevig ontbijt nodig om zijn maag te vullen en zijn bloed te laten stromen.

Terwijl Jane de tafel afruimde, knielde hij even om het Onzevader te bidden. Zoals altijd prevelde hij de woorden monotoon, maar deze keer met extra nadruk op 'Leid ons niet in verzoeking'. Hij was achtentwintig, en het werd tijd om te trouwen. Die gevoelens... behoeften... waren te sterk en hadden een andere uitlaatklep nodig dan de troost die hij zich 's nachts in zijn vrijgezellenbed gunde.

Bij het eerste ochtendkrieken stond zijn assistent, Boltfoot, al te wachten in de betimmerde voorkamer van het oude huis. Hij praatte met Jane, die haastig naar de keuken verdween toen Shakespeare binnenkwam. Shakespeare fronste; er zou toch niets tussen hen zijn? Maar toen schudde hij zijn hoofd. Een jonge vrouw als Jane zou echt niets zien in zo'n oude zeeman met een horrelvoet.

Het gebouw dat John Shakespeare zijn thuis noemde was een mooi vakwerkhuis van vier verdiepingen, dat in de loop van de jaren een beetje uit zijn voegen was geraakt en scheef hing. Soms vroeg hij zich af of het niet zou instorten, maar het stond al tweehonderd jaar en had als voordeel dat het vlak bij het mooie herenhuis van minister Walsingham lag, in Seething Lane. Het was niet groot, maar heel geschikt als huis en kantoor.

'Zag ik Slide?'

'Twee mannen, heer Shakespeare,' zei Boltfoot op zijn gebruikelijke zakelijke toon. 'Slide, en een diender van de schout.'

'Ik zal even met hem praten.'

Boltfoot Cooper deed hem denken aan een oude eik, met de pezen en dikke aderen van zijn gezicht als verweerde, gegroefde takken. Hij keek zijn assistent na toen de man naar de deur liep, klein en gedrongen, met een linkervoet die al sinds zijn vroegste jeugd achter hem aan sleepte. Boltfoot moest nu begin dertig zijn, schatte Shakespeare. Zijn moeder was aan de kraamvrouwenkoorts bezweken en zijn vader kon zich de maand of zelfs het jaar van de geboorte van zijn zoon niet meer herinneren – ergens in 1554, of daaromtrent.

'Wacht. Wat wil die diender?'

Boltfoot bleef staan. 'Er is een moord gepleegd, zegt hij.' Zijn rauwe stem, zwaar en hees na jaren in de zilte lucht als scheepstimmerman, verried dat hij uit Devon kwam.

'Is dat alles? Een moord? Waarom komt hij dan bij mij? Daarvoor moet hij bij de schout of de rechter zijn.' Er klonk enige ergernis in Shakespeares woorden. Hij had de laatste tijd het gevoel dat hij zomaar zou kunnen instorten, als roestig ijzer. De last van de verantwoordelijkheid die Walsingham op zijn schouders had gelegd was gewoon te zwaar.

'De vrouw schijnt van hoge komaf te zijn,' antwoordde Boltfoot. 'Ze had zachte handen, ze had papieren en vreemde brieven bij zich en het huis waarin ze werd gevonden was afgebrand. Hij is bang.'

Shakespeare zuchtte gelaten. 'Zeg dat hij wacht terwijl ik met Slide spreek.'

Harry Slide maakte een diepe buiging toen Shakespeare de voorkamer binnenkwam en met een zwierig gebaar nam hij zijn bontmuts af. Hij richtte zich weer op en strekte zijn lange vingers als een zwaan zijn nek.

'Al goed, Slide. Je bent niet aan het hof.'

'Maar ik ben in voornaam gezelschap, nietwaar? De grote John Shakespeare zelf. Ik durf honderd mark te verwedden dat u binnenkort minister van de kroon zult zijn.'

'Als jij honderd mark had, Harry, denk ik niet dat je hier zou zijn.'

Shakespeare wierp een blik op Slides kostbare kleren, zijn strakke kraag en stijve wambuis met gouden en zwarte strepen, in Spaanse stijl. Met zo'n dure smaak was het geen wonder dat de man altijd in geldnood verkeerde.

'Wat heb je voor me?'

'Ik hoor altijd álles, heer Shakespeare, zoals u weet. Vandaag kwam mij ter ore dat de aartsbisschop van Canterbury afgelopen zondag in de sacristie is betrapt met zijn soutane om zijn middel, terwijl hij een lid van zijn kudde een beurt gaf.'

Shakespeare trok misprijzend een wenkbrauw op. Zo'n brutale roddel kon een man zijn leven of minstens zijn oren kosten.

'Dat lijkt nog niet zo vreemd,' vervolgde Slide, 'maar de volgende dag had hij haar als avondmaal, met worteltjes en kruizemunt.'

Shakespeare moest toch lachen.

'In elk geval was het een ooi, geen ram. Dan mag het toch?' vroeg Slide. 'Ik ken de leer van de Nieuwe Kerk niet op dat punt.'

Shakespeare lachte weer. Hij kwam in een beter humeur en daar was hij Slide dankbaar voor. Het nieuws van de afgelopen tijd stemde hem veel te somber: complotten tegen Hare Majesteit, en het dreigende doodvonnis tegen Mary, koningin van Schotland. 'Als je niet oppast, Harry Slide, eindig je nog aan de galg.'

'Wie weet. Maar... hebt u misschien interesse in de verblijfplaats van twee priesters van de Societas Jesu?'

Shakespeare spitste zijn oren. 'Twee jezuïeten? Garnet en Southwell?'

'Inderdaad.'

'Natuurlijk. Dat zou een grote vangst zijn. Heb je ze te pakken?'

'Zo goed als, heer Shakespeare.'

'Ga door.'

Slide was een tengere man met een open gezicht onder een blonde haardos. Mensen beweerden dat hij met zijn mooie praatjes zelfs paling uit de rivier en bijen uit hun korf kon lokken. Ook slachtoffers van zijn verraad, en die waren er genoeg, konden moeilijk een hekel aan hem hebben. 'Die informatie kost u honderd mark.'

Shakespeare wist dat het grootspraak was van Slide, die nog geen idee had waar de beruchte jezuïeten zich verborgen hielden, maar als iemand hen zou kunnen vinden was het Slide. De man beweerde dat hij alles wist wat er gebeurde in de hoofdstad en dat hij minstens één informant had in elke gevangenis in Londen en Southwark. Daar twijfelde Shakespeare ook niet aan. Slide had een belangrijke rol gespeeld in de ontrafeling van het pas ontdekte complot om Elizabeth te vermoorden en haar te vervangen door de Schotse koningin. Maar Mary's kansen leken gekeerd nu bleek dat ze tot aan haar slanke koninklijke nek bij de samenzwering tegen haar niet betrokken was geweest. Inmiddels berecht en ter dood veroordeeld, wachtte ze op haar lot in de sombere kerkers van Fotheringay Castle in Northamptonshire. Elizabeth hoefde alleen nog met een pennenstreek het doodvonnis te bekrachtigen.

Mary had haar hachelijke situatie voor een groot deel te danken aan Harry Slide, die in de kring van samenzweerders was geïnfiltreerd en al hun bewegingen had gevolgd in opdracht van Walsingham en

Shakespeare. De schuldigen – Babington, Ballard en de rest – hadden geen kans. Aan hun korte leven was een wreed einde gekomen op Lincoln's Inn Fields, waar ze waren opgehangen maar niet onmiddellijk gestorven. Terwijl ze nog leefden, waren hun lichamen opengesneden, hun darmen uit hun lijf gerukt en was hun nog kloppende hart onverschillig in een ketel gesmeten. Ten slotte werden de karkassen gevierendeeld en over de hoofdstad verspreid, terwijl de hoofden aan staken boven London Bridge waren gestoken als waarschuwing aan andere verraders.

Als Slide al medelijden had met deze ongelukkige, tragische figuren, die hij zo goed had leren kennen en met wie hij vriendschap had gezocht, liet hij daar niets van blijken. Hij was een meesterlijke huichelaar, die overtuigend zijn sympathie voor een zaak wist voor te wenden, enkel en alleen om de aanhangers in het verderf te storten. Slide was misschien niet te vertrouwen, maar net als een scherp keukenmes waaraan je je ook zelf zou kunnen verwonden, was hij een noodzakelijk instrument. En bovendien goed gezelschap, vond Shakespeare.

'Je zult me toch meer moeten vertellen voordat ik maar kan overwégen zo'n bedrag te betalen voor een paar jezuïeten.'

'Ik heb goede aanwijzingen dat Southwell zich vlak bij de stad bevindt.'

'Waar, precies?'

'Dat hoor ik over achtenveertig uur.'

'En Garnet?'

Slide grijnsde ontwapenend en haalde zijn opgevulde schouders op. 'Niet in de buurt, zou ik denken. Waarschijnlijk is hij gevlucht naar zijn verraderlijke kliek in Norfolk.'

'Nou, dat halveert de prijs.'

'Heer Shakespeare, ik heb ook mijn onkosten...'

Shakespeare nam zijn beurs van zijn riem en haalde er twee munten uit. 'Je bedoelt dat je kleermakers, wijnhandelaren en hoeren hebt die je moet betalen. En gokschulden, neem ik aan. Drie mark vooruit en nog zevenentwintig als je me naar die jezuïet kunt brengen.'

Slide pakte de muntstukken aan en liet ze vrolijk rinkelen in zijn hand. 'U bent een hard mens, heer Shakespeare.'

'Gelukkig voor jou niet zo hard als ik zou kunnen zijn, Harry, anders had je je halve leven in het gevang gezeten. Maar hou je oren open, zoals altijd. We hebben informatie nodig.'

'Uw wil is wet, heer...' En Slide vertrok met nog een zwierige zwaai van zijn dure mantel.

Er was nauwelijks een groter contrast denkbaar met de diender die nu hoofd bukte toen hij de kamer binnen stapte. Hij was een grote man met de sterke armen van een boogschutter onder een wollen vest en een ossenleren jak, maar toch beefde hij van angst. En hij stonk naar rook.

Shakespeare vroeg Jane een kroes bier te brengen om de man op zijn gemak te stellen. Struikelend over zijn woorden vertelde de diender zijn verhaal over de vermoorde vrouw die was gevonden. Shakespeare luisterde aandachtig. Het was een grimmig relaas, waarvan hij zeker wist dat Walsingham het onmiddellijk onderzocht zou willen zien.

De drie mannen – Shakespeare, Boltfoot en de diender van de schout – sprongen op hun paard en reden in de drukte van de vroege ochtend door Bishop's Gate, onder de staken met de afgehouwen hoofden van dieven en moordenaars door.

Tien minuten later kwamen ze aan in Hog Lane, dicht bij Shoreditch, iets ten noorden van de theaters waar de oude Holywell Priory had gestaan voordat koning Hendrik VIII het had gesloopt. Met dampende flanken en briesende neusgaten hielden hun paarden halt in de kille winterlucht. Voor hen stond een afgebrand huis. De deprimerende stank van rook en geschroeid stro walmde om hen heen. De zwartgeblakerde resten lagen voor de paardenhoeven op de harde, bevroren grond.

Shakespeare dook nog dieper weg in zijn zwarte berenmantel, een welkom geschenk uit de Nieuwe Wereld, dat hij met Kerstmis van Walsingham had gekregen. Het was een gul gebaar geweest, karakteristiek voor Walsingham in zijn relaties met mensen die hij graag mocht of voor wie hij zich verantwoordelijk voelde. Shakespeare was negen jaar geleden bij hem in dienst gekomen, toen hij nog een jonge advocaat was, pas in Londen gearriveerd vanuit de Midlands. Paul Ballater, Shakespeares mentor aan Gray's Inn, was een vriend van Walsingham en had zijn pupil aanbevolen voor de functie. Shakespeare was meer geschikt voor de praktijk dan voor stoffige wetboeken. 'Je zit maar uit het raam te staren, John, terwijl je je in het ge-woonterecht zou moeten verdiepen,' had Ballater gezegd. 'Luister naar een goede raad en meld je bij Walsingham. Je zult in heel Enge-land geen betere patroon kunnen vinden.' Shakespeare wist dat hij ge-lijk had en had het aanbod zonder aarzelen geaccepteerd. Daar had hij nooit spijt van gekregen, hoewel Walsingham – die door de bui-tenwereld 'heer minister' werd genoemd – hoge eisen stelde aan zijn mensen.

De diender bracht hem weer terug in het heden. 'Ik denk dat die brand is aangestoken, heer Shakespeare,' zei hij. 'Toen hij uitbrak, om middernacht, vatten het huis en het dak onmiddellijk vlam. Getuigen vertelden dat het leek alsof iemand een lont in een kruitvat had ge-stoken. George Stocker, de omroeper, sloeg meteen alarm.'

'Waar is hij nu?'

'Thuis, in bed. Hij slaapt overdag. Niet ver hiervandaan, heer.'

'Ga hem halen.'

Het afgebrande huis stond in een rijtje van tien of meer, die in korte tijd waren gebouwd op zo'n twee hectaren braakliggend land dat be-hoorde tot de recente uitbreiding van Londen naar het open gebied ten noorden van de muur, voorbij Spital Field, in de richting van Ellyngton Ponds. Overal waren nieuwe projecten te zien. Het afge-brande huis was van slechte kwaliteit geweest, haastig opgetrokken door de landeigenaar en vermoedelijk bedoeld voor nieuwkomers van het platteland. Er viel veel geld te verdienen aan de huisvesting van ambachtslieden met werk. Londen groeide snel en nieuwe bewo-ners stroomden toe vanuit alle delen van het land en zelfs van over-zee, op zoek naar welvaart of op de vlucht voor vervolgingen in Frankrijk of voor de eindeloze oorlog in de Spaanse Nederlanden. De stad had een permanent gebrek aan woonruimte.

Onder de balken van de stallen bij het huis lagen vier forsgebouw-de zwervers – bedelaars, zo te zien – onder rafelige wollen dekens op de koude grond. Ze sliepen hun roes uit na een avond met koppig bier. Het leken kerels die niemand wilde, het slag dat geen onderdak kon krijgen zonder het huis leeg te stelen, en dat uiteindelijk aan de galg in Tyburn zou belanden.

'Maak ze wakker, Boltfoot, maar hou ze daar. Ik wil ze onder-vragen.'

Boltfoot steeg af en liep naar het groepje toe. Met zijn goede voet schopte hij hen een voor een in de ribben en hij sleurde hen overeind, met het bevel om te blijven waar ze waren, onder bedreiging van een pak slaag. Verstijfd stonden ze in de kou, maar zonder te protesteren; de aanblik van de korte caliver die Boltfoot over zijn schouder had geslingerd en de korte sabel die hij losjes in zijn rechterhand hield was voldoende om hen rustig te houden, huiverend in hun vodden.

De diender kwam weer terug uit de richting van Shoreditch, in het gezelschap van de omroeper, George Stocker. De man knoopte zijn jas nog dicht. Hij was ruw uit zijn slaap gewekt, en zijn bel rinkelde onder het lopen. Hij had een dikke buik en maakte een goed doorvoede indruk, als een varken dat was vetgemest voor de slacht.

'Vertel heer Shakespeare wat er is gebeurd, George,' beval de diender.

Stocker nam zijn muts af. Zijn dichte, volle baard glom van het ganzenvet en zijn hersens werkten zo traag als je van een omroeper kon verwachten. Hij mompelde een onverstaanbare groet en begon toen zijn verhaal: 'Ik heb hard genoeg met mijn bel gerinkeld, heer, en iedereen geroepen. De mensen kwamen uit hun huizen, met emmers om water te scheppen uit de put. Het duurde niet lang voordat we de brand hadden geblust.'

Stocker wierp een blik naar de diender, die knikte. 'Ga door, George. Vertel de heer wat je mij ook hebt verteld.'

'Toen vond ik... Ik weet niet of ik dat wel mag zeggen, heer, want het voelt als zondig om erover te praten.'

'Je vond een lichaam, nietwaar?'

Stocker verstijfde en staarde naar de ruwe grond onder zijn goedkope schoenen. 'Het lichaam van een jonge vrouw, heer, helemaal ontkleed. Verschrikkelijk.'

'En verder, man?'

'Papieren, heer, waarop geschreven was. Ik weet niet wat.'

'Je kunt niet lezen?'

'Nee, heer.'

'En jij, diender? Kun jij lezen?'

'Nee, heer. Maar de broer van mijn vrouw kan het wel, een beetje. Zal ik hem halen?'

Shakespeare negeerde die vraag, liet zich van zijn grijze merrie glijden en gaf de diender de teugels. 'Ik ga even binnen kijken. Houd mijn paard vast en blijf bij hen.' Hij knikte naar de bedelaars.

De buren hadden de brand deskundig geblust. Londen was grotendeels een stad van hout, waar vaak brand uitbrak, dus moest ieder gezinshoofd snel en doeltreffend met emmers kunnen omgaan om het vuur te blussen. De muren van het huis stonden nog, al waren ze zwartgeblakerd. Shakespeare volgde de omroeper door het gapende gat waar de deur was ingetrapt. Hij was zich bewust van de tijd. Een van Walsinghams postruiters was de vorige avond laat nog langsgekomen om Shakespeare te melden dat hij tegen de middag in Barn Elms werd verwacht voor een dringende kwestie. Hij kon de minister niet laten wachten.

Shakespeare wierp een blik door het troosteloze geraamte van het huis, dat nog opmerkelijk intact leek gezien de heftigheid van de brand die de diender had beschreven. Iets op de natte vloer trok zijn aandacht, en hij raapte het op. Het was een vel papier, doorweekt en onleesbaar. Toen pas zag hij dat er nog meer papieren verspreid lagen tussen de verbrande stoppels van het rieten dak. Hier en daar waren nog woorden te herkennen, en geen van de papieren was gevouwen, wat bijna zeker betekende dat ze nog maar pas van de drukker kwamen. Hij gaf Boltfoot een teken. 'Zoek alles bij elkaar.'

Er lagen ook andere zaken, zoals loden letters, maar geen spoor van een drukpers. 'Alles, Boltfoot, ook die letters. Ik kijk er straks wel naar. Misschien kunnen we de gieterij vinden waar ze vandaan komen. Goed, Stocker, waar ligt het lijk?'

Het dak boven hun hoofd was verbrand, en in plaats van een plafond zagen ze een glinsterende grijze hemel, waaruit het weer begon te sneeuwen.

De trap stond nog, hoewel geblakerd, en ze klommen naar de eerste verdieping, waar ze in een zwartberoete voorkamer het lichaam van een vrouw vonden, naakt en met bloed besmeurd, obsceen uitgestrekt op een groot eikenhouten hemelbed. Een wouw pikte aan haar ogen maar vloog op door het skelet van balken en binten toen ze naderbij kwamen. De omroeper klemde zijn muts in zijn handen alsof hij haar wilde uitwringen, en wendde zijn blik af. Shakespeare had daar alle begrip voor. Het was nu wel duidelijk waarom de man zo ontdaan was geweest.

[17]

De keel van de vrouw was doorgesneden, met zo veel kracht dat haar hoofd bijna van haar romp was gescheiden. Haar roze huid was luguber blauw verkleurd en haar bloed gestold tot donkerrood, als van roestig ijzer. Haar hoofd bungelde slap achterover, met het gapende gat als een tweede mond, maar nog gruwelijker waren haar gespreide benen en de toestand van haar organen, die Shakespeares adem deden stokken.

Haar buik was opengesneden tot diep in haar schoot. Een foetus van zeven of acht centimeter lang was uit haar buik gehaald en boven de wond gelegd, nog verbonden met de navelstreng. Shakespeare huiverde; het kleine hoofdje leek al volmaakt gevormd. Hij wendde zijn blik af van het kleine lijfje, liep naar het bed toe en staarde naar de vrouw. Hoe verwrongen haar gezicht ook was, verkrampt in haar doodsstrijd, toch herkende hij haar. Abrupt draaide hij zich naar de omroeper toe. 'Laat ons alleen, Stocker. Wacht maar buiten, met de diender.'

De omroeper had geen extra aansporing nodig om dit knekelhuis te ontvluchten; hij ging ervandoor als een haas voor een jachthond.

'Wat denk je, Boltfoot?'

'Schandalig, heer, schandalig.'

'Maar herken je haar? Ze is een Howard. Lady Blanche Howard.' Shakespeare wist dat ze een nicht was van de nieuwe hoogste admiraal en vlootvoogd van de Engelse marine, Howard van Effingham. Het meisje was zelfs in diens gezin opgevoed nadat haar ouders aan de pest waren bezweken. De vlootvoogd beschouwde haar als zijn eigen dochter, zoals iedereen wist.

'Ja, heer.'

Shakespeare zweeg een moment. Hij keek nog eens goed naar het lichaam en liet zijn blik toen over de omgeving glijden. Wat had een vrouw als Blanche Howard, een nicht van de koningin, hier te zoeken gehad? Hoewel het zeker geen krot was, vormde dit huis een schril contrast met de paleizen en landhuizen waaraan zij gewend was geweest.

'Een slechte zaak, Boltfoot.'

Shakespeare had Blanche wel eens aan het hof gezien en schatte haar op een jaar of achttien, negentien: een van die adellijke meisjes die een plekje aan het hof hadden veroverd en daar wat rondfladderden of de koningin terzijde stonden totdat hun ouders een geschikte huwelijkskandidaat hadden gevonden en ze naar diens landgoed konden vertrekken. Gingen er geruchten over haar? Was ze al getrouwd of verloofd, en zo niet, waarom niet? Hij meende te hebben gehoord dat ze verliefd was geworden op de een of andere losbol, maar dat kwam vaker voor. De jongedames aan het hof stonden niet bekend om hun zedigheid. Opeens was Shakespeare zich bewust van de ochtendkilte die door zijn lange, dikke bontmantel en wambuis drong. Hij stak een gehandschoende hand uit naar Boltfoot, die hem de papieren gaf die hij had opgeraapt.

'Is dit alles?'

'Ik geloof het wel, heer.'

'Kijk nog eens goed. En maak dan een vuurtje buiten.'

Shakespeare bladerde de papieren door. Ze waren allemaal hetzelfde, pas gedrukt. De letters die hier en daar nog leesbaar waren deden vermoeden dat dit de plek was geweest van een 'wagenpers', een illegale drukkerij die gemakkelijk van de ene naar de andere schuilplaats kon worden verhuisd. En blijkbaar was de clandestiene drukker zo haastig vertrokken dat hij geen tijd meer had gehad om al zijn papieren en loodletters mee te nemen. Bij wat voor dubieus zaakje was Blanche Howard betrokken geraakt? En wat nog belangrijker was: met wíé had ze zich ingelaten en wie had haar vermoord?

Hij pakte het best bewaarde vel en hield het op enige afstand van zijn ogen, in het licht van de sneeuwbui. GODS WRAKE OVER DE BASTAARDDOCHTER OP DE TROON, luidde de kop. Na een korte inleiding vervolgde de tekst:

'Al eerder spraken wij over het bedrog, de huichelarij, de leugens, het gevlei, de complotten en clandestiene praktijken van genoemde graaf van Leicester, die zijn zinnen op de Engelse troon heeft gezet. Maar laat ons ook de ogen niet sluiten voor de zonden en verdorvenheid van diezelfde Maagd met wier hulp hij in zijn smerige, corrupte plannen zou zijn geslaagd. Immers, kreeg zij niet de Franse pokken, deze hoge, vorstelijke dame, dochter van die hoer van Boleyn, schuldig aan de dood van haar vaders ware dochter? Nee, het was niet Gods straf die haar in bed deed belanden, maar een laaghartig man, geholpen door een medeplichtige, diezelfde Moeder Davis over wie wij al eerder vernamen. Een vreemde vorm van pokken, die haar buik deed zwellen en weer zo'n bastaard baarde uit haar ellendige geslacht, gezoogd door diezelfde toverkol Davis en in het diepste geheim grootgebracht tot meerderjarigheid...'

Shakespeare schudde somber zijn hoofd; 'diezelfde Maagd' sloeg duidelijk op koningin Elizabeth. Het merkwaardig geformuleerde pamflet leek te suggereren dat zij en Leicester, haar gunsteling aan het hof, samen een kind hadden gekregen, dat vervolgens zou zijn gezoogd door de beruchte – en waarschijnlijk denkbeeldige – toverkol die bekendstond als Moeder Davis. Het was een belachelijke bewering, maar het was zeker niet de eerste keer dat de koningin ervan werd beschuldigd dat ze in het geheim een kind van Leicester had gekregen. En hoe vaker dergelijke verhalen de kop opstaken, des te geloofwaardiger ze werden voor het onnozelste deel van de bevolking. En dus moest deze laster met harde hand worden uitgeroeid.

Alles wees erop dat dit een donkere dag ging worden. Shakespeare las verder. Het pamflet ging op de gebruikelijke wijze tekeer tegen Leicester, terwijl ook Walsingham en aartsbisschop Whitgift het moesten ontgelden. Ten slotte begon de schrijver over Mary, koningin van Schotland. Het dreigement was duidelijk. Als Mary ter dood werd gebracht, zou 'de bastaarddochter op de troon' – Elizabeth zelf – ook moeten sterven. Er kwam een grimmige trek om Shakespeares mond.

Buiten had Boltfoot inmiddels een vuurtje gemaakt. Het groepje bedelaars schuifelde naderbij, onder toeziend oog van de diender, om zich te warmen. Shakespeare kwam naar buiten en nam het tafereel onbewogen op. Die vagebonden waren een zielig stel, maar hij kon geen risico's nemen. Ze moesten worden vastgehouden totdat hij de tijd had hen te ondervragen. Een van hen stak een hand op en wilde iets zeggen. Hij was een lange, slungelige man met warrig haar en een helderrood jak dat betere tijden had gekend.

'Je zult tot later moeten wachten,' zei Shakespeare rustig en hij draaide zich naar het vuur toe om de lasterlijke pamfletten in de vlammen te gooien. Het exemplaar dat het minst door water was aangetast stak hij in zijn wambuis, samen met een hoekje van een beschadigd exemplaar dat nog een goed overzicht bood van de gebruikte letters.

'Boltfoot, zorg dat dit alles verbrandt en dat niemand er iets van te lezen krijgt. Doorzoek het huis dan opnieuw, tot in alle hoeken en gaten. Als je nog meer van deze papieren vindt, verbrand je ze. Wat je verder nog tegenkomt, bewaar je voor mij. Daarna verzamel je de diender, de omroeper en alle fatsoenlijke buren die je nodig hebt. Breng het lichaam naar de lijkschouwer van St. Paul's en waarschuw de doodgraver. Escorteer die vagebonden naar Bridewell en zet ze aan het werk. Dat zal ze goeddoen. Laat een sixpence achter voor hun eten. En vraag wie de eigenaar is van dit huis. Aan het eind van de middag zien we elkaar in Seething Lane.'

Boltfoot wees naar de langste van de bedelaars, de man in het rafelige rode jak. 'Heer Shakespeare, hij wilde nog iets zeggen.'

'Ik weet het, Boltfoot, maar dat kan wachten. Ik moet nu naar Barn Elms.'

Shakespeare steeg weer op en wendde zijn paard al in de richting van Bishop's Gate, toen hij het geroffel van hoeven hoorde op de harde grond. Hij draaide zich om en zag vier ruiters naderen. Shakespeare wachtte. Ze reden snel op hem toe en hielden halt op hun steigerende paarden met trappelende hoeven en wapperende manen. Shakespeare herkende hun aanvoerder meteen: Richard Topcliffe, de dienaar van de koningin. Hij verbleekte.

'Wat is hier aan de hand, heer Shakespeare?' Topcliffe leidde zijn paard naar hem toe, tot ze naast elkaar stonden.

'Een moord,' antwoordde Shakespeare langzaam en nadrukkelijk, terwijl hij Topcliffe strak aankeek. 'Niet uw probleem.'

Topcliffes gezicht betrok als een naderend onweer. 'Dat maak ik zelf wel uit, Shakespeare. Het leven van de koningin en de veiligheid van haar rijk – en alles wat daarmee samenhangt – zijn wel degelijk mijn probleem. Wie is hier vermoord?'

'Dat zult u te zijner tijd wel horen.'

Topcliffe zweeg een moment, alsof hij nadacht. Toen zei hij langzaam: 'Wil je me soms dwarsbomen, Shakespeare?' Hij sprak met een zwaar Lincolnshire-accent, en zijn stem klonk eerder als het grommen van een wilde kat uit de menagerie van de Tower dan als een menselijk geluid.

Shakespeare haalde diep adem. Hij had pas nog de degens gekruist met Topcliffe over het moordcomplot van Babington tegen de koningin. Enkele verdachten waren in de Tower terechtgekomen, waar Topcliffe hen had gemarteld en de zaak behoorlijk had vertroebeld. Shakespeare, die een belangrijke rol had gespeeld in de ontrafeling van het complot, had hen willen ondervragen. Hij was ervan overtuigd dat hij met subtielere methoden meer te weten zou kunnen komen, bijvoorbeeld de namen van de andere samenzweerders. Topcliffe, die toestemming van de koningin zelf had voor zijn smerige werk, had niets anders gedaan dan de mannen ter dood brengen op de pijnbank. Toen Shakespeare daartegen protesteerde, waren Topcliffe en hij bijna slaags geraakt. Walsingham was op het laatste moment tussenbeide gekomen. En opnieuw kon Shakespeare de dierlijke vijandigheid van de andere man haast ruiken. Het was een andere stank dan zweet. Maar Shakespeare gaf geen krimp. 'Bespreek het maar met de minister. Alleen aan hem ben ik verantwoording schuldig, niet aan jou.'

Topcliffe sprong van zijn paard. Hij was een man van een jaar of vijfenvijftig, met de rauwe fysieke kracht van een vechthond. In zijn hand hield hij een wandelstok met een zilveren knop, zo zwaar dat hij hem als knuppel kon gebruiken. Hij deed twee stappen naar Shakespeares paard en sleurde de berijder moeiteloos uit het zadel.

Shakespeare kwam op de grond terecht en werd aan zijn kostbare berenmantel meegesleept als een zak bieten. Met zijn voeten probeerde hij houvast te vinden op de harde grond toen Topcliffe hem naar het huis sleurde. Eindelijk wist hij overeind te krabbelen, maar Topcliffe greep hem nu bij zijn nek en trok hem als een schooljongen mee, tot hij opeens bleef staan.

Boltfoot had de slanke, achthoekige loop van zijn versierde caliver recht op Topcliffes gezicht gericht, klaar om te vuren.

Topcliffe had niet meer dan twee seconden nodig om de situatie in te schatten. Toen lachte hij en liet Shakespeare weer los. Dreigend sloeg hij met de zilveren knop van zijn stok tegen de palm van zijn hand. 'Ik krijg je nog wel, John Shakespeare. Hier zul je spijt van krijgen. Net als jij, Boltfoot Cooper.' Met die woorden draaide hij zich om en stapte het huis binnen.

Kwaad en ontdaan sloeg Shakespeare het stof van zijn gescheurde, bemodderde kleren voordat hij Topcliffe volgde. Boltfoot bleef buiten, zijn wapen gericht op Topcliffes mannen, die nog in het zadel zaten en niet onder de indruk leken.

In de kamer op de eerste verdieping staarde Topcliffe een moment naar het ontzielde lichaam van Blanche Howard, greep haar bij de haren en tilde haar hoofd op om het dode gezicht wat beter te bekijken.

'Wie is ze?'

'Dat hoor je wel als de minister of de Raad het je vertelt.'

'De Raad!' Topcliffe snoof minachtend en liet het bijna afgehouwen hoofd met een klap op het bed terugvallen. Toen draaide hij zich naar Shakespeare om en zette zijn grote handen op zijn heupen. 'Als we op de Raad moesten wachten, hadden we nu een Spanjool als koning gehad.'

'Ik ken mijn werk, Topcliffe.'

'O ja? Je bent een jochie dat mannenwerk wil doen, Shakespeare. En dacht je echt dat ik niet weet wie dit is? Ze is een Howard. En waar zijn die papieren?'

'Papieren?'

'Ik heb gehoord dat er papieren lagen. Geef op.'

'Er waren inderdaad papieren, maar nu niet meer. Ik heb ze laten verbranden.'

'Allemaal?'

'Ja, állemaal, Topcliffe.' Shakespeare moest zich inhouden om niet zijn armen voor zijn wambuis te vouwen, waarin hij het papier had verborgen.

'Als ik er ooit achter kom dat je liegt, Shakespeare, kost het je je kop. Ik ken het geheimpje van je vader. Zou jij anders zijn? Dat zeg je wel, maar mensen beweren zo veel.'

Shakespeare onderdrukte een huivering. 'Jij weet helemaal niets van mijn familie, Topcliffe.' Maar de man wist blijkbaar wel iets, en Shakespeare maakte zich zorgen.

Hij was bij Walsingham in dienst getreden in de overtuiging dat de nieuwe religie, de Anglicaanse Kerk, het ware geloof was en dat het rooms-katholicisme met zijn bijgeloof, zijn verkoop van relikwieën, zijn wrede inquisitie en zijn brandstapels niet deugde. In zijn hart kon hij alleen voor deze Engelse versie van het christendom vechten als hij er helemaal achter stond. Maar die overtuiging stond haaks op de trouw aan zijn eigen familie. Zijn vader hing heimelijk nog de oude gebruiken aan en overtrad de *recusation*-wetten door op zondag niet naar de parochiekerk te gaan. In het bezit van Topcliffe was die in-

formatie als buskruit in de handen van een kind dat met een vuursteentje speelde. Het kon elk moment exploderen, wat de ondergang
van zijn vader en het einde van zijn eigen carrière in dienst van de
kroon zou betekenen.

Topcliffe spuwde voor Shakespeares voeten. 'Ik weet wat ik weet, en
dat weet jij ook. Luister goed. Die kwestie-Howard raakt de koningin,
dus is het mijn zaak. Ik weet wat zich hier heeft afgespeeld. Dit is het
werk van Robert Southwell, die roomse ploert. Dat is het enige wat
zijn soort met een vrouw weet te doen. Zodra ik weet waar die jezuïet
zich schuilhoudt, hebben we onze moordenaar. Ik zal hem persoonlijk opknopen, castreren, zijn darmen uit zijn lijf snijden en mijn gezicht wassen met het bloed uit zijn hart. Ja, dat wordt een feest.'

3

Het tij steeg nog steeds toen Shakespeare bij de trappen stroomopwaarts van London Bridge aankwam, waar zich al een rij passagiers
had gevormd voor de boot. 'In naam van de koningin!' riep Shakespeare als verklaring toen hij zich naar voren drong. Terwijl hij op de
huifboot wachtte, dacht hij weer aan Topcliffes onheilspellende opmerking over zijn vader. Inderdaad, Shakespeares vader had een
boete gekregen wegens recusation, maar nog altijd bleef hij de oude
gebruiken trouw. Dat had tot eindeloze discussies met zijn oudste
zoon geleid en een kloof veroorzaakt die misschien niet meer te over-
bruggen viel. Het deed Shakespeare groot verdriet. Hij hield nog altijd van zijn vader, maar had grote moeite met de koppigheid van de
oude man, waarmee die zijn familie onnodige ellende berokkende.

En nu suggereerde Topcliffe dat de recusation van de vader ook gevolgen zou kunnen hebben voor de zoon. Shakespeare besefte heel
goed hoe gevaarlijk zulke woorden konden zijn. Wie van roomse
sympathieën werd verdacht, kon een middernachtelijk bezoekje verwachten van de gevreesde, zwaarbewapende papenjagers, die onder
bevel stonden van officieren als Topcliffe.

En als Topcliffe gelijk had met zijn bewering dat de jezuïet Robert
Southwell de moordenaar moest zijn? Goed, Southwell was waarschijnlijk de meest gezochte man in heel Engeland, maar maakte dat
hem een moordenaar? Misschien beschikte Topcliffe over informatie
waar Shakespeare niets van wist.

Toen hij in de huifboot stapte, sloeg de stank van de rivier hem tegemoet. Alle stront en rottende kadavers vanuit Deptford, Greenwich
en nog verder weg dreven met het opkomende tij in de richting van

de stad. Maar de krachtige stroming bracht de boot in hoog tempo naar Surrey en Barn Elms, het landhuis van sir Francis Walsingham.

Barn Elms, door Walsingham op zijn karakteristieke wijze 'mijn stulpje' genoemd, was een mooi landhuis aan een bocht van de rivier, omgeven door tuinen en akkers. 's Zomers wierpen de dertig meter hoge iepen waaraan het landgoed zijn naam te danken had hun vlekkerige schaduw over het huis, maar nu strekten de kale, donkere takken zich als zwarte kraaien boven de landerijen uit. Vooral de stallen vielen op. Bijna zeventig uitstekende rijpaarden waren hier ondergebracht in mooie, gemetselde gebouwen die een eenvoudige werkman graag als huis zou hebben gehad. De stallen vormden een permanent bedrijf, met een vaste hoefsmid en zijn mannen, die dagwerk hadden aan het beslaan van de paarden, terwijl een legertje stalknechten verantwoordelijk was voor de verzorging. Tien of meer vaste postruiters waren dagelijks op pad om berichten over te brengen van en naar Westminster, Londen, Greenwich en verder. Dit was de kern van Walsinghams inlichtingennetwerk, dat zich uitstrekte tot in alle hoofdsteden van Europa en zelfs tot in de bazars en harems van de Turken.

Tegen de tijd dat John Shakespeare door Walsingham in zijn kantoor werd ontvangen, was de minister al op de hoogte van de dood van lady Blanche Howard en had hij een bericht gestuurd naar het hof om haar familie, de Geheime Raad en de koningin in te lichten.

Walsinghams kamer was eenvoudig ingericht, met weinig meubels of sierpleisterwerk, een sfeer die zijn strenge, sobere karakter weerspiegelde. Het was een zakelijke werkkamer, vol boeken, brieven en perkamenten, op stapels en in kasten. In die papieren lag informatie opgeslagen uit alle windstreken, zelfs uit Indië en het hart van de Spaanse koloniën. Walsingham was van alles op de hoogte. En hij wist elke brief en elk document weer terug te vinden in deze ogenschijnlijke chaos. Hij had twee grote eikenhouten tafels, waarvan er een bezaaid lag met land- en zeekaarten, deels geplunderd van Spaanse schepen, deels getekend door zijn eigen cartografen. De andere tafel was leeg, afgezien van Walsinghams schrijfpapier en pennen.

Gekleed in een donker, eenvoudig pak met een simpele kraag, zoals altijd, zat hij stijf rechtop, gekweld door zijn pijnlijke rug en nieren. Naast hem stond een kleine zilveren beker. Hij knikte naar zijn belangrijkste inlichtingenofficier. 'Het ziet er niet goed uit, John.'

Shakespeare maakte een diepe buiging. Hij wist dat Walsingham geen prijs stelde op beleefdheden of vragen over zijn gezondheid, dus kwam hij meteen ter zake en haalde het papier uit zijn wambuis. 'En het wordt nog erger, heer.' Hij gaf hem het vel.

Walsingham las het haastig door. 'Weet iemand anders hiervan?'

'Niet wat erin staat, denk ik, want de diender en de omroeper konden niet lezen. Topcliffe verscheen omdat hij van het incident had gehoord, maar tegen die tijd had ik de andere papieren al verbrand en verder heb ik hem niets verteld.'

'Waarom niet, John?'

'Het leek me alleen voor uw ogen bestemd.'

Walsingham keek Shakespeare ernstig aan. Zijn donkere, glanzende ogen konden iemands diepste geheimen lezen. 'Je jas zit onder de modder en je kleren zijn gescheurd. Als je niet oppast, loop je er straks net zo slecht gekleed bij als ik.'

Shakespeare moest lachen om Walsinghams karakteristieke zelfspot. Het had geen zin hem een verhaal op de mouw te spelden, want de minister wist altijd alles. 'Hij heeft me van mijn paard getrokken.'

'Topcliffe?'

Shakespeare knikte.

'Jullie zitten elkaar dwars, John, en dat kan ik niet tolereren. Een boerderij die verdeeld is, raakt in verval. De oogst mislukt, en het vee wordt ziek en sterft. Wij strijden tegen een gemeenschappelijke vijand. Dit is niet het moment voor onderlinge vetes, nu de Spanjaarden voor onze deur liggen en ons bedreigen met hun schepen vanuit Lissabon en Parma's troepen vanuit de Lage Landen.'

'Dat weet ik...'

'Maar jullie liggen elkaar niet. Topcliffe vindt jou een zwakkeling. Hij twijfelt aan je toewijding aan het geloof en het vaderland. Jij vindt hem wreed. Ik weet dat hij zich vergist. Je bent niet zwak, alleen erg... serieus. Maar laat me je dit zeggen, John: nood breekt wet nu we tegenover zo'n nietsontziende vijand staan. Topcliffe is heel effectief, de koningin heeft respect voor hem en dus mag hij zijn werk doen zoals hij dat wil. Als jij hem voor de voeten loopt, doe je dat op eigen risico. En die bediende van jou, met zijn caliver, heeft een vijand voor het leven gemaakt, ben ik bang.'

Shakespeare glimlachte heel even. 'Ik denk niet dat Boltfoot Cooper daar wakker van ligt. Een man die alle wereldzeeën heeft bevaren met Francis Drake, en oorlogen, honger, stormen en de Spanjaarden heeft overleefd, zal zich weinig aantrekken van Richard Topcliffe.'

'Misschien niet,' antwoordde Walsingham zonder stemverheffing, maar op stuggere toon. 'Zolang jij je maar aan mijn instructies houdt. Zeg me dit, John: waarom denk je dat ik jou heb gekozen als mijn rechterhand en eerste inlichtingenofficier?'

'Dat vraag ik me ook wel eens af, eerlijk gezegd.'

'Omdat ik iets van mijzelf in jou terugzie, John. Niet dat wij hetzelfde zijn. Jij bent minder... rechtlijnig in zaken van het geloof. Maar je bent ijverig en loyaal – en je maakt je zorgen, wat nog belangrijker is. Die bezorgdheid, ónze bezorgdheid, is de motivatie om ons te verdiepen in alle details van ons werk. En in de details ligt het succes. Dit is geen vak voor mensen die denken dat ze politieke problemen kunnen oplossen met een vurige toespraak en een groots gebaar. Wij ploeteren in het donker, als mollen. Elke centimeter van de tunnel is een kwelling voor je, John. Als dat niet zo is, heb ik je verkeerd beoordeeld. En bedenk goed: waar wij voor vechten is het wáárd om voor te vechten, want de vijand zou alles vernietigen wat ons lief is.'

Shakespeare twijfelde geen moment aan de ernst van Walsinghams woorden. Hij knikte instemmend en boog nog eens diep voor de minister. 'Dat begrijp ik, heer. Maar ik wil toch benadrukken dat ik het nooit oneens ben geweest met úw methoden. Ik weet ook wel dat er harde maatregelen nodig zijn als de veiligheid van onze vorstin en van het land op het spel staat. Als er soms een verdachte moet worden gemarteld, het zij zo. Maar ik heb grote bezwaren tegen iemand die mannen – en soms ook vrouwen – foltert voor zijn eigen plezier.'

Walsingham legde hem met een nijdig gebaar het zwijgen op. 'Genoeg. Ik wens van jou geen woord meer te horen over Topcliffe.' Hij gaf Shakespeare een teken om te gaan zitten en vervolgde wat rustiger: 'Er is nog meer, John. Ik zou graag willen dat ik het geld had voor een heel leger van trouwe Engelsen om deze geheime oorlog te kunnen voeren, maar het zijn zware tijden en we moeten roeien met de riemen die we hebben. Jij stelt een onderzoek in naar de moord op Blanche Howard. Ik vrees dat hier meer aan de hand is dan enkel de dood van een vrouw. Ga haar achtergrond na. Was ze paaps geworden? Wie heeft haar vermoord en waarom? Wat is de betekenis van die tekst en wie zitten erachter? De jezuïeten? Maak gebruik van Slide en zijn netwerk. Hij is me zijn leven schuldig en hij zal wel weten wie dit op zijn geweten heeft. En probeer Robert Southwell te vinden. Die man is gevaarlijk. Is hij soms verantwoordelijk voor de dood van Blanche Howard, zoals Topcliffe vermoedt? Het zou niet de eerste keer zijn dat een Southwell een Howard uit de weg ruimt. Roberts vader, sir Richard Southwell, was immers de belangrijkste aanklager tegen Henry Howard, de graaf van Surrey, en zorgde ervoor dat hij werd terechtgesteld. Nee, die families kunnen elkaars bloed wel drinken, John.'

'Maar dit is anders.'

'O ja? We zullen zien. Over een paar weken, als God het wil, zal die Schotse duivelin worden onthoofd en dan kunnen we een reactie verwachten. Dat is de lont in het kruitvat, dus moeten we op alles voorbereid zijn. Alle informatie, elk verraderlijk woord in de taveernes en herbergen van Londen moet worden onderzocht. Er mag geen aanslag meer worden gepleegd op het leven van onze vorstin.'

Shakespeare voelde zijn maag samentrekken als een strakke kabel om een lier. Soms leek het of de hele toekomst van Elizabeth en haar onderdanen enkel en alleen op zijn schouders rustte. Hoe kon hij, in zijn eentje, iets ondernemen tegen het gevaar van dat 'Engelse avontuur' – de groeiende armada van schepen die door Filips II van Spanje bijeen werd gebracht om Engeland binnen te vallen en de koningin te doden?

De vijand loerde overal. In Londen en de omringende graafschappen wemelde het van de roomse priesters, afkomstig van seminaries en scholen in Rome, Reims en Douai. Waarom? Om onrust te stoken, tweedracht te zaaien en de bevolking te hersenspoelen met hun verderfelijke ideeën. Van de gewone priesters viel niet veel te duchten. Nee, het werkelijke gevaar kwam van de jezuïeten, het kleine maar duivelse legertje van de contrareformatie, dat vastberaden en gedisciplineerd de stabiliteit van het Engelse koninkrijk ondermijnde.

'En dan is er nog een probleem, John,' vervolgde Walsingham zacht, alsof de muren oren hadden. 'Sir Francis Drake.'

'Wat is er met hem?'

Walsingham nam een slok zoete rijnwijn uit de kleine zilveren beker. Zijn gezicht lag half in de schaduw van de zwakke winterzon. Er brandde een vuurtje in de haard, een enkel houtblok slechts, dat met zijn bleke gloed weinig aan de kilte in de kamer kon veranderen. De minister stond op, pakte een vel papier van een stapel naast een van de tafels en gaf het aan Shakespeare, die meteen zag dat de tekst in een Spaanse code was gesteld.

'Berden heeft dit in Parijs onderschept. Het was onderweg van Mendoza naar de Spaanse koning.'

Shakespeare wist dat alle correspondentie tussen Mendoza, de Spaanse ambassadeur in Parijs, en koning Filips van het grootste belang was. Niemand had meer gedaan om koningin Elizabeth en het Engelse rijk dwars te zitten dan Don Bernardino de Mendoza. Drie jaar geleden was hij uit Engeland verbannen vanwege zijn voortdurende samenzweringen, maar op het moment dat hij onder een gewapend escorte vertrok, had hij zich nog omgedraaid naar een lid van de Raad en hem toegevoegd dat hij als overwinnaar zou terugkeren. Shakespeare wist dat Berden een van de beste agenten was waarover Walsingham beschikte, dus hij had geen enkele reden om aan de betrouwbaarheid van het onderschepte bericht te twijfelen.

'U hebt het al laten ontcijferen, neem ik aan?'

'Het is een zaak die je na aan het hart ligt, John. Phelippes heeft de code gekraakt en de volgende boodschap ontcijferd: "De drakendoder is naar Engeland gezonden." Vervolgens vraagt Mendoza om zeventigduizend dukaten in het geval van een geslaagde missie. Het is een opdracht tot moord, John, de bevestiging dat er een huurmoordenaar naar Engeland is gestuurd om Drake uit de weg te ruimen. We weten niet wanneer hij is vertrokken, hoelang hij hier al is of hoe het met zijn plannen staat. Maar het belang van dit bericht en de ernst van de inhoud zijn boven alle twijfel verheven.'

Shakespeare knikte instemmend. Hij wist dat Thomas Phelippes, Walsinghams code-expert, geen fouten had gemaakt in de ontcijfering van zo'n belangrijk document. Hij was het ook die de ingewikkelde code van de Schotse koningin had gekraakt, het bewijs voor haar verraad. En als dit geheime bericht klopte, was er nu een moordenaar ingehuurd om sir Francis Drake te elimineren. Alle Spanjaarden vreesden Drake en noemden hem 'El Draque', de draak. Officieel was hij vice-admiraal van Engeland, maar zijn faam was groter dan welke titel ook. In een natie van geduchte zeelui als Walter Ralegh, Martin Frobisher, Thomas Cavendish, Humphrey Gilbert, Richard Grenville, John Hawkins en Howard van Effingham stak Drake nog met kop en schouders boven iedereen uit. Bovendien werd hij gedreven door zijn haat jegens Spanje, een afkeer die nog stamde uit 1568, toen zijn vrienden en strijdmakkers bij het debacle van San Juan de Ulúa in de Nieuwe Wereld door de inquisitie waren opgepakt en gruwelijk gemarteld. De namen van die mannen knaagden aan Drakes ziel en hij dacht nog vaak aan hen: Robert Barrett, net als Drake uit Devon afkomstig, die in Sevilla op de brandstapel was gebracht; William Orlando, die in dezelfde stad in een kerker was weggekwijnd; Michael Morgan, gemarteld, bijna doodgeslagen en ten slotte als galeislaaf tewerkgesteld; George Ribley uit Gravesend, gewurgd en verbrand. Daaruit waren Drakes heldenmoed en zijn bittere vijandschap jegens de Spanjaarden ontstaan, aangewakkerd door de Spaanse wreedheden die later nog volgden, zoals de massamoord op al die mannen, vrouwen en kinderen in het Hollandse stadje Naarden, of het bloedbad, de plunderingen en de verkrachtingen in Antwerpen. Al die incidenten hadden zich in Drakes geheugen gebrand, met een woede zo heet als gesmolten ijzer. Maar zijn haat werd even heftig beantwoord door koning Filips II, die al lang geleden had besloten dat Drake moest sterven.

Als jeugdig inlichtingenofficier in Walsinghams dienst had Shakespeare vijf jaar eerder geholpen bij de ontrafeling van een eerder Spaans complot tegen Drake. Toen was er een prijs van twintigduizend dukaten op zijn hoofd gezet. Shakespeare had een rol gespeeld in de identificatie van de samenzweerders. Het was een eenvoudig, amateuristisch complot geweest. Pedro de Zubiaur, de Spaanse agent in Londen, had een koopman, een zekere Patrick Mason, geronseld om een oude vijand van Drake te bewegen Drake te doden. Die vijand was John Doughty, de wraakzuchtige halfbroer van Thomas Doughty, die voor zijn ogen door Drake was geëxecuteerd op zijn reis rond de wereld. Na een subtiele marteling had Mason de namen van de anderen genoemd. Voor zover Shakespeare wist, lag Doughty nog altijd weg te rotten in de gevangenis van Marshalsea.

Maar nu had Filips de prijs meer dan verdrievoudigd. Zeventigduizend dukaten was een aanlokkelijk bedrag voor wanhopige mannen.

'Filips waggelt met loden voeten over het wereldtoneel,' vervolgde Walsingham. 'O, het is makkelijk genoeg om hem te bespotten wanneer hij als een klein meisje loopt te jammeren dat Drake, Hawkins en de rest zijn schatten plunderen. Maar met zijn loden voeten heeft hij heel wat gewicht, dankzij zijn rijkdommen uit de Nieuwe Wereld. Hij kan ons verpletteren. Op zee zou ik denken dat mijn goede vriend Drake meer kans heeft te bezwijken aan scheurbuik dan door het zwaard of het pistool van een huurmoordenaar, maar nu hij terug is aan wal, bezig om de vloot te bevoorraden en op sterkte te brengen voor de monding van de Theems, vormt hij een gemakkelijk doelwit. 's Nachts aan het hof, bij zijn vrouw, is hij veilig genoeg, maar overdag op de werf is hij kwetsbaar, John. Dus verkeert hij in groot gevaar, net nu we hem zo hard nodig hebben. Santa Cruz, Filips' admiraal, zal waarschijnlijk in het voorjaar of de zomer uitvaren met zijn armada. Mijn verspieders melden dat hij zo de troepen van de hertog van Parma wil beschermen als ze vanuit de Lage Landen de zee oversteken naar Engeland. Als hij Drake uit de weg kan ruimen, zou die overtocht heel wat gemakkelijker zijn.'

Shakespeare aarzelde. Zoals hij Drake kende, had de man geen hulp nodig om te overleven. 'Drake redt zich wel,' zei hij ten slotte.

'Denk je dat, John? Op zee wel, natuurlijk. Maar aan de wal, op die drukke werven, vol buitenlanders uit alle windstreken? Zou een man met een caliver of een kruisboog zich niet kunnen verbergen onder het werkvolk? Drake heeft bescherming nodig, en daar zul jij voor zorgen.'

Shakespeare streek met een vinger onder zijn kraag door. Opeens had hij het warm, ondanks de kilte in deze sombere kamer. 'En lady Blanche Howard?'

'Dat onderzoek gaat gewoon door, net als je andere werk. We moeten allemaal woekeren met onze tijd. Bovendien heb je een ideale assistent bij de bescherming van Drake: die ex-zeeman, Boltfoot Cooper. Ik meen dat hij sir Francis al goed kent.'

Shakespeare schoot bijna in de lach. Protesteren had geen zin. Walsingham wist ook wel dat Boltfoot met ruzie bij Drake was weggegaan omdat hij zijn rechtmatige aandeel niet had gekregen van de grote buit die de *Golden Hind* op de Spaanse *Cacafuego* had veroverd. Bo-

vendien had hij geroepen dat hij na drie jaar op zee in Drakes gezelschap nooit meer een voet aan boord zou zetten, en zeker niet op een
van Drakes eigen schepen. Nee, Boltfoot stond niet te trappelen om
de kennismaking te hernieuwen.

4

De nacht was al overgegaan in de ochtend toen Rose Downie wakker schrok. Topcliffe stond over haar heen gebogen en porde haar met zijn wapenstok in haar zij. Met bonzend hart krabbelde ze overeind. De handen waarmee ze de baby tegen zich aan klemde waren verstijfd van kou. Het kind koos juist dat moment uit om te gaan krijsen. Het doordringende, monotone geluid, als het jammeren van een kat, deed een huivering over Rose' rug lopen, maar Topcliffe glimlachte slechts.

'Is het gedoopt in onze kerk?' vroeg hij, terwijl hij het vreemde gezichtje met die merkwaardige, onmenselijke ogen even aanraakte.

Rose' hart kromp samen van angst, maar ze had deze man nodig. Haar vriendin had haar verteld dat hij alles wist over iedereen in de stad en dat hij haar zou helpen, zoals hij ook anderen had geholpen, maar tegen een hoge prijs. 'Mijn eigen kind is gedoopt door de bisschop van Londen zelf, heer, maar dit is mijn baby niet.'

'Dus je hebt dit kind gestolen.'

'Nee heer. Mijn eigen baby is gestolen. En dit… *schepsel* was achtergelaten in zijn plaats.'

'Laat me het gezichtje wat beter zien. In het licht.' Topcliffe boog zich in de ochtendschemer naar de baby toe. Hij trok de windsels van het hoofdje en bekeek het kind aandachtig. Het gezichtje was klein en rond, met ogen die ver uiteen stonden. Veel te ver. De baby leek geen kin te hebben en zijn oren stonden merkwaardig laag. Iedere moeder zou van zoiets afstand willen doen, dacht Topcliffe.

'Kom maar mee naar binnen. Mijn bediende Nicholas zei dat je hier de hele nacht hebt gewacht. Ik zal hem een afranseling geven omdat hij je buiten heeft laten liggen in dit weer.' Hij duwde de eikenhouten voordeur open. Rose aarzelde, bang om naar binnen te gaan. De gang werd verlicht door een kaars die vreemde schaduwen wierp in de bries door de open deur. Toch stapte ze de onheilspellende halve duisternis in.

Op een donkergebeitste kist lag een groot boek met een vergulde band. Ze kon de titel niet lezen maar wist dat het een bijbel moest zijn. Topcliffe maakte haar rechterhand van de baby los en legde hem met een klap op het boek, alsof hij zeker wilde weten dat er contact was. 'Zweer je bij de Almachtige God dat dit kind niet van jou is?'

Rose had het nog kouder in dit huis dan buiten, in de schrale wind. En behalve de kilte hing hier een vreemde lucht, als van een slachthuis. Het deed haar denken aan de slagerij van Newgate Street, waar ze vlees kocht voor het huishouden. 'Ik zweer het, heer. Dit is niet mijn kind. Mijn eigen baby, William Edmund Downie, is gestolen. Help me, alstublieft, heer. U bent de enige die iets voor me kan doen.'

'Waar is je man, vrouw Downie?'

'Hij is dood, heer. Een maand geleden was hij op patrouille met de militie in Mile End Green, bij Clement's Inn, na de kerk. Zijn haakbus ontplofte.'

Topcliffe raakte even haar arm aan met ogenschijnlijk meegevoel. Maar zijn hand bleef liggen en hij trok haar wat dichter naar zich toe. 'Wat vreselijk, vrouw Downie. Engeland kan zulke mannen juist goed gebruiken. Een mooie vrouw verdient zo'n lot niet.'

Tranen welden op in Rose' ogen bij de herinnering, maar ze wilde niet huilen. Ze was hoogzwanger geweest toen Edmund die avond niet thuiskwam van de oefening met zijn haakbus en piek. Als duizenden brave mannen had hij zijn plicht gedaan en wekenlang getraind in het open veld of binnen de muren van Artillery Yard, als vrijwilliger bij het timmermansgilde – mannen zoals hij, die de Spanjaarden wilden tegenhouden. Die dag had ze op straat op hem gewacht, maar in plaats van zijn vrolijke tred en zijn brede lach had ze zes andere leden van de militie naar zich toe zien komen, die een handkar trokken met het kadaver van een dood dier, zoals ze eerst dacht. Pas het volgende moment besefte ze dat het de bloederige resten van haar man waren en viel ze flauw. Later vertelden ze haar dat zijn haakbus was geëxplodeerd en dat een van de scherven zijn keel had opengesneden. Ze waren nog geen jaar eerder getrouwd door de bisschop die later hun kind zou dopen. Haar man heette Edmund, maar ze noemde hem Mund. Hij was zo'n geweldige kerel geweest, een timmermansgezel met schouders zo breed als zijn lach. Op de dag van hun bruiloft hadden ze nauwelijks op de zegen van de bisschop kunnen wachten om naar huis te rennen en elkaar de kleren van het lijf te rukken. Toen hij stierf, had Rose het gevoel dat haar leven voorbij was. Elke nacht verlangde ze naar zijn lichaam op het hare. Maar in plaats van zijn liefde had ze enkel nog tranen. Toen, een week later, kwam de baby en zag ze weer enige zin in het leven. Het was een prachtig jongetje, dat ze William Edmund doopte, maar ook Mund noemde, net als zijn vader. Hij zou de nieuwe man in haar leven worden.

'Kom maar verder,' zei Topcliffe en hij legde zijn arm om haar schouder, 'en drink een slok bier. Je zult wel dorst hebben.'

Als hij haar had gevraagd de poorten van de hel te betreden had ze niet angstiger kunnen zijn, maar toch kon ze geen nee zeggen tegen deze man. Ze kende zijn wrede reputatie, maar wist ook dat hij machtig was. Haar vriendin Ellie May van de markt had haar gezegd dat ze naar hem toe moest gaan omdat hij in iemands ziel kon kijken en duistere geheimen wist die niemand anders kende.

Topcliffe hield tussen zijn geelbruin gevlekte tanden een langwerpig houten pijpje geklemd, waar hij zo nu en dan aan zoog, onder het uitblazen van rookwolken. Rose keek er met verbazing naar, alsof hij zwavel uitbraakte uit het satansvuur. Zoiets had ze nog nooit gezien. Hij lachte om haar verbijstering. 'Het is een pijp tabaksblad, uit de Nieuwe Wereld.' Hij riep een bediende om bier te brengen en de haard op te stoken en schold hem de huid vol om zijn laksheid toen de jongen met houtblokken en een blaasbalg bij het vuur hurkte.

Hij stelde haar ook vragen. Hoe ze zich in leven hield, en waar ze woonde. Ze antwoordde dat ze keukenhulp was in het huishouden van een voorname dame. Toen ze met Edmund trouwde, had ze haar baantje opgezegd, maar na zijn dood had de dame haar weer aangenomen in haar vroegere werk.

Terwijl ze dat vertelde, ontblootte Topcliffe zijn scherpe, donkere tanden en glimlachte tegen haar. Ten slotte legde hij de tabakspijp neer. 'Goed, Rose, ik zal proberen je te helpen. We moeten de moeder van dit koekoeksjong opsporen.'

Hij trok haar naar zich toe. 'We mogen de onderdanen van Hare Majesteit niet in de kou laten staan, wel? Zeker niet de weduwe van zo'n dappere jonge kerel die voor zijn vorstin gestorven is. Waar is je baby gestolen, Rose?'

Ze wist het nog precies. Het was een week geleden, toen het kind nog maar twaalf dagen oud was. Ze was naar de markt gegaan voor kaas en ingezouten varkensvlees. De baby hield ze ingebakerd in haar armen. Maar er ontstond een discussie met de marktkoopman en ze had het kind even neergelegd omdat ze haar armen vol boodschappen had en het geld moest uittellen om te betalen. Het meningsverschil liep op en het korte moment dat ze kleine Mund in een mand naast de kraam had gelegd, strekte zich uit tot een paar minuten. Ze was nog altijd kwaad toen ze zich bukte om hem op te pakken, maar op dat moment sloeg haar woede om in paniek, want haar baby was verdwenen. In zijn plaats lag dit kleine monster, dit schepsel, dit duivelsgebroed.

'Nou, dan moeten we de kleine William Edmund zien te vinden,' zei Topcliffe ten slotte. 'Maar laten we elkaar eerst wat beter leren kennen, Rose.'

Zijn arm lag nu krachtig om haar heen en hij trok haar omlaag. Ze verzette zich niet, alsof ze al half verwachtte dat dit een deel van de prijs zou zijn. In één beweging trok hij haar jurk en schort omhoog, waarna hij haar op haar rug duwde met een kracht waartegen ze machteloos stond. Zonder een woord stootte hij bij haar naar binnen, met de onverschilligheid van een stier die een koe bestijgt.

5

In de crypte van St. Paul's boog de lijkschouwer zich in zijn met bloed besmeurde schort over het ontklede en ontzielde lichaam van lady Blanche Howard en zweeg een hele tijd. Behoedzaam en ervaren bewogen zijn sterke handen haar arme hoofd de ene en de andere kant op toen hij haar wonden onderzocht. Vervolgens inspecteerde hij haar borsten en geslachtsdelen. Hij tilde de nog nauwelijks gevormde baby op, door de navelstreng met de moederschoot verbonden, en bekeek de foetus van alle kanten. Hij streek met zijn vingers door het vlasblonde haar van de vrouw en onderzocht haar oksels, de achterkant van haar benen en haar voetzolen.

De stenen muren van de crypte glinsterden van druipend water. De lijkschouwer spreidde de benen van het koude lichaam en ging verder met zijn onderzoek. Hij verwijderde een paar dingen, die hij onverstoorbaar opzijlegde. Toen bracht hij zijn gezicht bij de blonde V van haar vrouwelijkheid en snoof.

Shakespeare keek van enige afstand toe. De lijkschouwer, Joshua Peace, was zo in zijn werk verdiept dat hij de aanwezigheid van de ander niet leek op te merken. Shakespeare mocht hem wel. Peace was een man van de wetenschap, net als hijzelf, iemand die het nieuwe Engeland vorm kon geven nu ze bijna waren verlost van het bijgeloof van de roomse kerk. Boven hen, in het schip van de grote kathedraal, was het een drukte van belang: mensen die handeldreven, complotten smeedden, samen lachten of ruziemaakten, elkaar bestalen of gewoon een praatje aanknoopten. Maar hierbeneden was niets anders te horen dan het geschuifel van zachte leren zolen over de plavuizen en het onregelmatige gedruppel van water langs de wanden en het plafond.

Peace' leeftijd was moeilijk vast te stellen. Hij moest eind dertig zijn, maar hij leek jonger: een slanke, sterke man met een kale kruin, als de tonsuur van een monnik. Hij snoof nog eens, rond de mond en de neus van het slachtoffer, deed toen een stap terug en keek John Shakespeare aan. 'Ik ruik de sporen van brand op haar lichaam, en ook de lust van een man,' zei hij. 'En dat niet alleen, heer Shakespeare. Te oordelen naar de geur moet ze al drie dagen dood zijn.'

'Drie dagen?'

'Ja. Drie dagen in deze tijd van het jaar, vergelijkbaar met anderhalve dag in de zomer. Waar hebt u haar gevonden?'

'In een uitgebrand huis bij Shoreditch.'

'Dat verklaart de brandlucht. Haar huid en haar mond ruiken niet naar gif. Ze moet zijn gedood met een slagersmes of iets dergelijks, dat is gebruikt om haar keel door te snijden. Lag er veel bloed rond het lichaam?'

Shakespeare dacht terug aan het lugubere tafereel en schudde verbaasd zijn hoofd. 'Nee. Ze lag op een bed, met een paar vlekken op de lakens, maar verder niets.'

'Dan zal ze ergens anders of in een ander deel van het huis zijn gedood en later daarheen gebracht. Met dit soort verwondingen moet ze veel bloed hebben verloren.' De lijkschouwer hield de voorwerpen omhoog die hij uit het lichaam had verwijderd: een stukje bot en een zilveren crucifix. 'Die waren met brute kracht in haar lichaam gepropt. Dat botje is een relikwie, denk ik, zo'n apenbotje dat voor de vinger van een heilige moet doorgaan.'

'Wat deed het daar?'

'Dat zult u de moordenaar moeten vragen, heer Shakespeare. Ik kan u alleen vertellen dat het meisje ongeveer achttien was, zeker niet ouder, en goed gezond. De foetus, een jongen, was twaalf weken oud. De hoeveelheid bloed doet vermoeden dat die wond in haar buik waaruit het kind is weggerukt pas na haar dood is toegebracht, wat misschien een troost kan zijn voor haar familie.'

Peace stak zijn armen onder het lichaam en tilde het omhoog, zodat de blote rug zichtbaar werd. 'Kijk hier eens naar, heer Shakespeare.'

Shakespeare kwam een stap dichterbij. In de slanke rug, vanaf de nek tot aan de heupen, waren twee rode, rauwe lijnen gekerfd, in de vorm van een kruis. Dat was hem nog niet opgevallen in het huis in Shoreditch, waar ze met haar gezicht omhoog had gelegen.

'Wat is dat? Hoe is dat gebeurd?'

Peace streek met een vinger over de bloederige strepen. 'Het lijkt me een crucifix, primitief in haar huid gesneden na haar dood.'

Shakespeare staarde naar de wonden alsof hij probeerde terug te gaan in de tijd, tot het moment waarop ze waren toegebracht. 'Hebben ze een godsdienstige betekenis?'

'Die vraag zult u zelf moeten beantwoorden. En er is nog iets anders...'

Terwijl Peace dat zei en het lichaam voorzichtig teruglegde op de stenen tafel zodat de gewonde rug niet langer zichtbaar was, werd de oude deur van de crypte opengesmeten. Twee piekeniers marcheerden naar binnen en stelden zich aan weerszijden van de deur op. Ze werden gevolgd door een man van in de vijftig, gekleed als een edelman, met sneeuwwit haar, een witte baard en scherpe ogen. Hij was lang en mager en maakte een wat apathische indruk. Shakespeare herkende hem onmiddellijk als Charles Howard, tweede baron van Effingham en vlootvoogd van Engeland. Howards blik gleed van Shakespeare naar Peace voordat hij zwijgend naar de stenen tafel met het lichaam van zijn geadopteerde dochter liep. Blanche lag daar als uit marmer gehouwen op een sarcofaag. Een minuut of twee staarde Howard naar haar gezicht, toen knikte hij langzaam en draaide zich op zijn hakken om. Het volgende moment was hij verdwenen, geflankeerd door zijn piekeniers.

Shakespeare wisselde een blik met Peace. 'Hij had blijkbaar niets te zeggen.'

'Nee, niets. Ik heb nog iets anders.' Peace tilde Blanche' handen op en liet Shakespeare de polsen zien, die een gezwollen rode streep vertoonden. 'De striem van een touw, heer Shakespeare. De schoft die haar heeft vermoord had haar eerst nog op brute wijze vastgebonden.'

Shakespeare bestudeerde de sporen en huiverde toen hij bedacht wat het arme meisje had moeten doorstaan vlak voor haar dood. Hij drukte Joshua Peace de hand. 'Dank je, goede vriend. Breng haar lichaam naar de doodgraver. In rustiger tijden zou ik graag een fles Gascogne met je drinken in The Three Tuns.'

'Ja,' zei Peace. 'Laten we het glas heffen in rustiger tijden.'

Buiten, terug in het licht, zag Shakespeare tot zijn verrassing dat de vlootvoogd en zijn piekeniers op hem stonden te wachten. Het sneeuwde nu flink en er vormde zich een wit tapijt rond St. Paul's, maar als Howard van Effingham zich van de kou bewust was, liet hij dat niet merken. Hij stond onbeweeglijk, als een echte militair, met een grimmige uitdrukking op zijn kleurloze gezicht.

'Mijn heer...'

'Was ze zwanger?'

Shakespeare zei niets. De droefheid in de stem van de oudere man maakte een antwoord overbodig.

'Wie heeft dit gedaan?'

'Ik zal de dader vinden, heer. Mag ik u vragen naar haar bekenden? Hebt u enig idee wie de vader van haar kind zou kunnen zijn?'

Howard zuchtte diep. 'U bent Shakespeare, de assistent van de minister?'

'Inderdaad.'

'Dit is een tragedie. Ik hield van Blanche als van mijn eigen kind. Ze was een deel van mij. Maar het is ook een gevoelige zaak, heer Shakespeare. Ik moet aan de familie denken.'

'Dat begrijp ik. Maar u wilt toch dat ik de moordenaar vind?'

'Jazeker. Natuurlijk.' Howard aarzelde weer. 'Laat ik zeggen dat ze de laatste tijd omging met mensen die niet mijn goedkeuring konden wegdragen...' Hij zweeg.

Shakespeare hield vol. Hij had alle informatie nodig die deze man hem kon geven, maar Howard leek niet erg spraakzaam. 'Die mensen...'

De admiraal keek verstrooid. Heel even deed hij Shakespeare denken aan een verdwaalde pup die hij als schooljongen ooit in huis had genomen, ondanks de bezwaren van zijn moeder. 'Meer kan ik niet zeggen.'

'Weet u in elk geval iets over het huis in Hog Lane bij Shoreditch, waar haar lichaam is gevonden?'

'Nee. Het spijt me.'

'Mijn bediende, Boltfoot Cooper, heeft navraag gedaan, maar hij kon de eigenaar of huurder van de woning niet achterhalen.'

Howard zei niets. Hij stond onbeweeglijk als een rots.

'Misschien zou u me over een dag of twee nog eens te woord kunnen staan?'

'Misschien, heer Shakespeare. Meer kan ik niet beloven.'

Shakespeare had de indruk dat Howard van Effingham zijn kaken op elkaar klemde. De man zei niets meer, maar knikte naar zijn piekeniers voordat hij zich omdraaide en naar zijn paard liep, dat vlakbij stond aangelijnd. Die reactie sprak boekdelen, vond Shakespeare.

Terwijl Howard naar het oosten vertrok, gooiden een paar leerjongens met sneeuwballen naar Shakespeare. Een ervan raakte hem. Lachend bukte hij zich, kneedde met zijn handschoenen zelf ook een sneeuwbal en gooide die terug.

Het was vrijdag, visdag. Veel dagen waren tegenwoordig visdagen, als een middel om de vissersvloot een beetje op peil te houden. Shakespeare vond het best, want hij hield van alle soorten vis. Binnenkort brak de vastentijd aan en werd er elke dag vis gegeten. Jane had hem gerookte snoek in plaats van vlees bij zijn ontbijt gegeven en vanavond stond er paling met oesterpastei op het menu.

De boomtoppen waren wit besneeuwd toen Shakespeare door de straten met hoge huizen liep, waarvan de luiken openstonden om frisse lucht binnen te laten. De schoorstenen braakten dikke rookwolken uit van de houthaarden, die zich met de rioolstank van de stad vermengden tot een lucht die permanent in je neus en longen bleef hangen. 's Zomers was dat het ergst, vooral hier, bij de samenloop van de Theems en de Fleet, en dicht bij de gevangenissen van Fleet en Newgate, waar het rottende vlees van de dode gevangenen soms wekenlang bleef liggen. In deze tijd van het jaar bleef de stank gelukkig wat op de achtergrond.

Een eindeloze stoet wagens en karren, volgeladen met agrarische producten, vaten en bouwmaterialen ratelde beide kanten op. Paarden struikelden over de kuilen en gleden uit in de verse sneeuw, die ze met hun beslagen hoeven al gauw in een smerige prut veranderden. Ze hadden bijna geen ruimte om elkaar te passeren in de smalle straten en hielden herhaaldelijk halt, ondanks het gevloek en getier van de wagenmenners. Soms kwam het tot vechtpartijen voordat een diender tussenbeide kwam en de orde herstelde.

Binnen enkele minuten had Shakespeare de stad verlaten. De weg stak de rivier de Fleet over (als zo'n vervuilde greppel een rivier kon worden genoemd) en boog even later naar links, in de richting van de hoge, onheilspellende muren van Bridewell. Steeds als hij hier kwam had hij moeite te geloven dat deze duistere vesting ooit een koninklijk paleis was geweest, maar nauwelijks zestig jaar geleden had Hendrik VIII zijn Spaanse koningin een diner aangeboden achter deze muren. Zijn zoon, Edward VI, had het sombere kasteel overgedragen aan een stichting voor de huisvesting van de armen, en tegenwoordig was het niet veel meer dan een gevangenis voor de hoeren, zwervers en zigeuners van de stad.

Een eenheid van acht gewapende papenjagers kwam voorbij met een gevangene. Hun laarzen stampten door de sneeuw. Even later hielden ze halt en smeten hun gevangene tegen de grond. De wachtmeester, die Shakespeare herkende als een van Topcliffes mannen, bonsde op de grote deur, die bijna meteen werd geopend door een bewaarder met een rammelende sleutelbos.

'Een roomse priester voor je, cipier,' meldde de wachtmeester.

De man grijnsde een paar bruine, gebroken tanden bloot. 'Hij is welkom, heer Newall. Zijn vrienden zullen goed betalen voor zijn eten en onderhoud. Breng ze allemaal hier, die paapse priesters.'

'Als je onze afspraak maar niet vergeet.'

'Eén mark de man, wachtmeester! Laat ze maar komen. Ik heb nog nooit zulke goede zaken gedaan. Vorige maand brachten ze me een pastoor van de anglicaanse kerk. Die is gestorven omdat niemand hem een korst brood kwam brengen. En waarom zou ík hem in leven houden? Het is als ongedierte hier. Geef mij maar die roomsen, wachtmeester, want die brengen vlees op tafel.'

Newall sleurde de gevangene overeind en droeg hem geboeid aan de bewaarder over. 'Laat hem flink werken – spijkers maken of touw pluizen voor het breeuwen van Hare Majesteits schepen. En geef hem met de zweep, anders breng ik hem naar Marshalsea of The Clink, waar hij eigenlijk hoort.' De wachtmeester ontdekte Shakespeare en grijnsde. 'Topcliffe laat u groeten, heer Shakespeare.'

Shakespeare ging er niet op in. De man was een van Topcliffes domme beulsknechten. Zwijgend liep hij Newall en zijn groepje voorbij, knikte naar de cipier, die hem goed kende, en verdween naar binnen. Een stank van uitwerpselen en zweet sloeg hem tegemoet. Voor hem uit, op de eerste grote binnenplaats met de kruisgang, krioelde het uitvaagsel dooreen. Honderden bedelaars, hoertjes, lichtekooien en weeskinderen, vaak naar Londen gekomen op zoek naar een beter leven, waren hier beland voor straf en in de hoop op verlossing. Tevergeefs. Shakespeare zag hun doffe ogen als ze in de tredmolen liepen of een van de andere onplezierige werkzaamheden uitvoerden die hun door de cipier werden opgedragen als betaling voor het schaarse eten dat hij hun gaf. De bewaarder duwde de pas aangekomen priester de menigte in, waar hij door een opziener in zijn kraag werd gevat.

'Boltfoot Cooper heeft hier gisteren een paar zwervers gebracht,' zei Shakespeare ten slotte, toen de wachtmeester en zijn mannen waren verdwenen. 'Ik wil ze spreken.'

De cipier fronste verbaasd zijn voorhoofd. 'Natuurlijk, heer Shakespeare. Ik herinner me ze wel: Ierse bedelaars, als ik het goed heb. Maar ze zijn hier vanochtend weer weggehaald. Op uw bevel, heer.'

'Ik heb geen enkel bevel daartoe gegeven, cipier.'

'Maar heer, ik heb de instructie gelezen die de twee mannen bij zich hadden. Daar stond uw handtekening onder.'

'Mijn handtekening? Kun je dan lezen, cipier?'

'Jawel, heer, genoeg. Uw mannen zeiden dat die vagebonden als misdadigers naar een andere gevangenis moesten worden overgebracht, als ik me goed herinner. Ze hadden een rechterlijk bevel. Dat heb ik wel vaker gezien.'

'Dus mijn mannen hebben ze meegenomen?'

'Ja, heer. En ze gaven me een shilling voor de moeite.'

Shakespeare voelde zijn bloed koken. Hoe dúrfde Topcliffe zijn getuigen te verdonkeremanen? Opeens voelde hij een blinde woede tegen die man.

De cipier grinnikte, met open mond, als een gek uit het gesticht. 'Maar wacht nog even, heer. U bent net op tijd voor de vrijdagse geseling van de gevangenen. Als u trek hebt in een kroes wijn, kunnen we er samen naar kijken.'

Shakespeare keurde dat aanbod geen antwoord waard.

6

De man die door de sneeuw stapte met zijn mooie leren laarzen en zijn rode kamgaren wintermantel met witte bontkraag, trok vanzelfsprekend de aandacht van de huisvrouwen, pooiers en waterdragers in de modderige, door talloze karren versperde hoofdstraat van Long Southwark. Hij werd Cotton genoemd, en hoewel hij mager en tenger van postuur was, viel hij toch op. Zijn haar en zijn baard waren kortgeknipt en rossig blond van kleur, onder een zwartfluwelen hoed die met rode kralen was afgezet. De blik in zijn grijze ogen was scherp en oplettend, maar toch goedgehumeurd. Hij liep met de energieke tred van een vooraanstaand man, die zijn plaats in de wereld kende. Voor iemand die geen aandacht wilde trekken leek hij veel te uitdagend en opvallend, maar daardoor ontweek hij de belangstelling van verspieders en agenten, die juist op zoek waren naar figuren die zich, gehuld in donkere mantels, onzichtbaar probeerden te maken in duistere hoeken en portieken. Wat zich onder hun neuzen afspeelde, zagen ze niet.

Het zwakke licht van de middag begon al te verbleken toen hij met ferme pas naar het zuiden liep, langs Winchester House, St. Mary Overies, herbergen en bordelen, op weg naar de hoge muren van de gevangenis van Marshalsea, waar hij in ruil voor een muntstuk onmiddellijk werd toegelaten.

De cipier sloeg hem op zijn schouder als begroeting. 'Heer Cotton, het is goed u weer te zien.'

'En jou, cipier.'

De gevangenbewaarder, een grote man met een lange baard, gekleed in een zware wollen jas met een brede leren sleutelriem om zijn dikke buik, grijnsde breed naar Cotton, alsof hij een reactie verwachtte. 'Nou?' zei hij ten slotte. 'Valt u niets op, heer Cotton?'

De man die Cotton werd genoemd wierp een blik over de donkere wanden van het poortgebouw, dat net zo troosteloos en kil leek als altijd.

'De lucht, heer Cotton, de lucht! Ik heb de strontlucht van de gevangenen grotendeels weggewerkt.'

Cotton snoof beleefd. Het stonk er nog steeds, maar misschien minder dan anders. 'En hoe heb je dat gedaan, cipier?'

De bewaarder sloeg Cotton weer met zijn grote hand op de schouder. 'Emmers met deksels, heer. Emmers met deksels! Hogsden Trent, de brouwer van Gully Hole, verkoopt me zijn oude, afgeschreven tonnen. Ik zaag ze doormidden, maak er deksels bij en verkoop ze dan aan de gevangenen. Zo hoeven ze niet meer in het stro te schijten, heer, en niet meer tegen de muur te pissen.'

Heel even was Cotton jaloers op de simpele, praktische problemen van de cipier, die schril contrasteerden met zijn eigen wereld waarin dagelijkse behoeften als eten, slapen, drinken en poepen een ondergeschikte rol speelden in Gods grote plan. Samen met de bewaarder liep hij door de weergalmende, met kaarsen verlichte gangen, langs cellen waarin hij zo nu en dan gevangenen hoorde kreunen of schreeuwen, tot ze bij een stevige houten deur kwamen die met ijzerbeslag was versterkt. De cipier wilde met zijn reusachtige vuist op het hout bonzen, maar Cotton schudde bijna onmerkbaar zijn hoofd en zei: 'Laat me alleen.'

De cipier liet zijn hand zakken, maakte een buiging en draaide zich om. Toen de man al bijna verdwenen was, hoorde Cotton hem nog fluisteren in het donker: 'Geef me uw zegen, pater. Als u wilt...'

Cotton aarzelde een moment, sloeg een kruis en sprak de woorden die de bewaarder wilde horen: '*Benedictio Dei omnipotentis, Patris, et Filii, et Spiritus Sancti, descendat super vos et maneat simper...*' Er waren nog veel mannen en vrouwen zoals hij, die in het huidige Engeland publiekelijk hun trouw aan de nieuwe Kerk beleden, uit angst voor vervolging en een boete als ze niet bij de zondagsdienst verschenen, maar in hun hart terugverlangden naar de oude roomse tradities.

Cotton keek de bewaarder na toen hij, gesterkt door zijn zegen, de gang uit liep. Toen opende hij de deur op een kier. Erachter lag een grote cel met een lage zoldering en kale, gemetselde muren. In een gebouw met zo veel vervuiling en menselijke ellende leek de ruimte opvallend schoon en goed onderhouden. Nog verrassender was de aanwezigheid van een tafel in het midden van de cel, met zes stoelen, twee aan elke lange kant en één aan de beide korte zijden. Op de tafel stonden een paar schalen koud voedsel en een karaf wijn. Cotton stapte naar binnen en sloeg de deur met een klap achter zich dicht. Drie vrouwen en twee mannen stonden aan het andere eind van de tafel. De vrouwen waren bleek en keken angstig. Cotton glimlachte naar hen en sloeg nog eens een kruisje. '*Dominis vobiscum*,' zei hij plechtig.

Het vijftal tegenover hem, dat goed gekleed was, sloeg ook een kruis en antwoordde: '*Et cum spiritu tuo*.' De spanning week van hun gezicht en ze stapten opzij voor een klein, bedekt altaar, compleet met heilig vaatwerk – een zilveren kelk en hostieschaal – en goede kaarsen, die al waren aangestoken en een warme, flakkerende gloed door de cel verspreidden.

Cotton kwam naar voren en werd door ieder van de vijf beurtelings begroet. Hij pakte hun handen, kuste hen op de wang en zegende hen. Een van de vijf keek hem wat langer aan dan de anderen: hij moest degene zijn met het geheime bericht. De jonge, gevangengenomen priester greep Cottons armen stevig vast en wilde hem niet loslaten. Cotton deinsde terug voor zijn stank. Dit moest pater Piggott zijn, die samen met de andere man, pater Plummer, in het geheim hierheen was gestuurd vanuit het Engelse seminarie in Reims, waar ze hadden gestudeerd. Ze waren hier als gevangenen, maar genoten een grote vrijheid. Piggott en Plummer waren aangehouden door rechter Young en zonder proces gevangengezet, maar hun vrienden zorgden voor voldoende eten en de cipier behandelde hen met fatsoen.

'Blij u te zien, heer Cotton,' zei Piggott met een hese, zalvende stem. 'Ik heb een belangrijke boodschap voor u om door te geven.'

Cotton voelde zich misselijk worden. Hij wrikte Piggotts klauwende vingers van zijn arm los en merkte dat hij stond te trillen op zijn benen. Haastig deed hij een stap terug, buiten Piggotts bereik, knikte toen kort, haalde diep adem en maakte zich gereed om de mis op te dragen.

[47]

Met een zwierig gebaar legde Harry Slide een krantje op de met bier doordrenkte tafel. 'U bent me een penny schuldig, heer Shakespeare, en nog wel meer.'

Ze zaten in een afgescheiden hoekje van The Bell in Gracechurch Street. De vlammen laaiden op in de haard en de ramen waren beslagen. Van achter het schot klonk het rumoer van een groep kooplui die de aankomst van een galjoen uit Indië vierde. Luid en dronken verkondigden ze dat het schip, dat meer dan een jaar onderweg was geweest en als verloren was beschouwd, toch nog behouden was gearriveerd met een lading specerijen en zilver. Ze hadden er veel geld in gestoken en eindelijk was hun geduld beloond en hadden ze hun investering vele malen terugverdiend. Vanavond werd een klein deel van de winst omgezet in drank en amusement – als je het zo kon noemen. Een armoedig geklede jonge troubadour, die in een hoek bij de vaten aan zijn luit plukte, zong met veel gevoel maar weinig vreugde een weemoedige ballade. Buiten was de hemel eindelijk opgeklaard en de natte sneeuw van die dag bevroor tot een dunne laag ijs.

'Geen zorg, Harry. Je zult je geld wel krijgen. En nog meer.'

'Nou, u zingt opeens een heel ander lied, heer Shakespeare. Ik wou dat die troubadour dat ook deed.' Hij legde een hand om zijn mond en riep: 'Een vrolijk lied, minstreel, alsjeblieft zeg!'

John Shakespeare trok aan zijn korte baard en zuchtte. 'Eerlijk gezegd heb ik je gewoon nodig, Harry.' Hij boog zich naar de man toe en greep nadrukkelijk zijn arm. 'Ik wil je in dienst nemen. Er is veel werk te doen, en dan heb ik het niet alleen over de jezuïeten. We komen handen tekort. Wil je ons helpen?'

Slide nam een flinke slok donkerrode, extra gezoete Gascogne en dacht even na. Het was één ding om informatie te verkopen aan Shakespeare en Walsingham als hij een sappig nieuwtje wist, maar iets heel anders om bij hen in dienst te treden als verspieder. Toch verbaasde het voorstel hem niet. 'Heeft dit soms iets te maken met lady Blanche Howard?'

'Dus daar weet je van?'

Slide spreidde zijn handen, de handpalmen naar de oude balkenzoldering gericht. 'Heel Londen weet van Blanche Howard.' Hij knikte naar het krantje op de tafel van de kroeg.

Shakespeare pakte het op en voelde zijn nekharen overeind komen.

Het krantje heette *The London Informer*. Op de voorkant, onder de aanhef GRUWELIJKE TRAGEDIE VAN LADY BLANCHE HOWARD en de onderkop VERMOORD DOOR SMERIGE PRIESTER, bracht het pamflet de intieme bijzonderheden over haar verwondingen en de omstandigheden waarin ze was gevonden. Daarna volgde een warrig verhaal, met dubieuze verwijzingen naar de zusters van Howard van Effingham, lady Douglass en lady Frances, die misschien niet zo dol op Blanche waren geweest als hun broer. De tekst besloot met:

> Waarde lezer, laat ons u zeggen, met pijn in het hart, dat ze mogelijk goede redenen hadden voor hun onwilligheid om zich in rouw te hullen. Hoe kan het ook anders? Immers, lady Blanche had haar plaats in Gods koninkrijk in gevaar gebracht door haar schandalige betrekkingen met smerige paapse monsters, van wie er een, de beruchte Southwell, afkomstig uit Horsham St. Faith in Norfolk en de verraderlijke seminaries in Frankrijk en Rome, haar zwanger had gemaakt en uit angst voor zijn eigen sterfelijke leven het hare had genomen met een wrede dolk. Genoemde Southwell zou nog vrij rondlopen in Londen, waar hem troost, onderdak en voedsel worden verschaft door degenen die snode plannen koesteren tegen onze vorstin, Elizabeth. Die vuile moordenaar met zijn crucifix, zijn relikwie en zijn dolk! Als u hem of zijn trawanten tegenkomt, burgers van Engeland, vragen wij u dringend hem geen genade te tonen maar hem onmiddellijk naar de beul te brengen om te worden opgehangen.

'Hoe kom je hieraan, Harry?'

'Van Walstan Glebe. Hij had een hele stapel, bij Fishmongers' Hall, die hij verkocht voor een penny per stuk.'

Dus dit was Glebes werk. Shakespeare had van hem gehoord. De man was een rat, die handelde in leugens en vuiligheid. Voordat hij was begonnen met het schrijven, drukken en uitventen van zijn blaadjes, had hij zijn geld verdiend door de gedichten van anderen te stelen en als zijn eigen werk te verkopen. Verliefde minnaars hadden ze gekocht om schone dames het hof te maken. Glebe had ze gewoon gekopieerd van andere dichters en schrijvers. Dat was aan het licht gekomen toen een beschaamde en woedende jongeman naar de rechter was gestapt omdat zijn geliefde hem had uitgelachen toen hij haar een gedicht voordroeg dat allang bekend was. Als straf was Glebe met een gloeiende staaf een letter op zijn voorhoofd gebrand: de L van leugenaar. Nu droeg hij zijn haar lang om het brandmerk te verbergen en verspreidde hij het meest opruiende schandaalblaadje van de stad.

'Wat denk jij ervan, Harry?'

Slides mondhoeken gingen aarzelend omlaag. 'Ik weet het niet, heer Shakespeare. Zegt u het maar. Is het waar wat hier staat? Ik vond dat u het moest lezen.'

Shakespeare dacht na. Hij moest toegeven dat het globaal wel klopte, wat hem verbaasde, gezien de achtergrond van Walstan Glebe, hoewel hij niet wist hoe Howards zusters, lady Douglass en lady Frances, over hun geadopteerde zus hadden gedacht. Was het een slechte relatie geweest? Interessant was de suggestie dat lady Blanche contacten had gehad met de jezuïeten. Zat Topcliffe hier soms achter? De rest van de informatie kon zeker van hem afkomstig zijn, maar ook van de diender of de omroeper die bij de vondst van het lichaam aanwezig waren geweest.

Eén ding spookte Shakespeare nog door het hoofd, het zinnetje: 'Die vuile moordenaar, met zijn crucifix, zijn relikwie en zijn dolk...' Het crucifix en de relikwie waren pas later gevonden, door de lijkschouwer, Joshua Peace. Hij zou geen woord hebben prijsgegeven, daar was Shakespeare van overtuigd. Dus hoe wist Glebe ervan?

Eindelijk nam de treurige minstreel even pauze. Harry Slide juichte en klapte met pijnlijke ironie. Onwillekeurig schoot Shakespeare in de lach. Hij wist het een en ander van Slides verleden, of in elk geval Slides versie daarvan. Zijn vader was advocaat geweest, die een fortuin had verloren bij het kaarten, de hanengevechten en de paardenrennen. Toen hij wegens zijn schulden in The Clink terechtkwam, had hij zich verhangen. De negenjarige Harry en zijn moeder waren berooid achtergebleven. Zij had wat geld verdiend als naaister voor een kleermaker, genoeg om Harry te laten studeren. Het was geen makkelijke jeugd geweest, maar het kon erger. Dus waarom leek Harry Slide zo... incompleet? Het was alsof een deel van zijn ziel ontbrak, zodat hij mensen kon inpalmen met zijn ogenschijnlijk betrouwbare karakter, om hen vervolgens te verraden. Shakespeare dronk zijn kroes leeg en voelde de warmte van de wijn in zijn buik. 'We moeten maar eens met Glebe gaan praten, Harry. Weet jij hem te vinden?'

'Ik kan iedereen vinden, als ik genoeg tijd heb.'

'Maar tijd hebben we niet, dus schiet een beetje op. En wat denk je van die connectie met Southwell? Kan hij erbij betrokken zijn?'

'Het is natuurlijk mogelijk...'

'Maar je hebt twijfels?'

Slide knikte.

'Nou, probeer hem op te sporen en grijp hem in zijn kraag. Hij kan niet langer op vrije voeten blijven. De minister en de koningin willen hem achter slot en grendel zien. Dus laten we hem net zo veilig opbergen als de kroonjuwelen. En gebruik je beste contacten om de waarheid over deze moord boven tafel te krijgen. Drie mark per dag, Harry, vijfentwintig extra voor Southwell en nog eens vijfentwintig als je de moordenaar van Blanche Howard vindt.'

Slide zweeg een moment terwijl hij erover nadacht. Hij had het geld gewoon nodig om deze koude winter door te komen. Dus glimlachte hij op zijn innemende manier. 'Natuurlijk, heer Shakespeare. Een bijzonder gul aanbod. Ik ben uw man.'

7

Om zeven uur, lang na het donker, sjokte de cipier van Marshalsea naar de cel om Cotton en de drie dames op te halen. 'Ik moet gaan afsluiten, heer Cotton,' zei hij verontschuldigend.

De zes etensgasten waren bijna klaar met hun maaltijd en dronken een glas wijn terwijl ze het sombere lot van Engeland bespraken. Ze waren allemaal bang dat Mary, koningin van Schotland en de belangrijkste hoop voor de katholieke zaak, spoedig zou sterven als martelares. Zelfs nu nog baden ze om een wonder dat haar zou redden en haar op haar rechtmatige plaats op de Engelse troon zou tillen.

Heel even hadden ze hun zorgen kunnen vergeten. De Latijnse mis die door Cotton was opgedragen had hen vervuld met een vluchtige vreugde, vooral de drie vrouwen, lady Tanahill, lady Frances Browne en vrouwe Anne Bellamy. Ze behoorden tot drie van de voornaamste roomse families in Londen en hadden het zwaar, nu de ijzeren vuist van de staat elk moment van de dag of nacht op hun deur kon bonzen. Lady Tanahills echtgenoot, Philip, ooit een gunsteling van de koningin, zat gevangen in de Tower. Hij was opgepakt toen hij probeerde het land uit te komen voor een bespreking met leiders van de roomse kerk in het buitenland. De gravin was achtergebleven met hun kleine kind, dat zijn vader nog nooit had gezien. Ondanks haar zware gemoed had de rustige, liefdevolle aanwezigheid van deze Cotton haar troost gebracht.

Terwijl lady Tanahill toekeek hoe Cotton geanimeerd zijn geloof beleed dat de ware Kerk ooit zou herrijzen in Engeland, nam ze een besluit. Ze zou hem vragen om als haar persoonlijke priester bij haar in huis te komen, zodat hij dagelijks met haar de eucharistie kon vieren. Maar dat wilde ze hier niet zeggen, waar de anderen bij waren. De arrestatie van haar man, die was verraden door een bevriende priester, had haar een bittere les geleerd over vertrouwen.

Piggott en Plummer veegden hun bord schoon met de laatste resten brood en werkten die gretig naar binnen. Het eten – weliswaar eenvoudig omdat het koud moest worden geserveerd – was in kisten meegebracht door Anne Bellamy. De maaltijd van lamsvlees en gevogelte was bijzonder in de smaak gevallen, zelfs op een visdag. 'Als we toch zondigen, laten we het dan goed doen,' zei Plummer lachend. En de wijn was heerlijk.

Cotton bleef met Plummer en Piggott in de cel achter, terwijl de drie vrouwen samen vertrokken. Zodra ze waren verdwenen, nam Plummer afscheid van Cotton, greep zijn handen en bond hem op het hart sterk te blijven in het geloof. Daarna was Piggott aan de beurt, die Cotton omhelsde als in een bankschroef. Cotton kromp ineen. Piggotts ademhaling ging hortend en zijn ruige zwarte baard, die zijn pokdalige gezicht maar half bedekte, schuurde langs Cottons wang toen hij hem zacht in het oor fluisterde, zodat Plummer het niet kon horen.

'Pater Cotton, zeg tegen onze vriend dat Cogg van Cow Lane bij Smith Field, buiten de stadsmuren, hem zal geven wat hij nodig heeft.'

Opnieuw walgde Cotton van de nabijheid van de man, en hij wrong zich zo snel mogelijk los. Heel even stonden ze oog in oog, totdat Cotton zijn blik neersloeg. Hij knikte nog eens naar Plummer, die begripvol leek te glimlachen, verliet toen de cel en sloeg de deur achter zich dicht zonder Piggott nog een blik waardig te keuren. Een familie dikke ratten schuifelde voor hem uit toen Cotton de cipier door de muffe gangen naar de grote deur volgde. Hij rilde nog door zijn ontmoeting met Piggott, toen de bewaarder hem weer met zijn grote hand op de schouder sloeg en op samenzweerderige toon tegen hem fluisterde: 'Emmers met deksels, heer Cotton. Emmers met deksels!'

In de frisse avondlucht kon hij zich wat ontspannen toen hij over de brug terugliep naar Londen, glibberend door de ijzige, verlaten straten. De maan scheen en hij had zijn taak volbracht, maar tegen de tijd dat hij bij zijn pension bij de rivier aankwam, voelde hij zich toch onrustig. Die Piggott beviel hem niet, evenmin als zijn bericht.

Heel even wachtte hij aan het eind van Dowgate, bij de Tower, turend door de straten met hun hoge huizen met loodvensters en zware gordijnen of luiken, waardoor slechts het vage schijnsel van kaarslicht zichtbaar was. Scherp speurde hij naar verdachte bewegingen en hij luisterde naar de geluiden om hem heen. Toen hij zeker wist dat hij niet werd gevolgd, liep hij naar een zijdeur van het huis en klopte twee keer. De deur ging open en meteen weer dicht zodra hij binnen was.

Het was een groot, nieuw vakwerkhuis, nog nauwelijks afgebouwd maar al gedeeltelijk bewoond door de eigenaar, Thomas Woode, een weduwnaar van in de dertig, met zijn twee jonge kinderen. Zijn vrouw was bezweken aan de tering toen Grace nog maar een jaar was en Andrew drie. Nu waren ze vier en zes en had hun vader dit huis laten bouwen om het verleden te vergeten en een nieuwe toekomst te smeden voor zijn gezin.

De gouvernante van de kinderen, Catherine Marvell, stond bij de deur. Ze was een tenger meisje met opvallend blauwe ogen, een gave huid en lang, donker haar dat naar achteren was gebonden. Ze staarde Cotton ontzet aan.

'*Pax vobiscum*, mijn lieve Catherine,' zei Cotton en hij nam haar handen in de zijne. Ze huiverde. 'Wat is er?'

'Hebt u het niet gehoord?'

'Wat, Catherine?'

Ze sprak zachtjes, hoewel niemand haar kon horen. 'Blanche is dood, pater. Vermoord.'

'Wat?'

Catherine sloot haar ogen, alsof ze de gedachte aan de vermoorde Blanche niet uit haar hoofd kon krijgen. 'Bij Shoreditch. Daar is haar lichaam gevonden, gruwelijk verminkt, in een uitgebrand huis.' En toen fluisterde ze nog zachter en heftiger: 'Ze zeggen dat ze zwanger was, pater.'

Hij wilde haar in zijn armen nemen om haar vaderlijk te troosten, maar ze deinsde terug. Cotton begreep het. De aanraking van een ander mens is niet altijd het beste middel tegen verdriet en afschuw. Lady Blanche? Wie had zo'n mooie, liefdevolle vrouw zoiets kunnen aandoen? Cotton had haar zelf tot de heilige roomse kerk gebracht. Was dat de reden voor haar dood? Voor zover hij wist had ze nog nooit een vlieg kwaad gedaan.

Cotton wilde Catherines lange, donkere haar strelen, maar was bang dat ze hem opnieuw zou afweren. Wat ongemakkelijk stonden ze tegenover elkaar in de gang, onzeker hoe ze met dit nieuws moesten omgaan.

Hij sprak een paar troostende woorden, maar ze klonken goedkoop en afgezaagd. Hij wilde haar geruststellen, hoewel hij zich afvroeg of hij het zelf niet was die gerustgesteld moest worden. Het jezuïtisch seminarie had hem afgesneden van de fysieke wereld van het menselijke contact en dikwijls miste hij de aanraking van een hand of de troost van een zachte wang.

Ze nam hem mee naar de grote kamer, waar een knapperend haardvuur brandde in een grote stenen schouw. Een man stond al te wachten. De kamer was groot en hoog, behangen met weelderige, blauw met gouden kleden, die de rijkdom van de eigenaar weerspiegelden. Alles leek nieuw, en de groene eiken balken glinsterden in het licht van tientallen kaarsen.

De man die op hen wachtte was lang en mager. Hij stond dicht bij het vuur om het volle profijt te hebben van de warmte. Anders dan Cotton droeg hij eenvoudige, donkere kleren, de livrei van een hogere huisknecht of butler, hoewel hij dat zeker niet was. Een bescheiden kraag bekroonde een zwart wambuis over een wit hemd, een zwarte kniebroek en witte kousen in Venetiaanse stijl. Zijn haar was kortgeknipt en zijn gezicht gladgeschoren.

Hij boog zijn hoofd, maar zonder te glimlachen. 'Goedenavond, pater Cotton,' zei hij langzaam en nadrukkelijk, met een licht accent.

'Goedenavond, pater Herrick.'

'Hoe ging het vandaag?'

'Redelijk goed.'

De verhouding tussen de twee mannen was formeel. Ze waren geen vrienden. Cotton had opdracht gekregen om Herrick te helpen en dat zou hij ook doen; verder ging de relatie niet. Het was begonnen met een brief uit Rome, ondertekend door Claudius Aquaviva, de generaal van de Societas Jesu, met de instructie aan Cotton om Herrick in Engeland te verwelkomen, onderdak voor hem te zoeken en hem in contact te brengen met vooraanstaande rooms-katholieken, zodat hij veilig aan zijn missie kon beginnen. Cotton had Aquaviva's bevel opgevolgd maar voelde zich er niet prettig bij.

[55]

Eerst had hij Thomas Woode, de eigenaar van dit huis, gevraagd of Herrick hier een paar nachten kon logeren. Woode had het goedgevonden, hoewel Cotton merkte dat hij aarzelde om nog een priester in huis te nemen. Dat verdubbelde het risico, en als hij werd betrapt op de huisvesting van priesters, vooral jezuïeten, liep zijn leven groot gevaar.

Cotton was van plan geweest onmiddellijk iets anders voor Herrick te regelen, maar dat was er niet van gekomen, dus was Herrick hier nog, vermomd als bediende, terwijl hij aan zijn spirituele missie begon. Het was een situatie waarvan zowel Thomas Woode als de gouvernante, Catherine Marvell, zo snel mogelijk verlost wilde worden.

Catherine trok zich terug naar de deur. Haar heer was naar een banket van het boekdrukkersgilde en het huis leek te klein voor deze drie zo verschillende mensen. Boven sliepen de kinderen van Thomas Woode in hun bedjes.

Ten slotte vroeg Catherine: 'Kan ik u iets te eten brengen, pater?' Ze richtte zich nadrukkelijk tot Cotton, en hem alleen.

Hij schudde zijn hoofd en glimlachte. 'Nee, dank je, kind. Ik heb goed gegeten. En u, pater Herrick?'

'Misschien een hapje voor het slapengaan…'

Catherine keek hem aan. Ze had helemaal geen zin om eten klaar te maken voor pater Herrick. 'En hebt u nog nieuws voor me, pater Cotton?' vroeg Herrick toen ze alleen waren.

Cotton aarzelde. Hier klopte iets niet. In de acht jaar dat hij voor deze missie was opgeleid, was Cotton heel wat merkwaardige mensen tegengekomen, die lang niet altijd vroom of gelovig waren: ambitieuze, angstige of boze mannen, spionnen van Walsingham, en natuurlijk ook priesters die de zaak waren toegedaan. Maar deze Herrick – niet zijn echte naam, besefte Cotton – was heel anders dan de anderen en dat baarde hem zorgen. Wat was zijn rol binnen de Societas Jesu en deze missie? Hij had nog niets gezegd over zijn opdracht, hoewel hij liet doorschemeren dat hij voor de goede zaak in de Nederlanden had gewerkt en ook in de Nieuwe Wereld heidenen tot Christus had bekeerd. 'Laten we gaan zitten en een glas wijn drinken, pater Herrick, totdat Catherine uw eten heeft gebracht. Het was een lange, koude dag.'

'U weet dat ik geen wijn drink, pater Cotton. En ik weet dat u mij

liever niet in dit huis wilt hebben. Toch werken we allebei voor hetzelfde grote doel...' Hij sprak vloeiend Engels maar had een vaag
accent, dat alleen een geoefend oor zou herkennen als Vlaams. Hij
was de zoon van een Hollandse vader, musicus aan het hof van koningin Mary, en een Engelse moeder.

'Is dat zo?' vroeg Cotton, maar hij had meteen spijt van die vraag.
'Neem me niet kwalijk.'

Herricks gezicht bleef onbewogen, maar hij koos zijn woorden met
zorg. 'Wat u ook mag denken, pater Cotton, ik kan u verzekeren dat
ik meer over u weet dan u over mij. En nog belangrijker, ik weet dat
u over informatie beschikt die ik nodig heb en waarvan de betekenis
u niets aangaat. U hebt instructies gekregen van onze superieuren in
Rome en u zult hen gehoorzamen.'

Cotton was verbaasd over Herricks scherpe woorden en zweeg wel
een minuut. Een stem in zijn binnenste zei hem dat hij zijn mond
moest houden en dit bevel moest weigeren, omdat er niets goeds van
kon komen. Maar als jezuïet had hij geleerd om altijd te gehoorzamen, desnoods met gevaar voor martelingen of de dood. Aquaviva
wilde dat hij Herrick bij alles zou helpen, dus moest hij hem de naam
en het adres geven van die man, Cogg. Wie Cogg was of wat hij deed,
wist Cotton niet, maar hij vreesde dat het weinig of niets met de heilige roomse kerk te maken had.

Catherine Marvell kwam weer binnen en bracht een blad met wat
koude gerechten voor Herrick. Heel even deinsde ze terug toen ze de
twee mannen zo zag.

'Cogg,' zei Cotton zacht tegen Herrick. 'Cogg. Van Cow Lane.'

De schaduw van een glimlach gleed over Herricks gezicht. Zijn lippen bewogen. 'Dank u, pater Cotton. *Pax vobiscum*.' Toen draaide hij
zich om naar de deuropening, waar Catherine als aan de grond genageld stond, en sloeg een kruis. 'En Gods zegen over jou, mijn kind.'

8

In hoog tempo voeren ze naar Deptford. De roeiers hadden geen moeite om stroomafwaarts een snelheid van vier of vijf knopen aan te houden bij afnemend tij. Shakespeare zat achter in de huifboot onder de overkapping. Een zilte wind vanaf de oever blies zijn hoed van zijn hoofd. Het hoofddeksel rolde naar de rand van de boot, maar Boltfoot Cooper wist het te grijpen voordat het in het woelige grijze water verdween.

Boltfoot grijnsde door het opspattende schuim toen hij de hoed teruggaf. 'Op weg naar onze hooggeboren vorstin, heer Shakespeare? Ik geloof dat ze thuis is.'

Shakespeare gaf geen antwoord. De koningin was inderdaad in Greenwich Palace, voorbij Deptford. Met zijn brede gazons en weidse uitzicht over de rivier vol hoge zeilen van de grote galjoenen was dat een van haar mooiste huizen, een paleis van dromen, beschut tegen de groezelige drukte van het naburige Londen. En toch, dacht Shakespeare, was het paleis in deze roerige tijden misschien wel de minst plezierige plek in heel het land. Niemand was graag in het gezelschap van Hare Majesteit nu ze met haar geweten worstelde over het doodvonnis dat ze moest ondertekenen. Shakespeare bleef er liever ver vandaan. De hovelingen en raadslieden die dagelijks met haar te maken hadden waren niet te benijden.

Hij had Elizabeth een paar keer ontmoet en prees zich gelukkig dat haar oog niet op hem gevallen was. Hoewel hij haar respecteerde als vorstin, hield hij liever wat afstand. Haar gunstelingen waren een speelbal van haar stemmingen, die net zo grillig waren als het weer: zonneschijn en warmte konden zomaar omslaan in donder en bliksem. Op dit moment overheersten donkere wolken en het gebulder van kanonnen. Hij begreep heel goed waarom Walsingham zich wegens ziekte excuseerde. Liever bleef hij veilig op Barn Elms in deze sombere tijden, waarin de koningin werd verscheurd door besluiteloosheid: aan de ene kant de neiging zich te ontdoen van haar verraderlijke, achterbakse nicht, aan de andere kant haar weerzin om een medevorstin te laten doden en de woede van de hele rooms-katholieke wereld over Engeland af te roepen.

De roeiers bleven op koers en worstelden met de stroming toen ze de gevaarlijke West Ferry passeerden, bij de landtong in de bocht van Kent, voordat ze naar het zuiden afbogen. Daar werd het water wat rustiger en konden ze zonder probleem de reis voortzetten naar Deptford, waar Drake toezicht hield op de bouw van de oorlogsschepen waarover hij graag het bevel zou krijgen. Met die schepen was hij ervan overtuigd dat hij de Spaanse koning overal zou kunnen verslaan.

In de haven van Deptford was het een drukte van belang. De oever was nauwelijks te zien door het woud van hoge masten met hun spinrag van tuigage, terwijl de ra's van de afgemeerde schepen net zo kaal leken als de bomen op het land. Tientallen grote schepen, galjoenen en barken, lagen hier voor anker en torenden met hun grote eikenhouten opbouw boven de huizen op de wal uit. Maar er lagen ook pinassen en een hele vloot kleinere boten. Vanaf de rivier was het een indrukwekkend schouwspel. Toen ze dichterbij kwamen, zagen ze langs dit deel van de rivier duizenden mensen in de weer tussen de lange rijen winkels, luidruchtige kroegen, leveranciers, kuiperijen, zeilmakers, slijterijen en de werkplaatsen van breeuwers, straatventers, houthandelaren, schrijnwerkers en timmerlui.

Toen de huifboot aanlegde bij de trappen van de marinewerf, maakten het geroep en de commotie onmiddellijk duidelijk dat er iets aan de hand moest zijn. Op de kade was een groep mannen samengedromd rond iets wat op de kiezels lag. Shakespeare ging van boord en gaf de roeiers opdracht op hem te wachten. Hoewel ze wisten dat hij voor staatszaken onderweg was, protesteerden ze toch dat ze die dag al klaar waren met hun werk. Maar Boltfoot legde hun het zwijgen op door zijn messcherpe dolk te trekken en als waarschuwing luchtig langs zijn keel te halen.

De menigte aan wal groeide snel. Shakespeare liep knerpend over het grint van Deptford Strand om te zien wat daar aan de waterkant lag. Door een opening in de mensenmassa meende hij een in het zwart geklede reus van een man te zien liggen, stuiptrekkend op de kade.

Hij wrong zich naar voren, zonder acht te slaan op de elleboog-stoten die hij daarbij opliep. Toen hij dichterbij kwam, zag hij dat het geen man was, maar een grote zwarte vis of een zeemonster, minstens acht meter lang van kop tot staart. Het beest leek nog te leven, want het bewoog langzaam en sloeg met zijn vinnen zachtjes tegen de grond. Een paar leerjongens schopten het dier lachend in de flanken.

'Dat levert heel wat maaltjes vis op,' zei een gezel met het schort van een schrijnwerker om zijn middel.

Shakespeare voelde een vreemd soort medelijden met het dier. De grijszwarte huid, begroeid met mossels, glinsterde in het licht van de bewolkte hemel. Zeewier kleefde aan de dikke buik. Shakespeare deed een stap naar voren om de leerjongens te weerhouden, maar lachend schopten ze het beest opnieuw. Hun maten deden mee.

'Het is een voorteken,' zei iemand. 'Een voorbode van slechte be-richten.'

'Volgens mij is het een Spanjool,' zei de schrijnwerkersgezel.

'Het is Filips zelf,' meende een ander, die naast hem stond. 'Wat een grote klootzak, hè?'

Shakespeare draaide zich om naar Boltfoot Cooper. 'Verlos die vis uit zijn lijden.'

Boltfoot had zijn dolk nog in zijn hand. Hij deed een stap naar voren, knielde bij het hulpeloze beest en streelde het grote voorhoofd. Hij scheen iets tegen het dier te fluisteren en ramde toen zijn hand tegen de kwetsbare, witte onderbuik. Toen hij het lange mes terug-trok, gutste er een stroom bloed naar buiten. Het beest spartelde nog een minuut, terwijl Boltfoot de enorme kop vasthield, en stierf toen.

'Hé, hij heeft de koning van Spanje vermoord!'

'Opgeruimd staat netjes. Roomse klootzak. Nu alleen nog die Schotse hoer onthoofden.'

'Het was een leviathan,' zei Boltfoot zachtjes tegen Shakespeare, toen hij opstond en zijn dolk aan zijn zakdoek afveegde. 'Ik heb ze vaak gezien in de zuidelijke zeeën. Soms volgden ze in ons kielzog.

Sommige waren wel twee keer zo groot als deze, vijftien meter of nog langer.'

Shakespeare voelde een hand op zijn schouder en draaide zich haastig om.

'Hallo John, ik dacht al dat jij het was.'

Shakespeare staarde in een gezicht dat hij goed kende. 'Harper!'

'Tot je dienst. Ik hoorde dat ik je kon verwachten.'

Kapitein Harper Stanley was een trotse man met een hoge kraag, die Shakespeare belachelijk ongemakkelijk voorkwam. Hij had een grote bruine snor die taps toeliep in twee punten, boven een al even puntige baard. Eigenlijk was hij te lang voor een marineman. Benedendeks zou hij overal gebukt moeten lopen want daar was zelfs voor de kleinste matrozen nauwelijks hoofdruimte.

Shakespeare lachte hartelijk toen hij de man de hand schudde. Hij had Stanley altijd graag gemogen. 'We zijn op zoek naar de vice-admiraal.'

'Hij is in Greenwich. Ik zal je naar hem toe brengen.' Stanley draaide zich om naar de twee matrozen in zijn gezelschap en zei: 'Neem die walvis in beslag. Laat hem slachten voor de lampolie en hou het kaakbeen apart om te worden uitgesneden.'

Kapitein Stanley ging voorop. Ze kwamen langs het verweerde karkas van de *Golden Hind*, het schip dat alle wereldzeeën had bevaren en nu afgedankt achter het Royal Dock lag, waar iedereen ernaar kwam kijken, aan boord klom en stukken hout uitkerfde als souvenir. Shakespeare keek tersluiks naar Boltfoot, die vastberaden voor zich uit keek, alsof hij de aanblik niet kon verdragen. Ook Stanley voelde Boltfoots weerzin tegen zijn oude schip.

'Een spook gezien, Cooper?' vroeg de kapitein en hij grinnikte zacht. 'Ooit afgeranseld op het voordek, misschien? Je hebt wel een paar slechte herinneringen, durf ik te wedden.'

Boltfoot bromde ontkennend terwijl hij doorliep en zijn klompvoet zo snel mogelijk achter zich aan sleepte.

Stanley bracht hen naar een sloep en gaf de bootsman opdracht hen naar het paleis te brengen. Toen ze op de bankjes zaten, vroeg hij eindelijk: 'Wat kom je hier doen, John? Sir Francis heeft gistermiddag bericht ontvangen dat je hem wilde spreken.'

Shakespeare probeerde deze zelfverzekerde zeebonk te verzoenen met het beeld van de onervaren jonge marineofficier die hij vijf jaar eerder had ontmoet tijdens zijn onderzoek naar het complot van Zubiaur, Mason en John Doughty tegen Drakes leven. Harper Stanley had niet op de *Golden Hind* gezeten maar was pas bij Drake in dienst gekomen in 1581, een jaar na de terugkeer van het schip. Hij kwam uit het noordoosten van Engeland, met goede aanbevelingsbrieven, die Drake sceptisch had bestudeerd. Hij hield niet van die aristocratische types, maar Stanleys vasthoudendheid beviel hem wel en dus had hij hem aangenomen. En hij werd niet teleurgesteld. Harper Stanley bleek een uitstekende zeeman en maakte snel promotie.

Toen de samenzwering van John Doughty aan het licht kwam, had Drake nonchalant gereageerd, zoals altijd. Hij koesterde niets dan minachting voor de Spaanse koning en iedere aanslag die er op zijn leven werd beraamd. Met tegenzin had hij Stanley afgevaardigd om Walsingham en Shakespeare te helpen bij hun onderzoek naar het complot, maar zelf wilde hij er niets mee te maken hebben.

Shakespeare had meer willen weten over de gebeurtenissen achter het complot. Waarom had John Doughty zo fanatiek wraak willen nemen voor zijn broer? Op dat moment had Stanley de naam van Boltfoot Cooper genoemd als iemand die een goede beschrijving kon geven van het proces en de terechtstelling van Thomas, de broer van John Doughty.

Boltfoot zat al niet meer op zee en had zijn eigen problemen met Drake, maar hij bleek een goede getuige. Hoe zwijgzaam hij ook was, hij had uitvoerig verteld over de ongelukkige gebeurtenissen in juli 1578 in Port St. Julian, alsof hij blij was dat hij ze van zich af kon praten.

Dat was nog in de tijd dat Shakespeare geen eigen huis en kantoor had. Hij ondervroeg Boltfoot Cooper in de voorkamer van Walsinghams huis in Seething Lane. Boltfoot, die werk had gevonden in een grote kuiperij in Londen, voelde zich niet op zijn gemak in de hoge kamer met de grote loodvensters. Zachtjes vertelde hij hoe hij bij Drake in dienst was gekomen. 'Ik werd ertoe aangezet door John Hawkins toen ik nog maar een leerling-timmerman was, een snotneus van twaalf of dertien. Het mocht niet, omdat ik in dienst was van een andere man. Maar Hawkins zette me op de *Judith*, onder bevel van commandant Drake, en ik ben dertien jaar bij hem gebleven.'

'Als kuiper, om tonnen te maken?'

'Ja. Maar ik hielp ook vaak als scheepstimmerman bij reparaties aan de masten en ander werk. En ik vocht gewoon met de mannen mee. Ik wist dat ik hem wel beviel en dat hij me vertrouwde. Ik keek tegen hem op als tegen een vader. Hij was altijd eerlijk... toen nog wel.'

'En later voer je met Sir Francis – inmiddels kapitein-generaal Drake – op zijn reis naar de Straat Magellaan en de Stille Oceaan?'

'Ja, meneer.'

'Dus je kende Thomas Doughty en zijn broer John?'

'Ja, heer. Zelf mocht ik Thomas Doughty niet erg. Hij vond zichzelf de gelijke van de kapitein-generaal, maar dat was hij zeker niet. Hij en de andere officieren aan boord van de *Pelican* liepen de kantjes eraf. Ze hadden geen respect voor de mannen benedendeks, en dat was wederzijds.'

'En Doughty?'

'Thomas Doughty en zijn broer John waren het ergst. Ze speelden de baas, pikten ons aandeel in de buit in en probeerden ons om te kopen om de kapitein-generaal te verraden. De Doughty's waren als wespen in een nest, altijd aan het fluisteren met elkaar. Voordat we de Río de la Plata op voeren, weigerde ik een order van Thomas Doughty om in het want te klimmen om de kust te verkennen. Het was niet aan hem om mij zo'n bevel te geven als de eerste officier en de kapitein-generaal zelf aan boord waren. Commandant Drake zou mij nooit zoiets hebben opgedragen omdat hij wist van mijn voet en de moeite die ik had met klimmen. Maar Thomas en John waren zwijnen. Ze moeten hebben geweten dat ik niet kon klimmen, maar toen ik niet wilde doen wat Thomas zei, greep John Doughty een eind touw en sloeg me daarmee om mijn oren, heer.'

'Dat klinkt niet best, Cooper.'

'Hij stond erbij te lachen, heer, alsof het een grap was.'

'Zoals we nu weten kreeg commandant Drake genoeg van het ondermijnende gedrag van Thomas Doughty en bracht hij hem voor een jury van veertig man in Port St. Julian, een paar honderd mijl ten noorden van de Straat Magellaan. Die jury veroordeelde Doughty ter dood.'

'Wij noemden het Blood Island, heer Shakespeare. Daar had de Portugese kapitein Magellaan meer dan zestig jaar eerder een muiterij neergeslagen en een man laten ophangen, voordat hij door de zee-straat voer die nu zijn naam draagt. Ik ben niet bijgelovig, maar sommige kerels dachten dat het spookte op dat eiland. We hebben nog de galg gevonden waaraan Magellaan die muiter had opgehangen, met wat zwartverkleurde botten en rafelige kledingresten eronder.'

'En de executie van Thomas Doughty?'

'Dat was vreemd. Ik heb meer mensen zien sterven, maar nooit zo dapper als heer Doughty. Zijn dood redde zijn reputatie. Hij koos voor de bijl in plaats van de strop, waartoe hij het recht had, en Drake gaf hem twee dagen om zich voor te bereiden. In die laatste dagen verzoende Thomas zich met Drake. Ze aten zelfs samen in Drakes tent.'

'En waar was zijn broer John Doughty?'

'Hij trok zich terug, liep naar de rotsen aan het water en bleef daar zitten. Hij lachte niet meer. Bij de terechtstelling van zijn broer verzamelde de kapitein-generaal de hele bemanning van de vloot als getuigen. John Doughty moest er met geweld naartoe worden gesleept. Zijn armen werden tegen zijn lijf geklemd en toen de bijl zijn broeders nek raakte, vertrok John Doughty geen spier, heer. Ik keek naar hem om te zien wat hij zou doen of zeggen, maar hij deed niets, dus wist ik...'

'Wat wist je, Cooper?'

'Dat hij ooit wraak zou nemen.'

'Dank je, Cooper. Je hebt ons goed geholpen.'

Cooper stak zijn hand in een zak van zijn arbeidersjak.

'Nog één ding, voordat je vertrekt, Cooper,' zei Shakespeare. 'Ik begrijp dat je niet langer op goede voet staat met sir Francis Drake. Is dat waar?'

Boltfoot bromde wat. 'Er zijn heel wat mensen die geen woord meer met Drake willen wisselen. Hij is rijk geworden aan de buit die wij voor hem hebben veroverd. En zie ik er zo rijk uit? Toch hebben wij dezelfde stormen en dezelfde scheurbuik doorstaan. Hij is een groot man, en een rechtvaardig man op zee, maar aan land... Verder wil ik er niets over zeggen. Maar ik heb iets voor u, heer Shakespeare.' Uit zijn zak haalde Boltfoot een oud stukje hout, in de vorm van een kleine kroes. 'Ik heb Magellaans oude, verrotte galg neergehaald en op de lange terugreis een heleboel van zulke bekers voor mijn maten gesneden als herinnering. John Doughty heeft er geen gekregen, dat kan ik u wel zeggen.'

Vijf jaar later had Shakespeare de beker nog steeds, hoewel hij er nooit uit dronk. En inmiddels was Boltfoot Cooper bij hem in dienst, omdat Shakespeare had gezien dat de man niet gelukkig was in zijn nieuwe bestaan als vatenmaker voor de brouwers. Bovendien had hij bepaalde kwaliteiten in Boltfoot herkend, een zekere standvastigheid die zich honderdvoudig zou terugbetalen in loyaliteit. Dus hadden ze een overeenkomst opgesteld, en sindsdien werkte Boltfoot voor Shakespeare.

Nu zat Cooper naast de bootsman, terwijl Shakespeare met kapitein Stanley overlegde, achter in de sloep. 'Er schijnt weer een complot te worden gesmeed tegen Drake,' zei Shakespeare zacht. 'Ik wil hem Boltfoot toewijzen als lijfwacht.'

Stanley lachte. 'Boltfoot? Ben je niet goed wijs, John? Drake wil Cooper echt niet als zijn schaduw.'

'Daar was ik ook bang voor, maar de minister stelde het voor. Jij staat dicht bij Drake, Harper. Hoe kunnen we hem dán beschermen?'

'Heeft hij echt bescherming nodig?'

'De minister denkt van wel, en ik geef toe dat ik me ook zorgen maak. De vorige keer was het de Spanjaarden ernst, en het was zuiver toeval dat die samenzwering mislukte. Er zijn aanwijzingen dat ze het nu grondiger aanpakken, en ik ben bang dat ze een veel betere beulsknecht hebben gevonden dan John Doughty.'

'Nou, het zal ze niet meevallen. Drake wordt altijd omringd door mensen die hun leven voor hem willen geven.'

'Waar woont hij?'

'Meestal aan het hof, met zijn knappe jonge vrouw. Soms blijft hij tot 's avonds laat aan boord van het schip in Gravesend als hij daar moet zijn. Hier in Deptford besteedt hij veel tijd aan besprekingen met de vlootvoogd, die een huis in het dorp heeft, zoals je weet. Maar als je mij vraagt hoe we Drake het best kunnen beschermen, zou ik zeggen: stuur hem zo snel mogelijk naar zee.'

9

Op de eerste verdieping van een brede etagewoning in Cow Lane bij Smith Field lag Gilbert Cogg hevig te zweten – wat minder te maken had met de warmte van de haard dan met zijn gewicht van bijna honderdvijftig kilo en zijn inspanningen met een meisje dat Starling Day heette.

Ze was naar de deur van zijn werkplaats gekomen om te vragen of hij werk voor haar had in zijn bordeel. Hij antwoordde dat hij haar niet in dienst kon nemen zonder eerst de waren te keuren. Ze kon een sixpence krijgen, zei hij, en een kroes bier. Ze vroeg een shilling. Na enig onderhandelen waren ze uitgekomen op een tenpence. En ze was haar geld waard, half verpletterd onder zijn enorme gewicht. Toen hij gretig in haar stootte, dreigde zijn grote bed te bezwijken en dwars door de vloer te zakken.

Maar het bed en de vloer doorstonden de beproeving, evenals Starling Day. Nu lagen ze samen op het vuilgrijze laken. Cogg hijgde alsof elke ademtocht zijn laatste kon zijn. Zijn buik en borst rezen en daalden als een bezetene. Starling draaide zich op haar zij en gleed uit bed. Ze was mager door ondervoeding. Ze kwam uit Nottingham en was bijna het hele eind naar Londen gelopen om te ontsnappen aan een huwelijk waarin ze net iets te vaak in elkaar was geslagen. Hoewel je haar ribben kon tellen, waren de blauwe plekken nu verdwenen en ze had nog steeds haar vrouwelijke vormen. Ze zou zelfs knap zijn geweest als ze de kans had gekregen om haar haar wat beter te verzorgen. Haastig kleedde ze zich aan terwijl ze naar Cogg keek, die nu wat rustiger ademde. Ten slotte stak ze haar hand naar hem uit.

'Hoeveel wilde je ook alweer, mooi vogeltje? Een sixpence, was het toch?'

'Een tenpence, heer Cogg. Dat hadden we afgesproken.'

'Echt waar? Heb ik dat gezegd?'

'Ja, heer.'

Moeizaam hees hij zich van het bed en naakt bleef hij voor haar staan. Zijn lid was nu slap en nauwelijks nog te zien onder de buik die eroverheen hing als een zak rapen. Met duidelijke voldoening duwde hij zijn buik vooruit en gaf er grijnzend een klap op. 'Je krijgt niet zo'n buik zonder er stevig voor te eten en te drinken, meisje.'

'Nee, heer Cogg.'

'Omdat ik zo dicht bij de slachterijen woon, kleine Starling, brengen de slagers me restjes en slachtafval, en in ruil doe ik weer dingen voor hen. Geld voor de huurbaas, een beetje liefde van vriendinnen zoals jij. Wat je ook wilt, Cogg zorgt ervoor. Ik regel ook diensten voor dure heren, dus meisjes die voor mij werken weten nooit wie ze nog tegenkomen. Wil je duur tabaksblad? Cogg kan het krijgen. Wil je een goede plaats bij een terechtstelling – iemand die wordt opgehangen of gevierendeeld? Bij Cogg moet je zijn.'

'Ik had gehoord dat u een vrijgevig man was, heer Cogg, en dat u me werk kon geven.'

'We zullen zien, meisje. Je bent nieuw in de stad, maar je hebt al trekjes van Boleyn. Je moet wat vlees op de botten krijgen. Luister, ik zal je nu een hele shilling geven, zodat je wat eten kunt kopen. Als je morgen terugkomt, zien we wel verder.'

'Dank u, heer Cogg. Heel graag.'

Hij gaf haar een muntstuk, kneep in haar borsten en greep haar gezichtje voor een stinkende zoen. Ze was zo verstandig om niet terug te deinzen.

'Heb je al onderdak, mooi vogeltje?'

Ze schudde haar hoofd. Er was een tijd geweest waarin ze zou hebben geschreid om haar ellende, maar die dagen lagen achter haar. De talloze nachten in het open veld of samen met andere armoedzaaiers weggekropen in een schuur of stal, hadden haar eelt op de ziel gegeven.

'Ga dan naar het bordeel bij de Bel Savage, meisje, en zeg dat Cogg je heeft gestuurd. Vraag naar Parsimony Field, dat is mijn beste meisje. Ze zal voor je zorgen en je een kam geven om je wat op te knappen. En een bed.' Hij gaf haar een tik op haar billen toen ze vertrok, in de wetenschap dat die shilling een goede investering was, die hij dik zou terugverdienen.

Cogg was nog naakt toen Miles Herrick arriveerde, kort nadat het meisje was vertrokken. Van neuken kreeg hij honger en Cogg zat achter de restanten van een vette, verse kalkoenhaan die hij van een boerenzoon uit Suffolk had gekregen voor een nacht met Parsimony. De meeste klanten klopten op de deur van zijn werkplaats, maar Herrick stapte gewoon naar binnen, net toen Cogg zijn vingers aflikte en wat knapperig, dik vlees van het vorkbeen naar binnen werkte.

De man bleef staan en keek – een donkere schim in zwarte kleren. Cogg schrok en sprong overeind van zijn krukje, waardoor het achterwaarts in de haard tuimelde.

'Wie bent u?' vroeg hij, terwijl hij zich probeerde te herstellen en zijn hemd en broek bij elkaar grabbelde.

'Iemand heeft me uw naam gegeven.'

'En dus stapt u zomaar mijn kamer binnen terwijl ik aan een smakelijk hapje zit?'

Herrick glimlachte. 'Ik geloof dat ik uw smakelijke hapje zojuist naar buiten zag komen. Een knappe, maar magere meid, heer Cogg. Het is toch Cogg...?'

'Jawel heer, maar wie bent u?' Cogg was inmiddels half aangekleed en probeerde iets van gezag in zijn stem te leggen.

'Ik breng u goud, heer Cogg, en ik meen dat u me daarvoor iets kunt teruggeven.'

Cogg trok het krukje uit de haard. 'Dat hangt ervan af met wie ik de eer heb.'

'Mijn naam is Herrick. Miles Herrick.'

Coggs ogen lichtten op alsof er een vuurtje in zijn oogkassen was ontstoken. 'Aha, heer Herrick. Ik verwachtte u al.' Opeens was alles duidelijk. Coggs houding veranderde volkomen nu hij een kans zag op grote winst. Al sinds het moment dat deze afspraak was gemaakt, had hij zich afgevraagd hoe hij de sinaasappel nog meer kon uitpersen. 'Komt u mee naar mijn werkplaats, dat is een betere omgeving voor een gesprek.'

Hij wrong zijn omvangrijke gestalte door de smalle deuropening en daalde een houten trap met dertien onrustbarend krakende treden af

naar een grote winkelruimte die de voorste helft van de benedenverdieping van het brede gebouw besloeg. Daar opende hij een deur
naar achteren en liet Herrick binnen.

De achterkamer stond vol kisten en vaten, waarvan een groot deel
met een laag stof was bedekt. Het plafond en de hoeken van de ruimte
gingen schuil achter spinrag. 'Wat u maar wilt, heer Herrick, het is
hier te vinden. Geloof me.'

Herricks blik gleed door de vaag verlichte kamer, voordat hij weer
naar Cogg keek, die stond te hijgen als een hond in de felle zon.

'Ik zal u vertellen, heer Herrick,' vervolgde Cogg, 'dat ik als jongen
in de mergelgroeve werkte. Van mijn achtste tot mijn twintigste heb
ik elke dag staan zwoegen in de witgrijze klei van zo'n diepe, donkere
put in Northampton. Het kostte me bijna mijn rug, maar het heeft me
ook sterk gemaakt als een stier. De boer behandelde zijn vee nog beter
dan mij. Maar op een dag ben ik vertrokken en naar Londen gelopen,
waar ik werk kreeg als slachter. Ik moest varkens de keel afsnijden,
maar ik had andere plannen, dus begon ik dingen te regelen voor
mensen, bijvoorbeeld voor de opzichter, die graag Moorse hennep
kauwde. Ik ging naar de haven, kocht bij zeelui wat ik nodig had en
verkocht dat door – exotisch voedsel, vreemd houtsnijwerk, messen
van indianen of muzelmannen, medicijnen tegen de pijn uit alle uithoeken van de aarde, maar ook meisjes en vrouwen in alle kleuren,
niet altijd christelijk van afkomst en nog wilder dan de beesten die je
in de menagerie van de Tower ziet. Ik kan vloeistoffen vinden waarmee je een heel huis kunt platbranden, of parfum dat mensen vergif-
tigt met zijn heerlijke geur. Wat iemand maar wil, Cogg kan ervoor
zorgen.'

Herricks stem klonk kil. 'U weet wat ik nodig heb, heer Cogg. De
vraag is of u dat hebt?'

Als een eend waggelde Cogg tussen de kisten en vaten door. 'Ja, u
had een heel speciaal verzoek, als ik het me goed herinner. Niet eenvoudig, zelfs niet voor Cogg. Een geweer met een lange loop van
exact tachtig centimeter, en voorzien van een merkwaardig afvuur-
mechaniek: een snaphaanslot. Is dat een Hollands woord, heer? U
klinkt een beetje Hollands, als ik het zeggen mag. Ik meen dat er een
gewoon vuursteentje in de haan van dat geweer zit, wat mij nogal
vreemd in de oren klinkt, maar als u dat zoekt... De meeste klanten

willen een radslotpistool, heer, met een kolf van goudgevlamd metaal, en zo klein dat je het trots op de heup kunt dragen... of in een mouw kunt verbergen.'

'Maar hebt u het?'

'Cogg verkoopt geen nee, heer. U zei dat u een getrokken loop wilde, een mooie loop. En buskruit van hoge kwaliteit, met goede wilgenkool, de beste die ik in heel Engeland kon vinden. En vierentwintig kogels die perfect in de loop moesten passen. Was dat niet wat u zocht, heer Herrick?'

'Laat maar zien.'

Cogg hief zijn hand op, een witte vleesklomp met vijf vingers als dikke maden. 'Heer Herrick, ik heb dat geweer laten maken, zoals u vroeg. Door een zekere heer Opel, een Duitser die hier in Engeland woont. Hij zei me dat hij nog nooit zo'n prachtig wapen had gemaakt. Volgens hem kan het vanaf honderdvijftig meter al dodelijk zijn, terwijl hij nog nooit van een wapen had gehoord dat trefzeker was op meer dan vijftig meter. Wie of wat moet het doden, heer Herrick, dit geweer? Een hert? Een mens? Het is een vreemd model, dat zeker, met maar weinig versieringen.'

Herrick keek Cogg doordringend aan. Hij sprak wat zachter nu, maar niet minder scherp. 'Ik had gehoord dat u geen vragen stelde.'

Cogg hief afwerend zijn rechterhand op. 'Excuus, heer Herrick. Ik bedoelde er niets mee. Wat u met dat geweer doet, is uw eigen zaak. Maar het is zo'n bijzonder wapen, heer, dat ik nieuwsgierig was. Misschien is er een markt voor zulke artikelen. Zouden hoge heren zo'n wapen willen voor de jacht? Blijf nog even, heer Herrick. Neem een beker Spaanse wijn, dan kunnen we praten en een dronk uitbrengen op de dood van de Spaanse koning.'

Met een snelle, maar sierlijke beweging deed Herrick een stap naar voren, greep Cogg bij zijn dikke nek en kneep zijn luchtpijp dicht. Cogg spartelde in de ijzeren greep. Toen, net zo abrupt, liet Herrick hem weer los.

'Ik hoef jouw wijn niet en ik wil niet met je praten. En geef me nu dat geweer, voor de afgesproken prijs.'

Cogg liet zich met een klap op een lage kist zakken en hapte naar adem, terwijl hij zijn hals masseerde. Heel even dacht hij dat hij er geweest was, zo sterk was Herricks greep. Gilbert Cogg had nog veel van de kracht uit zijn jeugd, maar de sterkte van deze man was van een heel andere orde. Zijn gezonde verstand zei hem dat Herrick hem als een vlieg kon doodslaan en dat hij beter zo snel mogelijk het wapen kon overhandigen, maar zijn instinct om geld te verdienen kreeg toch de overhand. En in dit pokerspel had hij de troeven, omdat het geweer nog in zijn bezit was en Herrick nergens een ander zou kunnen vinden.

'Heer Herrick,' zei hij, moeizaam en hees, 'wat voor prijs waren we ook alweer overeengekomen?'

'Negen mark, Cogg, zoals je heel goed weet.'

'In goud?'

'In goud. Vier soevereinen.'

Cogg wist dat hij nu moest stoppen en het geld moest aanpakken. Hij had al een aardige winst gemaakt, drie mark voor hem en zes voor Opel, maar hij kon niet opgeven, omdat hij wist dat het wapen voor Herrick veel meer waard was dan die negen mark. Het was uniek.

'Heer Herrick, dit geweer heeft me veel meer gekost dan ik had gedacht. De maker, Opel, heeft er lang aan gewerkt, nieuwe technieken gebruikt om aan uw eisen te voldoen en een geweer geproduceerd dat geen enkele wapensmid ooit eerder heeft gemaakt. Daarom moest ik hem meer dan twee keer zoveel betalen als het loon dat wij hadden afgesproken.'

Herrick glimlachte nu. 'Hoeveel, Cogg? Hoeveel kost het me om je het zwijgen op te leggen en mij zonder verder gezeur dat wapen te geven?'

Cogg tuitte zijn lippen en haalde zijn schouders op. Ten slotte antwoordde hij, zo redelijk mogelijk: 'Zullen we zeggen... dertig mark, heer?'

'En dat is je laatste woord?'

Cogg wreef zich in zijn dikke handen. 'Dat beloof ik.'

Zwijgend haalde Herrick zijn beurs van zijn riem en telde dertien gouden soevereinen en twee kronen neer. Cogg veegde het geld bijeen. Het goud glinsterde hem tegemoet vanaf zijn bleke handpalm. Toen keek hij op. 'En als u me nu wilt excuseren, heer? Ik wil graag ongestoord het wapen voor u pakken.'

Herrick schudde zijn hoofd. 'Geef het me nu.'

Cogg aarzelde een moment te lang. Herrick greep zijn hoofd, sloeg het met een klap tegen de bovenkant van een groot vat, hield de man bij zijn nek vast en trok zijn linkerarm bij de pols omhoog. 'Waar is het?'

Cogg kreunde, alsof hij probeerde te antwoorden. Maar Herrick kon hem niet verstaan. Met een snelle beweging rukte hij Coggs pols naar achteren. Krakend brak het bot. Cogg schreeuwde.

Herrick sleurde de man weer omhoog en ramde zijn gehandschoende vuist tegen de kermende mond om de man tot zwijgen te brengen. Bloed spatte langs Coggs kapotgeslagen tanden en druppelde in zijn onverzorgde baard. Herrick had zijn dolk getrokken en hield die in zijn linkerhand. Bloed uit Coggs mond droop over het zwarte benen heft. Herrick hield de smalle dolk tegen Coggs rechteroog, zodat de messcherpe punt de zwarte pupil raakte. 'Nog één geluid, afgezien van de woorden die ik wil horen, en ik steek je oog uit, Cogg.'

Cogg wist nu dat hij ging sterven, maar de gedachte aan het mes in zijn oog en de sappen die naar buiten zouden spatten was meer dan hij kon verdragen. 'Ik zal het wapen pakken, heer Herrick. Nu meteen.'

Herrick liet hem los. Coggs hand bungelde slap aan zijn arm en het bot van de pols stak in een vreemde hoek door het vlees en de huid. Als een stier op weg naar de slacht wankelde hij tussen de kisten en vaten door, struikelend in zijn haast.

Het geweer lag verborgen onder de vloerplanken aan de achterkant van het huis, bij een deur die uitkwam op een kleine binnenplaats waar kippen liepen te kakelen en te pikken. Met zijn ene nog bruikbare hand en een koevoet wrikte hij de losse planken omhoog en pakte het wapen. Het was in twee delen, eenvoudig verpakt in een jutezak die geen recht deed aan het prachtige vakmanschap. Zijn vingers trilden toen hij het geweer optilde. Het was zwaar en lastig in evenwicht te houden met maar één hand. Toen hij zich omdraaide, stond Herrick vlak voor hem, met de smalle dolk losjes in zijn rechterhand. Hij stak hem in de schede en nam voorzichtig het wapen van Cogg over. De zak was aan twee kanten dichtgebonden met een grof touw, dat de bezoeker haastig losmaakte.

Het wapen leek niet echt op een geweer. Het ene deel was een kale houten kolf, driehoekig van vorm, met een curve aan de kortste van de drie zijden. Twee ijzeren haken koppelden de kolf aan het voorste deel van het wapen, een donkere metalen loop en het snaphaan-mechaniek. Herrick klikte de twee delen aan elkaar vast, inspecteerde het geweer zorgvuldig, draaide het alle kanten op, tuurde door de loop, testte de klep van het slot en de kruitpan, spande de haan en liet die tegen de slagplaat vallen. Het mechaniek werkte soepel. Eindelijk keek hij weer op. 'Waar zijn de kogels en het kruit?'

Cogg zag een laatste kans. 'Die heb ik apart gehouden, heer Herrick. Ze liggen aan de voorkant, in een oude kast waar ik kleinere dingen bewaar.'

'Denk aan je ogen. En daar blijft het niet bij. Als je een verdachte beweging maakt, zal ik je hamer- en klokkenspel afhakken, zodat je als wijf de dood in gaat.'

Cogg huiverde, maar er was nog één ding dat hij kon proberen. Herrick demonteerde het geweer en borg het weer in de zak, voordat hij Cogg naar de voorkamer volgde. Daar stond een toonbank, als van een winkel, met erachter een hoge houten kast met deuren aan de bovenkant en kleine laden onderin. De pijn in Coggs gebroken linkerpols was bijna ondraaglijk. Met zijn goede hand opende hij een van de kastdeuren, waarachter twee pakketten lagen: het zwarte buskruit in een grote leren zak, en de kogels in jute verpakt. Toen hij de kogels en het buskruit gepakt had, draaide hij zich om, smeet ze Herrick in het gezicht en wierp zich op de bezoeker in een laatste poging zich het leven te redden, net zo wanhopig als een kip die vlucht voor het keukenmes van een boerin.

Halverwege Cow Lane bleef Starling Day weer staan. Ze wist dat Cogg haar zou aannemen, dus waarom zou ze nog een avond moeten wachten? Waarom kon ze nu al geen afspraak met hem maken en meteen aan het werk gaan? Ze had het geld hard nodig, voor kleren en eten. En ze had schulden, die ze voor het einde van de week moest betalen als ze geen problemen wilde krijgen. Ze had Coggs naam gehoord van haar nicht Alice, die als hoertje werkte in zijn bordeel bij de Bel Savage.

Eerst was Alice niet blij geweest Starling te zien. Ze was nog geen jaar ouder en als kinderen hadden ze samen gespeeld – 's zomers zwemmen in de rivier en 's winters kolengruis zeven op de belt als het land bevroren was. Misschien schaamde Alice zich voor wat ze was geworden. Maar toen ze besefte dat Starling hetzelfde werk wilde doen, ontdooide ze. 'Ik heb nooit begrepen wat je in hem zag,' zei ze toen Starling haar vertelde over de losse handjes van haar man. 'Ik had met geen enkele man in dat dorp willen trouwen. Ik zou nog liever in Londen aan de Franse pokken sterven dan als huisvrouw met een dronken mijnwerker in Strelley te moeten wonen.' Ze hadden wat gedronken in de Bel Savage en Alice had haar verteld waar ze Cogg kon vinden.

'Ik zal je zeggen wat voor man hij is, dus luister goed. Cogg is zo dik als zes kerels bij elkaar, maar lach hem nooit uit en deins nooit voor hem terug. Hij houdt van het Parijse werk, dus gebruik je tong. Kijk, zo.' Alice rolde en krulde de hare om Starling te laten zien wat Cogg wilde. 'Zijn voorwaarden zijn half om half, maar je moet hem ook betalen voor eten en onderdak. Niet echt gunstig, maar hij weet altijd een goede prijs voor ons te bedingen. En hij houdt ons vrij van de Franse pokken, min of meer, zoals de mannen willen. Je leert ze wel in te schatten – of ze ziek zijn. Dan stuur je ze weg. Cogg heeft kruidenzalfjes van de apotheker om ons schoon te houden. Daar heeft hij voor betaald met de ogen en de tong van een gehangen vrouw, zei hij. Maar onthoud één ding: als je de Franse pokken krijgt, kom je in de goedkoopste hoerenkasten van Southwark terecht of moet je terug naar Strelley.'

Starling wilde net op Coggs deur kloppen, toen ze geluiden hoorde vanuit het huis. Stemmen. Blijkbaar had hij bezoek, maar nu een man, geen meisje. Ze probeerde de kruk. De deur was open, want het slot was geforceerd. Dat moest zijn bezoeker hebben gedaan, want Starling wist zeker dat het slot nog intact was geweest toen ze vertrok. Ze glipte de voorkamer binnen. Toen ze voetstappen hoorde, boven aan de trap, verborg ze zich achter een werkbank en wat kisten in de rechterhoek van de kamer.

Coggs bezoeker was lang, donker gekleed en gladgeschoren. Er liep een rilling over haar rug en ze had al spijt dat ze naar binnen was geslopen. Cogg en de man verdwenen naar de achterkamer. Opeens hoorde ze een dreun en een schrille kreet van Cogg. Starling kroop ineen van angst.

Ze kende de geur van geweld maar al te goed, de stank van de slaapkamer in de cottage die ze ooit haar thuis had genoemd. Als haar man, Edward, thuiskwam van de kolenmijn, met zijn gezicht, zijn handen en zijn kleren zo zwart als roet, at hij eerst wat ze bijeen had gescharreld of uit de moestuin gehaald, dronk dan een kroes zwaar bier en begon haar vervolgens te slaan. Elke avond van het jaar, dag in dag uit. Soms gooide hij haar plat op de stromatras, bond haar polsen met zijn leren riem aan het ruwhouten bed en sloeg haar met de gebroken steel van een oude hooivork. En dan, onvermijdelijk, beklom hij haar, kort maar wreed, alsof alleen haar pijn hem bevrediging kon geven. Elke ochtend, als hij vertrok om zich door de schacht in de grond te laten zakken met zijn kleine kaarslantaarn en zijn houweel, bad ze dat de wanden zouden instorten en hem bedelven. Maar toen dat niet gebeurde, verloor ze haar geloof in God en vluchtte ze naar Londen.

Nu, weggedoken achter de werkbank, hoorde Starling haar eigen hart tekeergaan. Zou de man in de donkere kleren het ook kunnen horen? Ze zag hen terugkeren naar de voorkamer. Coggs linkerhand hing slap aan zijn gebroken pols; bloed droop eruit waar het bot door de huid stak. Ze voelde geen medelijden met hem, of met welke man dan ook. De bezoeker had iets in zijn hand. Het leek een stuk gereedschap, maar ze had het nooit eerder gezien.

Cogg haalde iets uit de kast achter de toonbank en smeet het de ander in zijn gezicht. Het was een zielige poging, die de bezoeker gemakkelijk ontweek. Toen Cogg op hem af stormde, deed de donker geklede man een stap opzij en smeet Cogg voorover tegen de grond. Hij ging boven op hem zitten, met zijn benen schrijlings op Coggs brede rug, greep zijn warrige haar en trok zijn hoofd naar achteren. In zijn hand had hij een smalle dolk met een zwart heft, waarmee hij Cogg twee keer in zijn gezicht stak, beide keren in de ogen, tot diep in de hersenen. Cogg schreeuwde niet, maar rochelde en kreunde met de schrik en doodsangst van een dier dat zichzelf opeens een prooi weet.

De man in de donkere kleren stond op en liet Cogg liggen om te sterven. Hij veegde het bloed en de hersenresten van zijn mes en stak het in de schede voordat hij een handvol gouden munten in zijn leren beurs borg. Toen raapte hij de voorwerpen op waarmee hij was bekogeld, slingerde het onbekende gereedschap over zijn schouder en verliet geruisloos het huis.

Starling wachtte nog vijf minuten achter de werkbank. Coggs voeten schokten nog na, maar ze wist dat hij dood was. Ten slotte kwam ze uit haar schuilplaats en liep naar hem toe. Ze had nu niets meer aan de man en bespuwde hem. En nog eens. Ergens in dit huis, besefte ze, moest een voorraadje goud liggen. Cogg was een rijk man geweest.

10

Ze troffen Drake terwijl hij als een bezetene liep te ijsberen door een met hout betimmerde voorkamer van Greenwich Palace. Boltfoot had hem dikwijls zo heen en weer zien lopen op het halfdek, als de wind niet wilde aanwakkeren.

Hij was een kleine, gedrongen man van zesenveertig, met een puntig baardje dat nog steeds goudblond was, maar met de eerste sporen van grijs. Zijn haar was rossig en krullend, inmiddels ook grijzend en weggekamd van zijn brede, hoge voorhoofd. Zijn ogen hadden nog de levendige blauwe glinstering van zijn jeugd. Hij was gekleed als een hoveling, in een schitterende groenfluwelen mantel over een groen wambuis met zilverdraden, voor veel geld op maat gemaakt door Gaston de Volpère in Candlewick Street. De belachelijk brede kraag had als dienblad kunnen worden gebruikt. Drakes blauwe ogen konden twinkelen van plezier, maar nu stonden ze woedend, als het donkerblauw van de stormachtige zee waarop hij zich thuisvoelde.

Hij was kwaad, ziedend zelfs, en wat de twee mensen in deze kleine voorkamer ook zeiden of deden, niets kon hem kalmeren. Zijn jeugdige echtgenote, Elizabeth Sydenham, had al tevergeefs geprobeerd hem tot rede te brengen, maar zat nu met een dichtbundel op een paar kussens om zich af te sluiten voor de tirade van haar man. Zijn trouwe metgezel, Diego, de slaaf die hij in Spaans Indië had bevrijd en die daarna samen met hem de hele wereld rond was gereisd, stond bij een raam en staarde afwezig naar een boot die langzaam stroomafwaarts naar de riviermonding voer. Hij had dit soort driftbuien al zo vaak meegemaakt dat hij er niet meer bang voor was. Drake keek op toen het drietal – Shakespeare, Stanley en Boltfoot –

binnenkwam en stopte met ijsberen. Hij staarde hen nijdig aan.

'Bij God, dit is een slechte zaak, Stanley. Ze wil me niet spreken! Er was een tijd dat ik acht keer per dag bij haar langs kon komen. Maar nu we haar het meest nodig hebben, zondert ze zich af met laffe kamermeisjes als Davison en Burghley. Als ze zo doorgaat, zal Engeland nog voor het einde van de zomer een Spaanse kolonie zijn.'

Kapitein Stanley maakte een korte buiging en verhief zich weer tot zijn volle, trotse lengte. 'Sir Francis,' zei hij, 'mag ik u voorstellen aan John Shakespeare, assistent van minister Walsingham?'

Heel even klaarde Drakes gezicht op. 'Ach ja, heer Shakespeare. Ik verwachtte u al.'

'Het is een eer u te ontmoeten, sir Francis.'

'Insgelijks, insgelijks. Een goede kerel, Walsingham. Zonder hem zou Engeland verloren zijn. Ik hou van hem als van een broer. Wat is het probleem?'

Gefascineerd volgde Shakespeare het tafereel voor zijn ogen. De grote, heldhaftige admiraal die liep te stampvoeten omdat de koningin hem niet wilde spreken, zijn vrouw zo verdiept in haar gedichten dat ze de nieuwkomers nauwelijks een blik waardig keurde, en een zwarte knecht, gekleed als een keurige Engelse gentleman, die er met een verveeld gezicht bij stond. Welke lijm hield dit drietal bijeen?

Drake, die Shakespeares blik had gevolgd, herstelde zich onmiddellijk: 'Neem me niet kwalijk, heer Shakespeare. Ik heb u nog niet voorgesteld aan mijn vrouw, Elizabeth.'

Elizabeths fijne, hartvormige gezichtje lichtte op met een onschuldige glimlach die de saffieren, robijnen en parels rond haar hals en vingers leek te doen stralen. Shakespeare boog voor haar en ze stak hem haar tengere, blanke hand toe opdat hij die kon kussen.

Drake vervolgde snel: 'En mijn goede vriend Diego, die de Spanjaarden waarschijnlijk nog meer haat dan ik.'

Boltfoot Cooper had zich op de achtergrond gehouden, achter de ruggen van Shakespeare en Stanley, maar Diego kreeg hem in de gaten en stapte op hem toe om hem de hand te drukken. 'Boltfoot, fijn je weer te zien.' En hij sloeg hem op de schouder.

'Insgelijks, Diego.'

'Ik heb Diego van de Spanjaarden gered in Nombre de Dios,' ging Drake verder tegen Shakespeare en Stanley. Boltfoot negeerde hij. 'Ze dachten blijkbaar dat een lynchpartij goed zou vallen bij hun heiligen, en Diego was het slachtoffer van die dag. Gelukkig heeft hij een sterke nek, want hij danste al de horlepiep aan het henneptouw toen we hem lossneden. Sindsdien is hij mijn goede metgezel. Hij kent zijn talen en heeft me dikwijls geholpen in mijn gesprekken met gevangenen als we een schip enterden of een stad veroverden. Hoeveel talen spreek je nu, Diego?'

'Vier.'

'Vier! Engels, Spaans, Portugees...'

'En Mandingo, mijn moedertaal.'

'Vertel me nog eens, Diego, wat je met de Spaanse koning zou willen doen?'

Diego lachte nu ook, alsof hij het allemaal al duizend keer gehoord had. 'Ik zou hem ketenen, brandmerken en hem samen met tweehonderd andere Spanjolen in het stinkende ruim van een trage boot naar de koloniën smijten, om tien jaar op een Caribische plantage te werken voordat hij werd opgeknoopt.'

Drake klapte in zijn handen. 'En laat hem voor alle eeuwigheid in de hel branden, zoals hij zelf zo veel anderen op de brandstapel heeft gebracht.' Eindelijk draaide hij zich om naar Boltfoot. De twee kleine, stevig gebouwde mannen stonden recht tegenover elkaar, bijna neus aan neus, zonder met hun ogen te knipperen. 'En wat heb jij hier in vredesnaam te zoeken, Cooper? Moet jij geen duigen snijden, hoepels buigen en kraantjes draaien?'

'Hij werkt nu voor mij,' zei Shakespeare.

Drake legde een arm om Boltfoots schouder. Boltfoot stond als verstijfd, alsof hij door een tropische slang was gegrepen. 'Ik weet het, ik weet het. Hij werkt voor u en de minister. Je bent een schipbreukeling, Cooper. Je zou vaten moeten maken, daarvoor heeft God je op deze aarde gezet, niet om in Londen rond te rennen met een caliver en een sabel, als een soort piraat aan de wal.'

'En u bent een doodgewone dief, heer Drake.'

Drake haalde zijn arm weg en gaf Boltfoot een zet tegen diens borst. 'Ik heb mannen voor minder gedood, Cooper.'

Boltfoot gaf geen krimp. 'U was niet de enige op die lange reis, heer Drake. Ik ben overal bij geweest en bijna bezweken aan de koorts, de honger en de buikloop. Waar is míjn aandeel in de buit dan?'

'Je hebt je goud gekregen.'

'Genoeg om niet van honger om te komen, misschien. U werpt ons wat kruimels toe als het u uitkomt, en maakt ons tot bedelaars, terwijl we dezelfde rechten hebben. Waar zijn de schatten die u ons had beloofd?'

'Zo is het wel genoeg. Heer Shakespeare, verwijder deze man.'

Maar zo gemakkelijk liet Boltfoot zich niet het zwijgen opleggen. Shakespeare had hem zelden meer dan tien of twaalf woorden achter elkaar horen zeggen, maar nu was hij niet meer te stuiten. 'Herinnert u zich nog het goud dat Will Legge en ik hadden gevonden in de scheepskist in de kapiteinshut van de *Capitana*? Dat hebben we aan u gegeven. Zesenhalf pond, die u zelf over het hoofd had gezien. U kerfde er een stuk uit van negenentwintig ons, met onze naam erop, dat we bij thuiskomst zouden krijgen. Waar is dat goud, heer Drake? Will en ik hebben het nooit gezien.'

Drake stond bijna te schuimbekken van woede. 'Bij God! Je bent de brutaalste vlegel die ik ooit heb meegemaakt, Boltfoot Cooper. Jij en alle anderen hebben jullie rechtmatige aandeel gehad, en meer! Heb ik jullie geen eeuwige roem bezorgd?'

Shakespeare vond het tijd om tussenbeide te komen. 'Sir Francis, als ik u even onder vier ogen kan spreken…'

'Ik rijg je aan mijn sabel, Cooper, ploert die je bent!'

'Sir Francis?'

Drake staakte zijn tirade en draaide zich om naar Shakespeare. 'Haal me bij deze schandalige, leugenachtige, doortrapte, mismaakte schurk vandaan! Kom, heer Shakespeare, Stanley, laten we ons terugtrekken voor een glas wijn. Diego, jij blijft bij Cooper.' Hij knikte even naar zijn vrouw. 'M'lady…'

Drake ging hun voor naar de aangrenzende kamer, enigszins hinkend door de beenwond die hij had opgelopen bij zijn aanval op een Spaanse muilezelkaravaan bij Nombre de Dios, veertien jaar geleden. De drie mannen gingen aan een tafel zitten en Drake sloeg met zijn vuist op het tafelblad. 'De koningin wil niet naar me luisteren. Ze zou kritiek op me hebben omdat ik afgelopen jaar niet genoeg parels, goud en smaragden uit de Spaanse koloniën zou hebben meegebracht. Maar ze weet dat ik de Spaanse koning een zware slag heb toegebracht. En als ze me nu de schepen geeft die ik nodig heb, zal ik hem en zijn hele vloot voorgoed tot zinken brengen.'

'Sir Francis...'

'Ik weet het, ik weet het, heer Shakespeare. U had me iets te zeggen. Maar luister dan. Ik ben de enige die de koningin en dit land kan behoeden voor de antichrist uit Rome en zijn Spaanse schoothond.'

'Dat is precies de reden waarom ik hier ben, sir Francis.' Shakespeare wist, zoals iedereen, dat Drake een snoever was. Dat wist heel Engeland, heel Europa zelfs. En degenen die geen angst of bewondering voor hem koesterden, bespotten hem daarom. Maar Drake had alle reden om te pochen. De buit die hij op zijn drie jaar durende expeditie rond de wereld bijeen had gebracht bedroeg maar liefst vijfhonderdduizend pond. Een groot deel daarvan was naar de koningin gegaan, maar Drake had genoeg overgehouden om zich een van de rijkste mannen van Engeland te mogen noemen. En dat was hem gelukt door een combinatie van geslepenheid, moed en oog voor detail. Hij was nooit teruggedeinsd voor een gevecht, maar zijn strijdlust werd getemperd door een gevoel voor genade.

'Vertel me dan waarom u hier bent. Een bedreiging van mijn veiligheid, begreep ik.'

'Een bedreiging die de minister bijzonder ernstig neemt, admiraal, omdat de feiten afkomstig zijn uit een codebericht tussen Mendoza en de Spaanse koning.'

Drake lachte lang en luid. 'Dus de Spaanse koning wil mij vermoorden? Ik zal eerder zijn oren aan zijn roomse altaar in zijn paleis het Escorial vastnagelen dan dat hij mij te pakken krijgt, heer Shakespeare.'

'Wij denken dat hij een ervaren huurmoordenaar heeft gevonden om de aanslag uit te voeren. En de prijs op uw hoofd is aanzienlijk omhooggegaan.'

'Kijk eens aan. Wat bieden ze nu? De laatste keer was het nog twintigduizend dukaten, als ik me niet vergis.'

'Het is nu zeventigduizend.'

Drake klapte in zijn handen als een visser die net een snoek van twintig pond op het droge had gehaald. 'Ze zullen nog tien keer zoveel bieden voordat ik in mijn graf lig, heer Shakespeare. Wat denkt u, kapitein Stanley?'

'Ik ben het met u eens, sir Francis. Maar misschien is het toch verstandig om even naar heer Shakespeare te luisteren. De hele wereld weet dat u onoverwinnelijk bent op zee, maar op het land bent u minder veilig.'

'U zegt het. Maar lijk ik bang? Is John Doughty weer op vrije voeten om mij met zijn houten zwaard naar het bed van mijn moeder te jagen?'

Dit zou niet eenvoudig worden. Shakespeare begreep dat hij op Drakes ijdelheid moest speculeren. 'Nee, sir Francis, u lijkt allesbehalve bang. En dat is juist de troef die Mendoza en zijn huurling zullen uitspelen. Omdat u zo zichtbaar bent in Deptford, Gravesend en aan het hof, vormt u een verleidelijk doelwit... misschien zelfs een makkelijk doelwit, voor een vastberaden moordenaar. Ik begrijp dat u niet voor uw leven vreest, dat hebt u nog nooit gedaan, maar wij hebben allemaal wel zorg om het leven van Hare Majesteit en de toekomst van Engeland. Als u zou sterven door een Spaanse kogel, pijl of sabel, zouden wij allemaal verloren zijn.'

Drake stond op en begon weer te ijsberen. Zijn gezicht was rood aangelopen. Hij zweeg een tijdje en draaide zich toen abrupt om naar Shakespeare en Stanley, die naast elkaar aan de andere kant van de tafel zaten. 'En mag ik vragen wat mijn vriend de minister dan voorstelt?'

Shakespeare zuchtte. 'Hij wil dat ik u bescherm.'

'En hoe denkt u dat te doen?'

'Allereerst door u te vragen uw bewegingen te beperken. Wees wat minder zichtbaar en omring u overal met loyale luitenants. Als u aan boord van een schip gaat om het werk en de bevoorrading te inspecteren, blijf dan niet te lang aan dek. Als u aan het hof bent, mijd dan de publieke gedeelten. Als u op de werf of bij de leveranciers moet zijn, let dan goed op en wacht niet te lang op één plaats. Neem geen risico's, admiraal. Uw kleding...' – hij knikte naar Drakes schitterende fluwelen ensemble – '... valt te veel op.'

Drake fronste geamuseerd zijn voorhoofd. 'U denkt toch niet dat ik buiten het hof zo'n mantel en wambuis draag? Ik ben zeeman, heer Shakespeare, en zo kleed ik me ook. En hoe wilt u me verder nog beschermen als dat nodig mocht zijn?'

Dit was het lastigste moment. Shakespeare haalde diep adem. 'Ik wil u Boltfoot Cooper als lijfwacht toewijzen, sir Francis.'

Drake schoot in de lach. 'Cooper! Als mijn lijfwacht!'

'Hij is heel bedreven met zijn caliver en sabel, sir Francis. Hij kent uw gewoonten...'

'Nooit! Uitgesloten, dat zweer ik bij God!'

Shakespeare speelde zijn laatste troef uit. 'Minister Walsingham, uw vriend, vraagt het u dringend. Hij begrijpt dat u er weinig voor voelt omdat u problemen hebt met Cooper vanwege zijn hebzucht, als ik het zo mag stellen, maar toch vraagt hij u om mee te werken.'

Drake begon weer te ijsberen. Zijn rechterhand ging naar de greep van zijn zwaard, maar het bleef in de schede. 'Boltfoot Cooper die mijn leven moet beschermen? Ik heb stormen doorstaan, vreemde zeemonsters gezien en samen met God op de lege oceaan rondgedobberd, maar zoiets krankzinnigs heb ik nog nooit gehoord. Wat vind jij, Stanley?'

'Hij is wel moedig, admiraal.'

'Dat is waar. Moedig is hij zeker. Hij weerde zich dapper in gevechten met de Spanjolen. En hij drukte nooit zijn snor als het erom spande.'

'Ik durf wel voor hem in te staan, sir Francis. Ik zweer bij God dat hij sterk, loyaal en betrouwbaar is.'

'Goed. Laat de ploert dan maar mijn lijfwacht zijn. Ik zal hem eraan herinneren wat het betekent om voor Drake te werken. Want hij komt onder míjn bevel, heer Shakespeare.'

'Dat begrijp ik.'

Opeens kwam er een glinstering in Drakes ogen. 'Hij mag vaten maken voor de vloot, dan doet hij nog iets nuttigs. Goede tonnen met water, bier en pekelvlees houden een man op zee in leven.'

Shakespeare moest nu toch protesteren. 'Neem me niet kwalijk, sir Francis, maar niet in dit geval. Uw eigen veiligheid houdt uw mannen op zee in leven.'

Drake keek Shakespeare scherp aan, dacht even na en veranderde van onderwerp. 'Wat is er eigenlijk met John Doughty gebeurd? Is hij al opgeknoopt?'

'Helaas, ik weet het niet, admiraal. Het laatste wat ik hoorde was dat hij was overgebracht naar Marshalsea, maar dat is alweer vier of vijf jaar geleden. Als God het wil, is hij inmiddels bezweken aan de pest... Ik zal eens navraag doen.'

[*83*]

11

Starling Day kon haar angst en opwinding nauwelijks beheersen. Wat moest ze beginnen met al die schatten? Waar kon ze die verbergen? En wat deed ze met het lijk?

Ze ging op een hutkoffer zitten en staarde naar het lichaam van Gilbert Cogg. In haar gespreide handen hield ze een goudstaaf, waarvan ze wist – hoewel ze zoiets nooit eerder had gezien – dat hij kapitalen waard moest zijn. Boven, in een kist, verborgen achter een nauwelijks zichtbare deur in een lage kast naast de haard, had ze nog veel meer goud, zilver en juwelen gezien, meer dan ze kon tellen.

Ze kromde haar vingers als klauwen om het goud, terwijl ze probeerde zich te concentreren. Als ze Coggs lichaam niet wegwerkte, zou het spoedig worden gevonden. Ze moest al die rijkdommen snel uit dit huis vandaan zien te krijgen, maar het was zo veel, en zo zwaar. Steeds weer dwaalden haar gedachten af. Wat zou ze niet allemaal met dat geld kunnen doen? Mooie kleren kopen, een groot huis, goede wijn en eten. Maar dat zou uiteraard opvallen. Het liefst zou ze naar haar geboortedorp, Strelley, terugkeren om met al haar rijkdom haar wrede man en zijn heks van een moeder de ogen uit te steken. Maar dat kon natuurlijk ook niet.

Alice. Ze moest Alice in vertrouwen nemen. In haar eentje zou ze het niet redden. Bovendien was er meer dan genoeg voor twee. Ze keek nog eens naar het lijk. Het was zo groot als een kalf van twee maanden, meer dan drie keer haar eigen gewicht. Ze zou het nooit alleen kunnen verplaatsen. Samen met Alice zou het misschien lukken. Ondertussen moest ze het bedekken. Ze wist dat Cogg veel bezoekers kreeg, dus kon er elk moment iemand binnenkomen.

Het lichaam lag gevaarlijk dicht bij de voordeur. Aan de binnenkant zat een grendel, die ze had dichtgeschoven. Sinds ze hier was, hadden er al twee mensen aangeklopt, om teleurgesteld weer te vertrekken. Hoe lang zou het duren voordat er iemand inbrak? Als mensen goed door het raam tuurden, zouden ze het lichaam misschien al zien liggen.

Starling liep de trap op en trok de lakens van het bed waarop ze Coggs kreunende, verpletterende gewicht had moeten verdragen. Er lag ook een valies, waarin ze de goudstaaf en nog een andere borg. Daarna verborg ze de rest van haar vondsten zo goed als ze kon en liep met de tas en het beddengoed weer naar beneden. Ze bedekte Cogg en zette de tafel zo, dat zijn grote lichaam door het raam minder zichtbaar was.

Gespannen luisterde ze of er weer voetstappen naderden. Ten slotte schoof ze de grendel terug en duwde de deur open. Haar hart bonsde in haar keel. Ze keek naar rechts en links, trok de deur achter zich dicht en liep haastig Cow Lane uit, de zware tas tegen haar borst geklemd, voorovergebogen tegen de koude wind.

Het was tien minuten lopen, door de modder en de sneeuw, naar de Bel Savage bij de gevangenis van Fleet, ingeklemd tussen de greppel en de westelijke stadsmuur van Londen. De taveerne was een van de beroemdste van de stad en werd bezocht door een bont publiek van advocaten, handelaren, marktkooplui, hoertjes en iedereen die straalbezopen wilde worden. Het was er altijd vrolijk, met minstrelen en artiesten die de klanten amuseerden. Het huis ernaast was goed onderhouden, in aanmerking genomen dat het een hoerenkast was waar vrouwen hun lichaam verkochten. Beneden was een wachtkamer waar de klanten – van wie de meesten rechtstreeks uit de Bel Savage kwamen, te dronken om hun verstand te gebruiken en terug naar huis en hun vrouw te gaan – de koopwaar konden bekijken. Boven was een tiental kamers, elk met een bed en een haard. Iedere kamer werd als slaapplaats gedeeld door twee hoertjes, maar verder werden ze voor het werk gebruikt.

Alice had net een van haar vaste klanten afgewerkt, een kalende, halfblinde oude bediende uit het grote huis van de graaf van Leicester aan de Strand. Hij was zo krakkemikkig dat het hem een uur had gekost om op gang te komen en nog een uur om het af te maken. Starling wrong zich langs hem heen, stapte Alice' kamer op de eerste verdieping binnen en duwde de deur dicht met haar schouder. Ze liet de tas met de goudstaven aan de andere kant van het bed vallen voor het geval er onverwachts iemand zou binnenkomen, balde toen haar vuisten en slaakte een stille kreet van vreugde. 'Alice, er is iets gebeurd wat je moet weten. We moeten snel zijn.'

Alice waste zich en begon zich aan te kleden. 'Die ouwe lul! Hij had er twee uur voor nodig, maar hij heeft me maar voor één uur betaald. Het wordt steeds erger met hem.' Ze trok haar blouse over haar borsten. Ze was ronder dan Starling, met een blankere, glanzender huid en mooier haar. Cogg had ervoor gezorgd dat ze goed te eten kreeg: vlees van de markt van Smith Field, weggespoeld met voldoende bier.

'Vergeet die vent maar. Alice, luister.'

'Wat is er, nichtje? Heb je wat gewonnen bij de hanengevechten?'

'Veel beter nog. O, Alice, we zijn onvoorstelbaar rijk!' Ze omhelsde haar nicht. 'Kijk eens in die tas. Maar snel. Ik blijf bij de deur.'

Alice hurkte naast het bed en opende de tas. Toen ze de goudstaven zag, wist ze eerst niet wat het waren. Ze stak haar handen in de tas en haalde er een uit.

'Hou ze verborgen, Alice. Er kan iemand binnenkomen.'

'Starling, waar heb je dit vandaan?'

'Het was van Cogg, maar die is dood.'

'Cogg? Dood?'

Starling knikte heftig. 'Ja, dood, Alice. Vermoord...' Ze zag de afschuw op Alice' gezicht. 'Nee, nee, nee, niet door mij!' Haastig beschreef ze wat zich in het huis in Cow Lane had afgespeeld. Alice luisterde, nog maar half aangekleed.

'Ik heb je hulp nodig,' besloot Starling. 'We moeten het lichaam van Cogg verbergen en het goud naar een veilige plaats brengen. Jij krijgt de helft van alles.'

'Starling, dit is gevaarlijk. Straks worden we allebei opgeknoopt in Tyburn.'

'Het is onze enige kans, Alice. Je moet me helpen.'

John Shakespeare had een onrustig gevoel toen hij van de aanlegplaats bij London Bridge naar Seething Lane liep. Steeds keek hij over zijn schouder om te zien of hij werd gevolgd, maar hij kon geen verdachte personen ontdekken in de luidruchtige menigte van kooplui,

klerken en leerjongens op straat of in de trage ossenkarren die agrarische producten brachten vanuit Kent.

Hij had Boltfoot in Greenwich achtergelaten, bij Drake. Boltfoot
was er niet blij mee en Shakespeare voelde zich schuldig omdat hij
wist dat zijn assistent een zware tijd tegemoet ging nu hij dag en nacht
in de nabijheid van zijn voormalige commandant zou moeten blijven.

Toen Shakespeare het paleis verliet, was er grote drukte geweest op
de koninklijke steiger. Hij ontdekte Robert Beale tussen een groep hovelingen, op het punt om in een koninklijke boot te stappen. Beale
was secretaris van de Geheime Raad en een zwager van Walsingham.
Shakespeare kende hem goed.

Hij had hem met een armzwaai begroet. 'Is er nog nieuws, Robert?'
Toen pas viel hem op hoe bleek, afgetobd en verstrooid Beale eruitzag.

'Goed en slecht, John. Ik zou graag meer willen zeggen, maar dat
mag ik niet.'

'Heeft ze getekend?'

'Ik kan je geen antwoord geven.' En daarmee stapte Beale in de boot
en verdween uit het zicht.

Shakespeares hart klopte in zijn keel. Het klonk alsof de koningin
het doodvonnis van Mary Stuart had ondertekend, maar Elizabeth
kon wel tien keer per dag van mening veranderen. Als het dan toch
moest gebeuren, dan snel, voor ze zich weer bedacht. En als de executie plaatsvond? De katholieke wereld zou prompt en bloedig reageren. Die ontnuchterende gedachte hield hem bezig tijdens de bootreis
stroomopwaarts, tegen het tij in. Hij strekte zich uit op de kussens
onder de huif, trok een deken om zich heen en sloot zijn ogen terwijl
de roeiers zich inspanden. Hij dacht weer aan zijn vader, die niet naar
de kerk wilde. Dat maakte hem ongerust. Had Topcliffe werkelijk invloed in de Midlands?

Jane stond nerveus te wachten bij de deur. 'Er is iemand geweest,
heer, toen ik naar de markt was.'

'En heeft hij een boodschap achtergelaten?'

'Nee, heer. Ik ben bang dat we zijn beroofd.'

Nu pas zag Shakespeare dat het slot van de deur was geforceerd. Hij
liep naar de voorkamer, maar kon niets bijzonders ontdekken.

'De bovenkamer, heer. Ze hebben in uw papieren en boeken ge-
snuffeld.'

Shakespeare liep de trap op naar de zonnige bovenkamer waar hij werkte. Tafels waren omgegooid en zijn papieren lagen verspreid over de vloer. Een deel van de wandbetimmering was weggerukt en vloerplanken waren omhoog gewrikt, alsof iemand ergens naar op zoek was geweest. Topcliffe. Shakespeare sloeg met zijn vuist tegen de muur uit woede en frustratie.

Hij draaide zich om en zag Jane staan. 'Neem me niet kwalijk. Een beker wijn, graag.' Hij zag de schrik en het onbegrip op haar gezicht terwijl ze in de deuropening stond. 'Neem zelf ook, als je wilt.' Hij mocht Jane wel. Hij hield van haar openheid, haar weelderige borsten en haar ronde gezichtje, omlijst door kastanjebruin haar dat altijd aan haar batisten kapje ontsnapte, net zo speels als zijzelf. Ze was naar Londen gekomen vanuit Essex, als oudste dochter uit een gezin met twaalf meisjes en geen enkele jongen, en inmiddels was ze al twee jaar bij hem in dienst. Ze was gemakkelijk in de omgang, maar hij wist dat dit niet de ideale positie voor haar was. Ze wilde graag trouwen, maar in dit huis zou ze geen geschikte man vinden tenzij ze verliefd werd op Boltfoot – en die kans was net zo groot als dat een mens vleugels zou krijgen om te vliegen. Ze was gewend aan een grote, luidruchtige boerenfamilie met veel geschreeuw en tranen. Dit huishouden was stil en beschouwend, met niet meer dan drie mensen onder één dak.

Soms vroeg Shakespeare zich af of ze de hoop koesterde dat hij haar ooit als vrouw zou nemen. O, hij keek graag naar haar lichaam. Welke man niet? Maar een huwelijk moest op meer gebaseerd zijn dan enkel lust. Hij zou genoeg van haar krijgen en ze zouden elkaar gaan tegenstaan.

Shakespeare begon zijn papieren te verzamelen. Zou Topcliffe op zoek zijn geweest naar het vel dat hij bij het lichaam van Blanche Howard had gevonden? Misschien dacht hij dat Shakespeare nog een voorbeeld had bewaard.

Later, toen Shakespeare achter een beker wijn zat nadat hij de papieren had opgeruimd en de meubels overeind gezet – de schade aan de betimmering en de vloerplanken moest de volgende morgen maar door een timmerman worden hersteld – arriveerde Harry Slide. Hij zag er verfomfaaid uit en glipte naar binnen zonder zijn gebruikelijke bombarie.

'En, Harry?'

'Niet best, heer Shakespeare. Ik heb me nog nooit van mijn leven zo ellendig gevoeld.'

'Ben je ziek, Harry? Kom bij het vuur zitten en drink wat hipocras om warm te worden.' Toen Slide zich onhandig en huiverend op een bank bij de haard liet zakken, zag Shakespeare dat zijn gezicht bont en blauw geslagen was, met hier en daar geronnen bloed. Hij zag eruit als de verliezer in een bokswedstrijd op de kermis. Hij had een schram op zijn neus en een blauw oog, terwijl zijn met zorg geknipte blonde haar, dat altijd zo keurig in model zat, nu alle kanten op wees. Zijn keurige baard was roestbruin gekleurd door het bloed. 'Lieve hemel, Harry! Wat is er met jou gebeurd?'

'Ik ben overvallen, heer Shakespeare. Mijn beurs is gestolen. Hij kwam van achteren. Voordat ik mijn zwaard kon trekken lag ik al plat op het ijs en werd ik in mijn gezicht geschopt. Kijk mijn kleren eens...' Slide trok zijn mantel uit, die nog betrekkelijk onbeschadigd was, om zijn gescheurde en bemodderde gele wambuis te laten zien.

Shakespeare riep Jane om warm water en handdoeken te brengen en Harry's verwondingen schoon te maken. 'Waar is dat gebeurd, Harry?'

'In Holborn. Ik was in een paar herbergen en taveernes geweest om de laatste roddels te horen. Heel dom van me om me zo te laten verrassen.'

Jane kwam binnen en boog zich over Slides gezicht. Shakespeare schonk hem een grote beker kruidenwijn in.

'In elk geval heb ik het adres van Walstan Glebe gevonden,' zei Slide. 'Blijkbaar heeft hij een pers in Fleet Lane. Daar schijnt hij niet altijd te zijn – een vos heeft heel wat holen – maar morgenvroeg zouden we hem daar kunnen treffen.'

'Heb je veel pijn, Harry?'

Slide nam een slok wijn. 'Nou, mijn hoofd voelt alsof de scherprechter het half geraakt heeft met zijn bijl, maar ik zal het wel overleven.'

'Dat mag ik hopen. Slaap vannacht maar hier. Jane zal een bed voor je opmaken.'

'Dank u, heer Shakespeare, maar eerst moet ik u nog wat meer vertellen.'

'O?'

'Misschien is het niets, maar ik hoorde een verhaal over een merk-

waardig etentje in de gevangenis van Marshalsea, twee avonden geleden. Twee priesters daar hadden vier bezoekers. Ze hebben samen gegeten en gedronken en een van de priesters heeft de mis opgedragen.'

Shakespeare had zulke dingen al eerder gehoord. Marshalsea en
The Clink behandelden gevangengenomen priesters nogal soepel –
een zorgwekkende ontwikkeling. 'En weet je wie die mensen waren?'

Slide glimlachte en had meteen spijt: zijn hele gezicht deed pijn.
'Nou,' zei hij, 'die priesters zijn van weinig belang. Piggott en Plummer. Piggott is een zielige klootzak die de strop verdient, en Plummer
is mijn bron. Hij heeft allang afstand genomen van de roomse praktijken, maar het is lucratief voor hem om nog even vol te houden. De
roomsen geven hem geld voor eten en ik betaal hem voor informatie.'

'En de anderen?'

'Drie voorname dames uit bekende roomse families: lady Frances
Browne, een jong meisje dat Anne Bellamy heet, en lady Tanahill.'

Daar hoorde Shakespeare van op. 'Lady Tanahill? Gevaarlijk voor
haar, want haar man zit gevangen in de Tower. En dat meisje Bellamy
heeft al twee broers aan de galg verloren wegens hun contacten met
het Babington-complot.'

Slide knikte. 'Maar de zesde en laatste naam interesseerde me het
meest: een jezuïtische priester die Cotton heet.'

Shakespeare fronste. 'Weer een jezuïet?'

'Ja, heer Shakespeare, weer een jezuïet. Geen twijfel mogelijk, naar
Plummers verhaal te oordelen.'

Hoe was een jezuïet het land binnengekomen zonder dat Walsingham dat wist? Zijn spionnen in Rome en aan de Engelse seminaries
in het buitenland kenden de namen en bewegingen van alle Engelse
jezuïeten. Tenminste, dat dachten ze. Walsingham had geweten dat
Southwell en Garnet naar Engeland kwamen nog voor ze per boot
vanuit Frankrijk waren vertrokken. Als er nu drie van die jezuïeten in
Engeland rondliepen, was dat slecht nieuws. Walsingham zou er niet
blij mee zijn, en de koningin nog minder. Ze hield niet van dat soort
priesters in haar land.

'Er is natuurlijk nog een andere mogelijkheid,' zei Slide door een
hoek van zijn gebarsten lip. 'Ik bedacht dat Cotton waarschijnlijk niet
zijn echte naam is. Hij zou de man kunnen zijn die we zoeken: Robert
Southwell.'

'Hoe zag hij eruit?'

'Goed gekleed, schijnt het. Goudblond haar, levendige grijze ogen, zelfverzekerd. Van Southwell wordt ook gezegd dat hij een knappe man is. In Douai werd hij door iedereen "die knappe Engelse jongen" genoemd, hoorde ik van een priester.'

'Goed Harry, dit moeten we uitzoeken.'

Slide kwam moeizaam overeind en masseerde zijn nek. 'Nog één ding, heer Shakespeare.'

'Ja?'

'De man die me schopte… Voor hij verdween, draaide hij zich nog om en zei iets.'

'Wat dan?'

'Ik kon het niet goed verstaan omdat mijn oren suisden, maar het klonk als: "De volgende keer gaat je kop eraf, Slide." Hoe kende hij mijn naam, als hij een gewone straatrover was?'

12

Voor dag en dauw klommen Shakespeare en Slide op hun paarden, reden de stad door en New Gate uit, nog voor het licht was. Ze waren op weg naar Fleet Lane, waar ze Walstan Glebe hoopten te verrassen.

'Daar,' zei Slide eindelijk. 'Dat moet het zijn.'

Het sneeuwde, en de paardenhoeven maakten nauwelijks geluid op de verlaten weg. Ze hielden halt en Shakespeare sprong soepel van zijn grijze merrie. Hij gaf de teugels aan Slide, die stijf en pijnlijk was opgestaan. Hij zag er afgetobd uit, maar toch had hij erop gestaan om mee te gaan. 'Wacht jij maar met de paarden. Ik ga alleen.'

'Roep me als u me nodig hebt.'

'Dat zal ik doen.'

Het was een groot vakwerkhuis met een overdreven vooruitstekende eerste verdieping, die een groot deel van het opkomende zonlicht vanuit het oosten blokkeerde. Er zat geen slot op de deur, dus stapte Shakespeare naar binnen. De hal was verlaten. Hij liep een volgende, grotere kamer door, waar hij een drukpers vond, omringd door kisten met letters. De pers was een gammel geval, dat manshoog tegen een van de muren stond. Shakespeare wist ongeveer hoe het ding werkte. De loodtekst moest letter voor letter worden gezet, samen met de houtsneden, in vormramen die op een ezel stonden, een A-vormige, tweezijdige lessenaar. Daarna werd alles vastgezet met kooien of wiggen, en vervolgens geïnkt, voordat de ramen onder in de pers werden gestoken, met het papier erboven. Voor elke afdruk werden de ramen tegen het papier geschroefd. Vlakbij lag een stapel krantjes, *The London Informer*, die al waren gedrukt; de inkt was gedroogd, ze waren klaar voor verspreiding. Shakespeare las de tekst en moest een lachje onderdrukken.

VERBAZINGWEKKEND ZEEMONSTER IN DE THEEMS, luidde de kop, met daaronder: GEDROCHT IS SLECHT VOORTEKEN, ZEGT HELDERZIENDE.

Walstan Glebe voelde haarfijn aan wat zijn lezers wilden, maar waarschijnlijk had hij het sappigste nieuws van die dag gemist: dat Mary, koningin van Schotland, haar hoofd ging verliezen.

Shakespeare klom de trap op naar de eerste verdieping, waar hij een deur vond. Vanaf de gang hoorde hij een veelstemmig gesnurk. Voorzichtig opende hij de deur, waarachter hij een groot hemelbed zag met een heel stel mensen erin, of zo leek het. Toen hij wat dichterbij kwam in de verduisterde kamer zag hij dat het er drie waren, twee vrouwen en een man. De man lag in het midden en snurkte het hardst, hoewel zijn vriendinnen ook hun best deden. Shakespeare boog zich over een van de vrouwen heen, een weelderige hoer die op haar rug lag met haar mond wijd open en haar haar in een donkere waaier rond haar gezicht, en Shakespeare schudde de man bij zijn schouder.

Slaperig opende hij een oog. 'Wat is er?'

'Opstaan. In naam van de koningin.'

'Welke koningin?'

'Koningin Elizabeth. En als je niet de rest van de dag in het cachot wilt zitten, kun je beter overeind komen. Nu!'

De man schoot rechtop en keek wild om zich heen. 'Wat stelt dit voor?'

'Mijn naam is John Shakespeare en ik ben hier uit naam van de koningin. Kom je bed uit, Glebe.'

De man geeuwde en krabde zich op zijn hoofd. 'Je hebt de verkeerde voor je. Mijn naam is Felbrigg.'

Shakespeare boog zich weer over het bed, greep de man bij zijn dikke, warrige haar en rukte het omhoog. Op zijn voorhoofd was een rode L gebrand. 'De L van leugenaar, Glebe. Je bent gebrandmerkt omdat je het werk van anderen had gestolen.' Shakespeare liet zijn haar weer los.

Glebe haalde zijn blote schouders op en grijnsde als een schooljongen die was betrapt bij het overschrijven van andermans werk. 'Goed dan. Geef me even de tijd om me aan te kleden.'

De twee vrouwen bewogen zich. 'Wat is er?' vroeg een van hen.

'Niks. Ga maar weer slapen.'

'Je hebt me wakker gemaakt, schat.'

'Trek dan je kleren maar aan en maak dat je wegkomt. En neem je zuster mee.' Glebe draaide zich om naar Shakespeare. 'Neem me niet kwalijk, heer. Een wilde nacht en zwaar bier.' Hij was inmiddels uit bed en hees zich in een broek en een hemd. Toen knikte hij naar de twee vrouwen. 'Niet slecht voor een koude februarinacht. Ik kan het wel regelen, als u geïnteresseerd bent.'

Maar Shakespeare was niet in de stemming voor frivoliteiten. 'Kom mee naar beneden, Glebe. Je hebt problemen.'

In de kamer met de drukpers bleef Glebe staan, met kromme schouders krabbend aan zijn ballen.

'De Franse pokken, Glebe?'

'Ja. Zoals iedereen die ik ken, heer Shakespeare.'

'Dat zegt genoeg over de mensen die je kent.' Shakespeare wees naar de drukpers. 'Heb je hiervoor een vergunning van het boekdrukkersgilde?'

'Natuurlijk, heer.'

'Je bent al eerder als leugenaar gebrandmerkt, Glebe, en je liegt nog steeds. Als ik geen eerlijk antwoord krijg, wordt die pers meegenomen en je hele oplage vernietigd. En dat niet alleen, ik zal je ook de schout op je dak sturen wegens opruiing – wat volgens mij een ander woord is voor verraad.'

'Heer Shakespeare, dit is een roddelblad met onschuldige nieuwtjes voor de Londenaren. Met verraad heeft het niets te maken. Kijk dan, heer.' Glebe hield een exemplaar van het krantje omhoog. 'De hele wereld wil lezen over die grote vis. Iedereen praat erover. Wat schuilt daar voor kwaads in?'

Shakespeare rukte het blaadje uit Glebes hand, verfrommelde het tot een prop en smeet die op de grond. 'Daar gaat het mij niet om, Glebe. Ik ben meer geïnteresseerd in de moord op lady Blanche Howard. Waar had je de informatie voor dat pamflet vandaan?' Hij haalde het uit zijn wambuis.

Nu keek Glebe toch zorgelijk. Smekend spreidde hij zijn handen. Hij was een man van een jaar of dertig, klein van postuur, met een mager gezicht, scherpe tanden, sluwe ogen en een veelzeggende glimlach, bijna een grijns, die permanent rond zijn lippen zweefde. Maar nu fronste hij zijn voorhoofd. 'Ook een roddel, heer. In elke taveerne, kroeg en herberg van Westminster tot Whitechapel gonst het van de geruchten over lady Blanche. Een tragisch verhaal, dat moet ik zeggen. Maar ik heb gewoon geluisterd en opgeschreven wat ik hoorde.'

'Je beschuldigt de jezuïet Southwell van de moord, met zijn "crucifix, relikwie en dolk", zoals je schrijft. Wat betekent dat en waar heb je dat gehoord?'

Glebe keek langs Shakespeare heen, alsof hij diens blik ontweek. 'Nou, dat zegt ook iedereen, dat die paapse smeerlap de moordenaar moet zijn. Dat hebt u toch wel gehoord?'

Shakespeare begon zijn geduld te verliezen. 'Misschien de suggestie, ja. Maar geen enkel bewijs. Daar gaat het ook niet om. Wat bedoel je met die woorden "crucifix, relikwie en dolk"?'

Glebe aarzelde, alsof hij de vraag niet begreep. Het leek of het zweet hem uitbrak, ondanks de kille ochtend. 'Heer?'

'Het crucifix, man! De relikwie. Wat weet je over die dingen?'

'Helemaal niets, heer. Ik bedoelde het als metafoor, als symbool van de duivelse roomse praktijken die hier werkzaam zijn. Wat had u anders gedacht, heer Shakespeare?'

Shakespeare raakte met de minuut meer geïrriteerd. Hij geloofde geen woord van wat Glebe beweerde. De man was zo glad als een aal. 'En die aantijging tegen lady Douglass en lady Frances, dat zij niet zouden rouwen om de dood van hun nicht?'

'Dat werd gezegd.'

'Klets toch niet, Glebe. Je bent al eens gebrandmerkt. Voor het luisteren naar dat soort onzin zou je ook je oren nog kunnen kwijtraken. En voor het herhalen ervan zou ik de rechter kunnen adviseren je tong te laten uitsnijden en aan de haviken te voeren. Ik heb genoeg gehoord, Glebe. We zullen dit onderzoek voortzetten onder het gezag van Hare Majesteit. Je staat onder arrest. Kom maar mee.'

Glebe hief zijn handen, met de palmen naar Shakespeare toe, alsof hij hem wilde wegduwen. 'Heer, wat wilt u dan weten? Ik zal u de waarheid zeggen, dat zweer ik.'

'Ik heb het je al gezegd, Glebe. Van wie heb je dat verhaal over een relikwie en een crucifix gehoord? En de naam Robert Southwell?

Voor de draad ermee, anders slaap je vannacht tussen de dieven en moordenaars en word je misschien onder dwang verhoord.'

Glebe keek schichtig. Shakespeare wist dat hij hem in een hoek had gedreven. De man was wanhopig en bang.

'Heer Shakespeare, ik heb het allemaal in een taveerne gehoord, van leerjongens en kooplui, heer. Het levensbloed van Londen. Iedereen wil het nieuws lezen. Ik zou wel twee keer zoveel exemplaren van *The London Informer* kunnen verkopen.'

'Glebe, ik geloof je niet. Je gaat mee.'

'Mag ik me eerst goed aankleden? Het is bitterkoud buiten.'

'Haal je jas en je laarzen maar.'

Shakespeare hoorde een zacht fluitje achter zich en draaide zich bliksemsnel om. De twee vrouwen uit Glebes bed – zusters, als hij dat moest geloven – stonden onder aan de trap, nog geen meter bij hem vandaan. Ze leken inderdaad op elkaar: twee gezonde, mollige meiden, allebei naakt van top tot teen, die hun pronte boezem naar hem toe staken.

Shakespeare staarde een seconde te lang. Ze waren aantrekkelijk op een simpele manier en daar reageerde hij op, zoals iedere man zou doen. Maar toen hij zich weer omdraaide, zag hij Glebe verdwijnen in de achterkamer. Shakespeare deed een stap naar voren om hem achterna te gaan, maar de twee vrouwen sloten hem in, wreven zich tegen hem aan, probeerden hem te kussen, pakten zijn armen vast, hielden hem tegen en kietelden zijn ballen door zijn broek heen. Nijdig duwde hij hen opzij en volgde Glebe. Maar de man was al verdwenen.

De twee vrouwen lachten kakelend.

'Dat zet ik jullie betaald,' zei Shakespeare nijdig, en meteen voelde hij zich onnozel.

'Wil je ons betalen, schat? We zijn beschikbaar. Zeg het maar.' Weer begonnen ze te lachen, en Shakespeare wist dat het hopeloos was. Hij zou later wel iemand sturen om de drukpers te vernietigen, maar verder kon hij hier weinig doen. De vrouwen liepen met veel hilariteit de trap weer op, waarschijnlijk om zich aan te kleden, terwijl Shakespeare de kamer doorzocht. Hij vond een afdruk van de gedichten van Aretino en wat houtsneden als illustraties bij de scabreuze verzen. Er lag ook een stapeltje almanakken met de belachelijke voorspellingen van de Franse bedrieger Nostradamus en een verslag van het recente avontuur van sir Walter Ralegh in de Nieuwe Wereld. Shake-speare nam voorbeelden mee, ook van het laatste nummer van *The London Informer*, en stapte toen naar buiten, waar Slide met de paar-den wachtte.

'Was hij thuis, heer Shakespeare?'

'Vraag het me niet, Harry. Vraag het me niet.'

13

Job Mallinson zat in het kantoor van het boekdrukkersgilde bij St. Paul's en keek door het hoge raam naar de troosteloze wintertuin van het genootschap. Hij hield zijn hand tegen zijn verbonden kaak gedrukt, alsof dat de kiespijn kon verminderen die hem de hele nacht parten had gespeeld. Op andere momenten, als zijn hoofd niet zo bonsde als een hamer op een aambeeld, stond hij bekend om zijn goede humeur en zijn amusante verhalen. Nu zat hij te huiveren en verlangde hij naar het einde van deze dag. Hij was hier enkel gekomen omdat hij de zorgzaamheid van zijn vrouw niet langer kon verdragen. Ze had hem zalfjes gegeven voor zijn kies maar die hadden weinig geholpen, en haar geklets maakte het allemaal nog erger. Een wandeling in de frisse lucht naar het boekdrukkersgilde leek de beste manier om zijn aandacht af te leiden van de pijn.

Een bediende in livrei kwam binnen en zei iets. Mallinson aarzelde even maar knikte toen, waarop de bediende verdween en even later terugkwam met John Shakespeare.

Mallinson stond op om hem te begroeten. De twee mannen schudden elkaar de hand. Ze hadden elkaar al eerder ontmoet, eerst bij het banket in de Guildhall ter ere van het vertrek van John Davis' expeditie op zoek naar de noordwestelijke doorgang, en daarna nog twee of drie keer bij staatszaken, als er opruiend materiaal was aangetroffen.

'Pijn in het gezicht? Wat vervelend, heer Mallinson,' zei Shakespeare met een knikje naar het verband.

'Een kies,' antwoordde Mallinson zo goed en zo kwaad als het ging.

Shakespeare begreep dat praten de man moeilijk viel, dus hij kwam meteen ter zake. 'Heer Mallinson, ik heb informatie nodig over drukwerk dat ik heb gevonden.' Hij hield het vel omhoog. 'Kunt u nagaan van welke pers dit afkomstig is?' Nu haalde hij ook het krantje van Walstan Glebe tevoorschijn. 'Kan het door dezelfde pers zijn gedrukt als dit?'

Mallinson bestudeerde de papieren. Als secretaris van het boekdrukkersgilde was hij zelf een ervaren drukker, maar hij kende zijn beperkingen. Moeizaam mompelde hij: 'Ja, dat zou kunnen, maar daarvoor moet u niet bij mij zijn. Ik ken iemand die hier meer verstand van heeft.' Hij trok een pijnlijke grimas en er druppelde wat bloed uit zijn mondhoek.

'Is er hier iemand anders die me kan helpen?'

Mallinson schudde zijn hoofd en sloot zijn ogen. Hij haalde diep adem en moest zich vermannen om verder te gaan. 'Nee, niet hier. De man die ik bedoel is Thomas Woode, een boekverkoper en agent van de drukkerij van Christoffel Plantijn in Antwerpen. Hij heeft veel geld verdiend met het drukken van theaterprogramma's, waarop hij het monopolie heeft. Hij woont dicht bij de Theems, bij Dowgate. U kunt het huis niet missen, want het staat in de steigers. Als iemand u kan helpen, is het Thomas wel. Een goede kerel.'

'Dank u, heer Mallinson. En het beste met uw kies. O, nog één ding. Geef uw mensen opdracht om een illegale pers te vernietigen in Fleet Lane. De drukker is een bedenkelijke figuur, een zekere Glebe.'

Mallinson deed een poging tot een glimlach, maar het leek meer een grimas. 'Ja, heer Shakespeare, Walstan Glebe is ons bekend. We zoeken hem al een tijdje. Het zal mijn mannen een genoegen zijn die drukpers aan splinters te slaan.'

Starling Day en haar nicht Alice zaten te drinken en te zingen in de Bel Savage. Ze waren ervan overtuigd dat ze hun sporen goed hadden uitgewist. Een halfuurtje eerder, in Coggs bordeel, hadden ze Parsimony Field de huid volgescholden, voordat ze lachend en joelend waren vertrokken. Nu betaalden ze rondjes voor alle meisjes die niet aan het werk waren en iedereen die verder nog in de taveerne rondhing.

Parsimony, die niet alleen Coggs beste meisje was maar ook in zijn naam het bordeel bestierde, was verbijsterd geweest door Starlings en Alice' brutale houding. Geen enkel meisje had haar ooit durven zeggen dat ze kon oplazeren, ze zou zo'n meid in elkaar hebben geslagen. Parsimony was groot en sterk genoeg om het tegen heel wat mannen op te nemen, laat staan tegen vrouwen. Daarbij had ze de steun van Cogg. Maar ze werd totaal overdonderd door Starling en Alice. Toen ze zich had hersteld, was ze hen gevolgd naar de lange kroeg van Bel Savage, waar ze de meiden snel dronken zag worden.

Alice kreeg haar in de gaten. 'Kom, Arsey-Parsey, drink met ons mee. Je krijgt een lekker likeurtje van me, mop.' En ze stak twee vingers in de lucht als groet.

Heel even overwoog Parsimony om de meiden bij hun haren naar de hoerenkast terug te sleuren, maar ze wist niet of ze hen allebei tegelijk aankon en ze wilde zich niet vernederen onder het oog van de anderen. Toch zou Cogg van haar verwachten dat ze ingreep, dus ze moest iets doen. Hij wilde niet zomaar twee meisjes kwijtraken.

Ondertussen werd het steeds drukker in de kroeg. Starling en Alice draaiden haar hun rug toe, tilden hun rok op, bukten tegelijk en lieten een scheet in haar richting. Gierend van de lach vielen ze op de met zaagsel bedekte vloer. Toen ze weer overeind kwamen, zag Parsimony iets wat haar nog niet eerder was opgevallen. De meisjes droegen sieraden: halskettingen en armbanden die wel van goud leken, heel anders dan de ordinaire prullen die hoertjes meestal droegen. Op dat moment wist Parsimony dat ze onmiddellijk naar Cogg moest gaan. Hij zou het willen weten. Dit stonk een uur in de wind, als een mand met zes dagen dode makreel. Ze glipte naar buiten, trok haar rokken om zich heen hoewel ze niet op dit koude weer gekleed was, en rende naar Coggs huis in Cow Lane.

Hij was niet thuis en had niet afgesloten. Dat verbaasde Parsimony. Cogg ging nooit uit; hij kon zich nauwelijks bewegen met dat grote lijf van hem. Ze liep de trap op naar zijn slaapkamer. Er stond een bord met etensresten, kippenpootjes of zoiets, en het beddengoed lag op een hoop. Ze ging op het bed zitten en probeerde na te denken. Hij zou thuis moeten zijn. Ze kon zich de laatste keer dat hij was uitgegaan niet eens herinneren. Tegenwoordig kon hij zelfs niet meer naar de hoerenkast bij de Bel Savage lopen; daarom kwamen de meisjes naar hem toe. Hij was veel trager geworden, het afgelopen jaar. Er moest hem iets overkomen zijn.

Parsimony draaide de punten van haar mooie haar om haar vingers. Ze was al bij Cogg sinds haar man, een metselaar, bij haar was weggegaan om acteur en toneelschrijver te worden. Dat was nu zeven jaar geleden, toen ze zestien was. Het leven van een hoertje was haar vanaf het eerste moment goed bevallen. Neuken voor geld was een makkelijke manier om aan de kost te komen en soms nog leuk ook. Ze hield het meest van zeelui, net terug van een lange reis. Die waren gul met hun geld, lachten veel en hadden een sterk, gehard lijf. Belangrijker nog was dat Cogg en zij een goede afspraak hadden. Hij liet haar twee keer zoveel voor zichzelf houden als de andere meisjes, en in ruil daarvoor regelde zij alles in het bordeel. Als het zo doorging, zou Parsimony voor haar vijfentwintigste genoeg hebben verdiend om haar eigen bordeel te beginnen.

Ten slotte stond ze op en ging serieus naar Cogg op zoek. Ze vond zijn lichaam beneden, in een groot vat waarin huiden en bont uit de Oostzeelanden hadden gezeten. De pelzen waren eruit gehaald en opgestapeld, zodat ze van een afstandje aan een grote, slapende beer deden denken. Het vat was op zijn kant gelegd om Coggs grote lijf erin te schuiven. Het paste niet helemaal, maar omdat het met de opening naar de muur lag, had Parsimony de twee dikke blote voeten niet meteen gezien. Het was duidelijk geen poging geweest om het lichaam voor langere tijd te verbergen.

Ze hadden hem dus vermoord, die smerige, gemene, achterbakse krengen. En waarschijnlijk ook beroofd. Parsimony zou het hun betaald zetten. Ze wist precies hoe.

Maar waar was Coggs kapitaal? Hadden ze alles gevonden en meegenomen, of was er nog iets achtergebleven? Ze zocht een tijdje, maar kon niets vinden. Haastig liep ze terug naar de Bel Savage, bang dat de vogels gevlogen zouden zijn.

Toen ze de deur van de kroeg opengooide, sloegen de rook en de bierlucht haar tegemoet. Starling Day en Alice lagen stomdronken op de vloer te snurken, met verfomfaaide kleren en hun benen gespreid. De andere meisjes stonden nog te drinken van hun geld en amuseerden zich met een paar kooplui.

Het duurde even voordat iemand Parsimony opmerkte. Een van de meisjes zag haar en stootte haar buurvrouw aan. Opeens kwam er een einde aan de vrolijkheid en er viel een doodse stilte. De meisjes keken angstig naar Parsimony en zagen de woede in haar ogen. Ze deed een stap naar voren, sloeg een van de hoertjes hard in haar gezicht en gaf hun toen opdracht zich om Starling en Alice te bekommeren. 'Breng ze terug naar het bordeel en hou de wacht,' zei ze op zo'n kille toon dat ze wist dat de meiden haar zouden gehoorzamen. 'Verlies ze geen moment uit het oog. Als ze wakker worden, heb ik nog een woordje te wisselen met die stinkende teven. Sla het ijs in de ton op het erf kapot en gooi een emmer water over ze heen. Daar zullen ze van opfrissen.'

14

'Heb je dat stuk al gezien?' vroeg Denis Picket achter een glas bier in The Falcon, een herberg en pleisterplaats in Fotheringay.

'Nee,' antwoordde Simon Bull. 'Hoe heette het ook alweer?'

'*Tamburlaine*. Heel aardig, Bully. Veel vechten, veel lachen.'

'Waar loopt het?'

'In The Curtain, Bully.'

'O. En het is *heer* Bull voor jou, Denis.'

'Neem me niet kwalijk, heer Bull.'

'Waar gaat het over?'

'Turken, geloof ik. Een hoop moorden en vechtpartijen.'

'Niks voor mij, Denis. Die toneelstukken van tegenwoordig zijn me veel te bloederig.' Bull wierp een blik door de gelagkamer en zag de stamgasten haastig hun blik afwenden, alsof ze zich betrapt voelden. Daar was hij aan gewend en hij lette er niet meer op, maar hij maakte zich wel zorgen over zijn assistent. Picket was jong en goed in zijn werk als slager, maar Bull had nog nooit zo'n belangrijke klus bij de hand gehad en wilde zijn assistent niet nog zenuwachtiger maken dan hij al was.

'Waar logeert Digby, heer Bull?'

'In Apthorpe, bij de hoge heren. De minister had ons daar ook naartoe gestuurd, maar die ouwe Mildmay wilde er niet van horen. Hij vindt ons niet sjiek genoeg. Maar ik kan je wel zeggen, Denis...' – hij liet zijn stem dalen tot een gefluister – '... dat ik mannen om zeep heb geholpen die net zo hoog verheven waren als hij. We zijn allemaal gelijk als ons hoofd op het blok ligt.'

'Waar heb je de bijl, Bully?' vroeg Picket ten slotte.

Bull legde de wijsvinger van zijn grote rechterhand tegen zijn lippen. 'Die zit in mijn koffer, Denis, maar geen woord daarover! Ik wil de mensen hier niet bang maken. En het is *heer* Bull. Ik zeg het niet nog een keer.'

'Neem me niet kwalijk, heer Bull.'

Nog geen dag eerder had Simon Bull in zijn huis buiten Bishop's Gate bezoek gekregen van Anthony Hall, die door Walsingham naar hem toe was gestuurd met nieuws over de opdracht. Er was even onderhandeld over de prijs, maar ten slotte hadden ze het afgemaakt op tien pond in goud, met een vergoeding voor de reiskosten en een goede herberg voor hemzelf en zijn assistent. Daarna volgde nog een discussie over de gebruikelijke toewijzing van de kleren en juwelen die van het lichaam zouden worden verwijderd, maar Bull had zijn poot stijf gehouden. Ze zouden het wel zien als het zover was, zei Hall ten slotte. Het had geen zin om de beul te irriteren voordat hij zijn gruwelijke werk had gedaan.

'Nou, Denis, zullen we er nog een nemen onder het eten? En dan naar bed, en slapen. Morgen is het weer vroeg dag.'

'Ja, heer Bull.'

'Goed zo. Ik zou wel een paar duiven en een bieflap lusten. Vraag eens of ze zoiets kunnen regelen, wil je?'

'Ja, heer Bull.'

'En wat vers brood met boter, om de jus op te deppen.'

'Ja, heer Bull. Komt in orde.'

Starling Day werd gewekt door een klap van Parsimony Field in haar gezicht. En nog een, en weer een, van links naar rechts, en hard.

Ze kromp ineen onder de klappen. 'Alsjeblieft, Parsey, hou op!' smeekte ze, met een zwakke, wanhopige stem.

'Ik hou pas op als je me vertelt waar het goud is, Starling Day.' En Parsimony sloeg haar opnieuw. 'Je zit tot aan je magere kippennek in de stront.'

Starling was aan de vier hoeken van een houten ledikant vastgebonden. De wereld tolde nog om haar heen door de drank, en haar rug drukte pijnlijk tegen het kale hout. Ze voelde zich misselijk worden, draaide haar hoofd weg van Parsimony en begon te kotsen.

Starling sloot haar ogen. In haar dronken toestand was ze weer in

Strelley aan het bed gebonden terwijl Edward haar sloeg. Dat had ze toch allemaal achter zich gelaten? Maar geleidelijk herinnerde ze zich de gebeurtenissen van de vorige avond. Ze hadden het goud en de juwelen verborgen, behalve een paar halskettingen en armbanden waarmee ze zich hadden opgetuigd voordat ze naar het bordeel waren teruggegaan om Alice' schaarse bezittingen op te halen. In een vreemde, onbesuisde opwelling hadden ze Parsimony Field de huid volgescholden. Vervolgens waren ze naar de Bel Savage vertrokken voor een laatste borrel, om daarna voorgoed te verdwijnen. Waarom ook niet? Arsey-Parsey had geen idee wat er in Cow Lane was gebeurd en ze was niet sterk genoeg om hen allebei tegen te houden. Maar ze hadden te veel gedronken en nu betaalden ze de prijs.

Starling wilde haar bonzende hoofd in haar handen begraven, maar haar polsen waren aan het bed gebonden. Een halve dag geleden had de wereld er nog zo prachtig uitgezien; nu was het allemaal weer ellende. Ze moest zien dat ze hier wegkwam.

Parsimony's vuist raakte haar met volle kracht. Starling kon nog net haar gezicht wegdraaien, anders zou haar neus zijn gebroken. Maar de klap was pijnlijk genoeg. Parsimony mepte als een vent.

'Ik zal je laten zien waar het goud is!' kermde ze.

'Welk goud bedoel je eigenlijk?'

'Dat weet je wel. Coggs goud. We verdelen het onder ons drieën: jij, ik en Alice.'

Parsimony ging aan het hoofdeinde van het harde bed zitten. 'Zoals ik het zie, mag je van geluk spreken als ik je niet aangeef, want dan zou je nog voor de ochtend aan je magere kippennek boven het schavot van Tyburn bungelen. En ik zou applaudisseren voor de beul. Jij bent me heel wat schuldig, Starling Day, als ik je leven spaar. Dus heb ik recht op driekwart. De rest mogen jij en Alice verdelen.'

'Maar ik heb Cogg helemaal niet vermoord!'

'O nee? Daar ziet het toch wel naar uit, en zo zal de rechter er ook over denken. Zijn lijk is in een ton gevonden en zijn hele kapitaal in de handen van Starling Day. Hoe zou de jury daarover oordelen?'

'De helft voor jou dan. Als je me aangeeft of me vermoordt, heb je helemaal niets. Maak me nou los. Alsjeblieft, Parsimony. Ik heb Cogg écht niet vermoord, maar ik heb wel de moordenaar gezien.'

'Ik zal erover denken, Starling Day. Heus, ik zal er goed over denken. Maar eerst ga ik ontbijten.' Parsimony stond op, draaide zich om en liep naar de deur.

Starling raakte in paniek. 'Wacht! Zullen we het goud nu meteen gaan halen? Er is zo veel, Parsey, genoeg voor ons alledrie. Het leek wel alsof hij een Spaans galjoen had geplunderd.'

'Ik zal erover denken.'

Starling werd weer misselijk. Ze lag te kronkelen op het bed.

'Ik weet al wat,' zei Parsimony. 'Een veel beter idee. Vertel mij maar waar het goud is, dan ga ik het halen. Als ik het heb, zal ik je losmaken.'

'Parsimony, ik smeek je! Ik word helemaal gek als je me zo laat liggen.'

'Dan is het toch simpel, mop? Hoe sneller je me vertelt waar ik moet zoeken, hoe eerder je los bent.'

Starling hield dit niet langer vol, maar als ze Parsimony vertelde waar ze Coggs juwelen kon vinden, zou de vrouw haar nooit laten gaan. Dan zou ze haar vermoorden of haar aangeven bij de schout, zodat ze de strop zou krijgen.

'Maak me eerst los, Parsey. Zolang ik hier vastgebonden lig, kan ik je niets vertellen. En waar is mijn nicht?'

'O, maak je geen zorgen, lieverd. Ze ligt boven te slapen.'

Die woorden maakten Starling ongerust. 'Je hebt toch niets met haar gedaan?'

Parsimony keek haar aan met een harde trek om haar mond. 'En als dat zo was? Dan zou er des te meer overblijven voor jou en mij.'

'Weet je, Bully...'

'Heer Bull, Denis.'

'Weet u, heer Bull? Vorig jaar zomer heb ik honden afgemaakt toen het zo warm werd.'

'Dat wist ik niet, Denis.'

'Dat vond ik vreselijk werk, heer Bull. Elke dag moesten we ze vangen en doden, op bevel van het stadsbestuur. We probeerden van alles: verdrinken, wurgen, hun keel doorsnijden, hun kop verbrijzelen tussen een paar stenen. Ik begrijp wel dat het nodig was, omdat ze de pest overbrengen, maar ik vond het heel akelig.'

'Werk is werk, Denis.'

'U hebt gelijk, dat weet ik wel, maar ik ben opgegroeid met honden. Ik heb ze afgericht om hazen en konijnen te vangen voor het eten.'

Simon Bull keek de jongen aan en schudde zijn hoofd. Ze hadden zich gekleed voor hun werk, allebei in een zwart slagersschort en een zwart masker, als echte scherprechters, met grote spierbundels. Bulls reusachtige handen rustten op de lange steel van een zware bijl. Hij wist dat hij een afschrikwekkende aanblik vormde; urenlang had hij deze pose geoefend voor een spiegel. Zo moest het ook. Als de veroordeelde niet onder de indruk was, kon je allerlei problemen verwachten. Ooit had hij een jonge edelman over het hele schavot achternagezeten om hem te pakken te krijgen, als een boerin een kip. Heel vervelend allemaal. Overal bloed en lichaamsdelen. Vandaag zou het gemakkelijker gaan.

Ze stonden aan de zijkant van het in zwart fluweel gedrapeerde cachot dat in allerijl was opgericht. Onafgebroken had de afgelopen twee dagen het geluid van hamerslagen door de grote zaal weerklonken, als voorbereiding op het bloederige ritueel.

'We staan hier nu al meer dan drie uur, heer Bull. Als ik had geweten dat ik hier om tien uur nog zou staan, had ik wel een steviger ontbijt genomen.'

'Straks krijgen we een middagmaal.'

Er klonk wat gemompel en ze draaiden zich om. Mary, de Schotse duivelin zelf, kwam binnen, met opgeheven hoofd en gekleed in zwart fluweel. Achter haar, in groepjes van twee, volgden zes uitverkoren begeleiders, drie mannen en drie vrouwen. Ze waren in tranen.

'Een van die honden, een mastiff, keek me met zulke trieste ogen aan, heer Bull...'

'Stil, Denis. Niet nu,' zei Bull zacht, terwijl het gemompel van de tweehonderd mensen in de grote zaal verstomde. Ze vormden een merkwaardig, plechtig gezelschap. Sommigen schuifelden zenuwachtig met hun voeten, anderen stonden doodstil. In de warmte van de loeiende haard steeg damp op uit hun natgeregende rijkleding. Allemaal probeerden ze een glimp op te vangen van de gelaatstrekken van de in het zwart geklede vrouw toen ze tegen de zwarte achtergrond van het podium de treden beklom. Geharnaste hellebaardiers bewaakten en ondersteunden haar bij de ellebogen. Ten slotte nam ze haar plaats in op de zwartbeklede stoel die voor haar was neergezet. Bulls ogen volgden haar. Hij keek niet naar haar gezicht, maar naar haar kleren en wat ze bij zich had. Daar kon hij aardig op verdienen. Ze hield een ivoren crucifix in haar hand, en om haar hals droeg ze een kralenketting met een gouden kruisje. Op haar heup hing een rozenkrans. Haar kleren waren donker en somber, maar van mooie kwaliteit en ze zouden een goede prijs opbrengen. De zwartfluwelen jurk zou in kleine stukjes worden geknipt, vierkantjes van twee bij twee centimeter, die als relikwieën konden worden verkocht. Op haar hoofd had ze een wit batisten kapje met een witte linnen sluier. Zulke dingen waren veel geld waard. Zelfs haar halsdoek, lichtgeel en bijna glinsterend in het schijnsel van het haardvuur, zou wel een paar pond opleveren. Zijn man in Cheapside zou er een lieve cent voor overhebben, en de paapsen zouden veel meer dan de werkelijke waarde betalen om dat soort dingen in handen te krijgen.

Beale, de secretaris van de Raad die naar Northamptonshire was gereisd met Bull, Picket en Walsinghams bediende, George Digby, las het vonnis voor met de veroordeling wegens hoogverraad en samenzwering tegen Hare Majesteit. Daarna nam de graaf van Shrewsbury het over. 'Mevrouw, u hebt gehoord wat wij verplicht zijn uit te voeren?'

'Doe uw plicht,' zei Mary met een zachte stem die maar heel licht trilde. 'Ik zal sterven voor mijn geloof.'

Picket had jeuk aan zijn neus en krabde. Zijn rug deed pijn door het lange staan en zijn lege maag schreeuwde om wat stevigs. Hij hoopte dat ze zouden voortmaken, maar nu stond er weer een pastoor of bisschop op om zijn verhaal te houden, terwijl de veroordeelde bleef prevelen in het Latijn.

Eindelijk liet Mary zich van haar stoel op haar knieën zakken. Haar gebiedende stem onderbrak de toespraak van de deken van Peterborough. 'Ik zal sterven zoals ik heb geleefd, in het ware en heilige katholieke geloof. Uw gebeden zijn mij daarbij van weinig nut.' Ze hield haar ivoren crucifix boven haar hoofd en bad tot God om Engeland weer tot het ware geloof terug te brengen en de katholieken standvastig te maken.

Zo ging ze nog een tijdje door, biddend voor Engeland, voor Elizabeth en voor de kerk van Rome. Bull stootte Picket aan en fluisterde in zijn oor: 'Het is zo ver, jongen. Laten we de zaak maar wat bespoedigen.'

Samen stapten ze naar voren en knielden voor Mary neer, in de aloude traditie, om haar vergiffenis te vragen voor wat ze gingen doen. Onmiddellijk schonk ze hun de absolutie. 'Ik vergeef u met heel mijn hart', sprak ze ferm, 'want ik hoop dat deze dood een eind zal maken aan al mijn moeilijkheden.'

Bull kwam overeind om Mary haar jurk uit te trekken. Mary deinsde terug en zei met een meisjesachtig lachje: 'Laat mij dat maar doen. Hier heb ik meer verstand van dan u. Ik heb nog nooit een man als kamenierster gehad.'

Bull deed een stap terug. Het maakte niet uit. Als de vorstin preuts wilde zijn, was dat haar keuze. De kleren zouden toch allemaal naar hem gaan. Twee van haar drie dames namen het over, zenuwachtig en huilend terwijl ze de baleinen verwijderden en haar de zwarte jurk uittrokken. Daaronder droeg ze een satijnen onderlijfje en onderrok, rood als bloed. Er leek een zucht door het publiek in de zaal te gaan, maar misschien was het wel de wind in de schoorsteen.

Toen ze het gouden crucifix en de halsketting had afgedaan, vroeg ze Bull of ze die aan haar kamenierster mocht geven; de waarde ervan zou hij meer dan vergoed krijgen in goud. Maar Bull schudde zijn hoofd, wrong het crucifix uit haar vingers en borg het veilig in zijn schoen. Toen pakte hij het ivoren kruisje en de rozenkrans, die hij aan Picket gaf.

Ongevraagd, alsof ze opeens had besloten dat dit maar snel voorbij moest zijn, gaf Mary een van de dames een teken om de halsdoek voor haar ogen te knopen, met een knoop in de nek, als richtpunt voor de bijl. Toen boog ze zich naar voren en legde haar kin op haar handen, over de rand van het blok. Bull knikte naar Picket, die naar voren stapte en haar handen wegtrok, zodat ze haar armen nu uitgestrekt hield, haar handen losjes in de zijne.

Ze sprak weer in het Latijn, eerst een psalm, en toen steeds opnieuw een bede om haar ziel in Gods handen te leggen: '*In manus tuas, Domine, commendo spiritum meum.*'

Bull hief de zware, tweekantige bijl hoog boven zijn hoofd, waar ze ogenschijnlijk een eeuwigheid balanceerde, op het hoogste punt van de zwaai, voordat ze met een grote boog op Mary's achterhoofd neerdaalde. Het geluid van het scherpe staal dat door het bot sneed als de klap van een slagersmes, verbrijzelde de stilte. Door de spleten in zijn masker keek Bull naar het bloederige tafereel voor zijn voeten. Verdomme, hij had haar nek gemist. Haastig, met een blos op zijn wangen, bracht hij de bijl weer omhoog en sloeg opnieuw toe. Nu was de klap beter gericht en spoot het bloed als een fontein uit de wond.

Hij knielde neer om Mary's afgehouwen hoofd uit de bloederige massa omhoog te tillen. Maar het bleek niet volledig afgehakt; met wat kraakbeen en pezen zat het nog steeds aan het lichaam vast. Met de snede van zijn bijl zaagde hij de restanten door, waarna hij met zijn linkerhand haar haar greep en het hoofd omhooghield, zodat iedereen het kon zien.

'Dit is het hoofd van Mary Stuart,' bulderde hij. Maar dat was het niet. Het was haar roodbruine pruik. Haar hoofd, grijs en kaalgeschoren, was over het platform weggerold. Gelukkig kon niemand achter zijn masker kijken, want hij sloot zijn ogen in een moment dat zelfs voor Simon Bull heel dicht bij schaamte kwam. Toen herinnerde hij zich zijn regels weer en haalde diep adem. 'God behoede de koningin,' zei hij met overtuiging.

Het was al een slechte dag voor Bull, maar het werd nog erger. Toen ze het schavot schoonmaakten en het lichaam ontkleedden, werden de kleren hem afgenomen om te worden verbrand. Ook de crucifixen en de ketting moest hij teruggeven. Walsingham zou wel beslissen wat daarmee gebeuren moest. Toen Bull verontwaardigd protesteerde dat hij er recht op had, mompelde iemand dat ze geen behoefte hadden aan 'relikwieën om een martelares van dat vervloekte mens te maken'.

Ten slotte was er de hond, een kleine terriër, besmeurd met haar bloed, die onder de kleren van de dode vrouw vandaan schoot toen die van haar lichaam werden gesneden om op de binnenplaats te worden verbrand. Picket zag het dier het eerst en er kwam een glimlach op zijn gemaskerde gezicht. 'Hallo,' zei hij, en hij tilde het hondje op.

'Zet neer,' zei Bull nors. 'Als we geen crucifix mogen houden, dan zeker haar hondje niet.'

Met tegenzin zette Denis Picket de hond weer neer, en de terriër rende jankend terug naar het inmiddels naakte lijk van zijn vrouwtje. Picket keek de hond na met iets van verlangen in zijn ogen. 'Weet u nog, die mastiff waarover ik u vertelde, heer Bull? Ik kon hem niet doodmaken. Ik heb hem nog altijd thuis en het is een geweldig beest. Ik heb hem Bully genoemd, naar u.'

'Nou jongen, dan had je hem *heer* Bull moeten noemen, is het niet?'

'Dat is waar. Dat zal ik doen. Van nu af aan noem ik hem heer Bull.'

15

Vreugdevuren verlichtten de dampige nachthemel, en op elke straat-hoek en in alle taveernes speelden minstrelen vrolijke deuntjes. Mensen trotseerden de regen om te dansen, te drinken en feest te vieren. Die moordzuchtige, overspelige heks uit Schotland was dood. Na negentien lange jaren was Engeland eindelijk verlost van haar boosaardige aanwezigheid. Tegen middernacht stak de wind op tegen een inktzwarte lucht, en wakkerde de vreugdevuren aan tot een laaiende gloed, voordat de vlammen in de kleine uurtjes doofden tot natte sintels en de dronken feestvierders zich eindelijk in bed lieten vallen.

Thomas Woode beefde over zijn hele lijf. Terwijl anderen zongen, dansten en dronken, zat hij eenzaam aan zijn tafeltje. En toen de rest van Londen lag te snurken, was hij nog wakker. Hij had zijn nagels bijna tot op de nagelriemen afgebeten en knaagde nu de laatste harde stukjes weg. In de grijze regen van de ochtend glinsterden zijn witte tanden in het licht van drie goede waskaarsen, die alledrie bijna waren opgebrand. Ze flakkerden en loefden in de wind die over de rivier joeg en door de kieren in de loodvensters van zijn kantoor in Dowgate drong. De regen kletterde in vlagen tegen de ruiten.

De hele nacht had hij de haard niet aangestoken. Het zou niet passend zijn om zich in warmte te koesteren terwijl het afgeslachte lichaam van Mary Stuart koud in een kist lag. Hij rukte zijn kraag los, smeet hem de kamer door, pakte een pen, sneed met zijn pennenmes de punt bij en stak die in de inkthoorn. Haastig schreef hij iets op een vel perkament, maar kraste het toen weer door. Hij moest een zaken-brief opstellen aan Christoffel Plantijn van de Gulden Passer, de grote Antwerpse drukkerij en uitgeverij, waar hij zo'n aanzienlijk deel van zijn rijkdom aan te danken had. Maar de woorden wilden niet komen. Hij was moe; dit was niet het moment voor alledaagse zakelijke beslommeringen.

Hij hoorde voetstappen en er werd op de eikenhouten deur geklopt. 'Binnen.'

Het was de gouvernante, Catherine Marvell. Woode was rijk, een koopman uit de klasse die in Londen de dienst uitmaakte, maar hij hield er geen grote huishouding op na. Dat zou niet veilig zijn, met zijn geheimen. Dienstmeisjes kwamen overdag om het huishouden te doen en te koken, terwijl timmerlui en metselaars het huis verder afbouwden, maar 's nachts was er niemand behalve hijzelf, Catherine, de kinderen en hun twee gasten, de jezuïtische priesters Cotton en Herrick, die gekleed waren als bedienden voor het geval er iemand langs zou komen. Maar hun aanwezigheid bleef een risico voor de familie.

Thomas Woode wist dat iedereen in huis groot gevaar liep en dat baarde hem zorgen. Onderdak bieden aan priesters uit het buitenland stond volgens de wet gelijk aan verraad. Londen wemelde van de spionnen en verklikkers die de priesters elk moment naar dit adres konden volgen en de papenjagers waarschuwen. Maar Thomas Woode was verplicht de mannen in zijn huis op te nemen. Op haar sterfbed had Margaret hem gevraagd de kinderen in het ware geloof groot te brengen. Ze hadden godsdienstlessen nodig en moesten regelmatig de mis kunnen bijwonen. En verder wilde Margaret dat hij de vervolgde kerk zou steunen waar hij maar kon. Hij had het haar beloofd omdat hij van haar hield en omdat ze stervende was. Toch had hij er elke dag nog spijt van. Uit eigen vrije wil zou hij deze weg nooit hebben gekozen. Als hij heel eerlijk was, waren er zelfs momenten dat hij twijfelde aan zijn eigen godsgeloof.

Er waren praktische overwegingen. Goed, Cotton en Herrick konden komen en gaan zoals ze wilden. Op straat gingen ze gekleed als kooplui of aristocraten. Thuis hielden ze zich overdag verborgen. Alleen 's avonds, als het personeel was vertrokken, kwamen ze uit hun gemeenschappelijke kamer om te eten en te praten met de familie, gekleed als bedienden.

'Catherine, blij je te zien.'

'Heer.'

'Een trieste dag.'

'Ja, heer.'

'We moeten troost putten uit de zekerheid dat ze nu op een betere plaats is.'

Thomas Woode had Mary Stuart nooit ontmoet, maar haar toch vereerd. Hij wankelde soms in zijn geloof, maar áls er godsdienst moest zijn, was Mary's rooms-katholieke kerk de enige kandidaat, daar was hij van overtuigd. De anglicaanse kerk van Elizabeth en haar ministers zag hij als heiligschennis en bedrog – een vorm van machtspolitiek, die niets met spiritualiteit te maken had. Hij stelde zich Mary Stuart altijd voor met het gezicht van zijn eigen beminde, overleden vrouw. Met een bleek lachje vervolgde hij tegen Catherine: 'Dit zijn slechte tijden. De mensen zingen en dansen, maar alle havens zijn gesloten en alle gevangenissen gesloten voor iedereen behalve de autoriteiten. Papenjagers marcheren door de straat en ondervragen iedereen die hen niet bevalt. Zelfs het gewone volk speelt zijn rol door buitenlanders – of wie zij daarvoor aanzien – met stenen te bekogelen.'

Catherines donkere haar viel zacht golvend langs haar gezicht. Bijna onmerkbaar haalde ze haar schouders op. 'Dan moeten wij dus sterk zijn.'

Een merkwaardig meisje, vond Woode. Haar vurige geloof was heel bijzonder voor zo'n jonge vrouw. Terwijl hij rouwde om een koningin die door anderen werd verguisd en de toekomst van zijn eigen gezin en alle andere katholieke families in het land somber inzag, sprak zij over kracht. En ze was sterk, dat moest hij toegeven. Ze had nieuw leven in deze familie gebracht na de donkere dagen rond Margarets dood. De kinderen waren van haar gaan houden.

'Hoe is het met de jongen?'

'Ondeugend, zoals ik hem ken,' zei Catherine. 'De koorts is weer gezakt. Het was maar een winterkou.'

'Gelukkig.'

Ze keek op, en hij zag dat haar verrassend blauwe ogen nog helder stonden. In haar handen had ze een beker goede Gascogne, ongezoet. Ze zette hem op zijn werktafel, dicht bij zijn rechterhand.

'Dank je, Catherine.'

Ze haalde diep adem en schepte moed. 'Mag ik openhartig met u spreken, heer Woode?'

'Natuurlijk, Catherine. Mijn deur staat altijd voor je open. Ga zitten, alsjeblieft. Waar gaat het om?'

Opeens lachte ze – van opluchting, niet uit vrolijkheid. 'U zult me wel een viswijf of een roddeltante vinden, heer, dat ik met zoiets bij u kom.'

Thomas Woode was midden dertig en zijn zandkleurige haar begon al te grijzen aan de slapen. Hij voelde dat hij ouder werd; hij kreeg meer rimpels om zijn ogen en in zijn voorhoofd. Toch was hij nog goedgebouwd, een knappe man. Hij dronk wat van de wijn, die kracht gaf.

'Ik weet niet hoe ik dit moet zeggen zonder onaangenaam te zijn of laf en angstig over te komen,' zei ze. 'Ik zeg het ook niet om mijnentwille, maar omdat ik me ongerust maak om Andrew en Grace.'

Woode stond op en kwam naast haar zitten. Hij pakte haar handen en gaf er een kneepje in. 'Spreek vrijuit, Catherine. Je bent als een moeder voor mijn kinderen. Niets wat je zegt zal mij verkeerd in de oren klinken.'

Ze zweeg een paar seconden. 'Het gaat om pater Herrick,' zei ze ten slotte. 'Ik heb… twijfels. Eerlijk gezegd mag ik hem niet erg en ik vertrouw hem niet, heer. Ik vrees dat hij niet is voor wie hij zich uitgeeft.'

Woode voelde zijn nekharen overeind komen. De plotselinge gedachte dat hij een verrader of spion onder zijn dak zou kunnen hebben sneed hem de adem af. 'Denk je dat hij voor Walsingham werkt?'

Catherine schudde haar hoofd. 'Nee, dat geloof ik niet, hoewel het altijd mogelijk is.' Ze wrong haar handen. 'Volgens mij is hij heel iets anders.'

Thomas Woode snoof haar warmte op, een zilte geur die iets in hem wakker maakte wat hij sinds Margarets dood voor geen enkele vrouw of meisje meer had gevoeld. 'Zeg wat je denkt, Catherine. Het blijft tussen deze vier muren.'

Hoe kon ze haar twijfels over Herrick uitleggen? Toen de priester voor het eerst haar vriendin, lady Blanche Howard, had ontmoet in Uxendon Manor, het huis van de Bellamy's waar ze allebei de eucharistie hadden gevierd, had hij naar haar gekeken met een blik die een priester niet paste. Blanche had hem graag gemogen, dat had Catherine meteen gezien, maar Herricks gevoelens voor Blanche waren minder duidelijk.

[115]

En dan waren er de vreemde uren waarop Herrick kwam en ging, en de berekenende blikken die Catherine soms opving als hij dacht dat ze niet op hem lette onder het eten of tijdens de mis. Zijn ogen hadden Blanche op een ongepaste manier gevolgd. Had hij lichamelijke gevoelens voor haar gehad? Catherine vermoedde dat pater Cotton haar twijfels deelde, hoewel hij dat niet met zo veel woorden had gezegd. En nu moest ze haar bezwaren aan haar werkgever uitleggen.

'Ik weet dat het zondig is om kwaad te spreken over de pater, maar... Laat ik bij het begin beginnen. U, pater Cotton en ik hebben ons best gedaan om hem in contact te brengen met onze medekatholieken, die hem vaak uitnodigden om de mis op te dragen, of hem hier bezochten. Wij hebben slechts onze plicht gedaan. Een van degenen met wie hij een nauwe band kreeg was lady Blanche, die door pater Cotton tot het ware geloof was gebracht en vervolgens mijn vriendin werd. Maar juist over die nauwe band maakte ik me ongerust. Hij was zo... vertrouwelijk met haar. Dat viel me regelmatig op, door de manier waarop hij haar aanraakte. U vindt me misschien aanmatigend, en dat is ook zo. Misschien verwijt u me zelfs gebrek aan christelijke naastenliefde, maar ik had sterk de indruk dat pater Herricks grote belangstelling voor Blanche begon toen hij haar connectie met lord Howard van Effingham ontdekte.'

'Hij is gezonden door de Societas Jesu, Catherine. En aan hun motieven kunnen we toch niet twijfelen.'

Catherine glimlachte. 'Natuurlijk niet. Maar toen ik hoorde hoe Blanche gestorven was, zag ik meteen het gezicht van pater Herrick voor me, als in een akelige droom. Ik voelde een soort duisternis in hem, heer. U zult me wel voor een dorpsidioot verslijten of me in een gesticht willen opbergen. Ik geloofde nooit in dromen, maar dat beeld blijft me achtervolgen. Zelfs als ik wakker ben, kan ik het niet van me afschudden. Waarom heb ik daar zo'n last van?'

'Een droom, Catherine?' Thomas Woode trok vragend een wenkbrauw op. Hij stond op en liep langzaam de kamer door. Haar beelden verontrustten en verbijsterden hem. Hij was doodmoe na zijn doorwaakte nacht en kon niet helder denken. Hij wilde zijn hoofd op een kussen leggen, onder de dekens kruipen en slapen.

'Ja, heer. Maar niet alleen een droom.' Dit had ze niet willen vertellen, alsof het een beschamend geheim was, maar ze kon nu niet anders, dus haalde ze diep adem. 'Vorige week ben ik met de kinderen naar de menagerie bij de Tower geweest, zoals u weet. Andrew klaagde over buikpijn, dus gingen we weer naar huis. Terug in Dowgate lag hij al in mijn armen te slapen. Grace was heel stil en gedwee. Ik hoorde geluiden van boven en dacht dat het een van de dienstmeisjes was, maar toen herinnerde ik me dat het een christelijke feestdag was en dat ze vrij hadden. Toen ik de deur van de bovenverdieping opende, zag ik twee mensen, pater Herrick en een vrouw. Meteen draaide ik me om en probeerde een hand over Grace' ogen te leggen, maar ze had al gezien wat ik ook gezien had. "Wat doen ze daar, juf Marvell?" vroeg ze in haar onschuld. Ik wist niet wat ik moest zeggen. Ze waren allebei ontkleed. Pater Herrick lag voorover op de grond en had rode striemen op zijn rug. De vrouw had haar rechterarm geheven en een gesel in haar hand om pater Herricks rug te ranselen. Toen ze ons zag, draaide ze zich om en maakte de slag niet af. Ze glimlachte naar me. Haastig trok ik de kinderen mee naar mijn kamer. Later kwam pater Herrick naar me toe. "Juf Marvell," zei hij. "Ik had u zo snel niet terugverwacht." Ik vroeg hem wat die vertoning voorstelde. Hij keek me aan alsof ik achterlijk was. "Pax vobiscum, kind," zei hij. "Het spijt me dat je dit moest zien, maar je begrijpt dat ik bezig was mijn zonden uit te drijven met de hulp van die arme zondares." Ik vrees dat ik moest lachen. "Pater Herrick," zei ik, "ik ben bang dat ik geen woord geloof van wat u zegt." Toen kreeg hij een duistere blik in zijn ogen en heel even was ik bang dat hij me zou vermoorden. Dus vervolgde ik: "Natuurlijk zijn dat uw eigen zaken en heb ik er niets mee te maken." Pater Herrick aarzelde, alsof hij overwoog wat hij moest doen. Ten slotte maakte hij een buiging. "Dank je, Catherine. Ik hoop dat je dit niet tegen heer Woode zult zeggen. Hij zou onze strenge jezuïtische gebruiken misschien niet begrijpen." Ik sprak hem niet tegen. Ik wilde alleen maar dat hij wegging. Ik zei dat ik mijn mond zou houden, maar nu vind ik toch dat u het moet weten.'

'Ik ben geschokt, Catherine,' zei Thomas Woode ferm. 'Diep geschokt. En het spijt me heel erg dat je onder mijn dak getuige moest zijn van zoiets schandelijks. Ik zal pater Herrick vragen om vandaag nog te vertrekken. Er is een onderduikadres voor priesters, dat pater Cotton wel kent. Ik zal pater Cotton vragen hem daarheen te brengen.

Pater Cotton zelf zal trouwens binnen twee dagen afscheid van ons nemen. Hij heeft ergens anders onderdak gekregen, gemakkelijker voor hem en veiliger voor ons. Het is te gevaarlijk voor hen geworden om hier te blijven. En ik moet toegeven, Catherine, dat het voor mij ook een opluchting zal zijn. Ik doe haast geen oog meer dicht van de zorgen.'

Catherine stond op. 'Dank u, heer.' Ze opende de deur en verdween. Maar toch voelde ze zich niet helemaal gerustgesteld. Het was niet genoeg dat pater Herrick vertrok. Een gevaarlijk man bleef gevaarlijk, waar hij ook was.

16

Vier mannen zaten aan de lange tafel in de bibliotheek van Walsing-hams herenhuis in Seething Lane. De minister was eindelijk vol-doende hersteld van zijn langdurige, afmattende ziekte om vanaf zijn landgoed Barn Elms, waar hij zich de afgelopen weken had terugge-trokken, naar Londen te komen.

'Na de onthoofding van de Schotse koningin knapte de minister opeens weer op, g-g-geloof ik,' fluisterde Arthur Gregory, een van de assistenten, John Shakespeare in het oor terwijl ze op Walsingham wachtten. 'Die ziekte kwam hem heel goed uit.'

'Voor lord Burghley was het minder gunstig,' zei Frances Mills, een andere assistent van Walsingham, die de opmerking had gehoord. 'Ik hoorde dat de koningin hem buitenspel heeft gezet. Hij jankt en jam-mert als een puppy om weer in haar gezelschap te worden toegelaten, maar ze wil hem niet ontvangen of zijn brieven lezen. Dit is helemaal nieuw voor hem.'

Shakespeare zweeg, evenals de vierde man, Thomas Phelippes. Alle-vier waren ze dringend ontboden, maar nu zaten ze al een uur op Walsingham te wachten. Ze wisten dat de koningin woedend was over de dood van Mary Stuart. Ze gaf iedereen de schuld behalve zichzelf, alsof het niet haar eigen handtekening was die onder het doodvonnis prijkte. William Davison, een van haar ministers en de man die het ondertekende vonnis aan de Geheime Raad had over-handigd als teken om in actie te komen, was zelfs in de Tower opge-sloten en werd bedreigd met de strop. Burghley, de schatkistbewaar-der, zou waarschijnlijk nooit meer in genade worden aangenomen. Van Elizabeths hoogste adviseurs was alleen Walsingham enigszins buiten schot gebleven omdat hij ziek was geweest op het moment dat werd besloten de executie door te zetten. 'En toch zat hij erachter,' zei Mills lachend. 'Hij heeft de hele zaak aan het rollen gebracht met zijn intriges. Signor Machiavelli zou trots op hem zijn geweest.'

Weer viel er een stilte in de kamer. De spanning was tastbaar. Alle mannen aan tafel stonden onder grote druk in deze moeilijke tijden, omdat ze de kern vormden van Walsinghams inlichtingendienst.

Mills was een lange, slanke man van middelbare leeftijd, met kleine, scherpe ogen en een kort wit baardje. Hij had dezelfde rang als Shakespeare, maar was niet actief in het veld. Zijn talent lag in het verhoren van verdachten, vooral de talloze priesters die uit heel Europa naar Engeland werden gestuurd en daar gevangengenomen.

Gregory had bruin haar en een roze zweem over zijn huid en zijn ogen. Hij sprak langzaam en nadrukkelijk, en stotterde soms. Walsingham had hem aangenomen vanwege zijn opmerkelijke talent om onzichtbare inkt op zogenaamd blanco papier te kunnen lezen en verzegelde brieven te openen en weer te sluiten zonder dat iemand het merkte. Daardoor had Walsingham de brieven van en naar de Franse ambassade – het doorgeefluik voor Mary Stuarts persoonlijke correspondentie – kunnen lezen.

Phelippes was in veel opzichten het belangrijkste lid van het team, een kleine, onaantrekkelijke man die minstens zes talen vloeiend sprak. Hij droeg een bril met dikke glazen op zijn pokdalige neus en zijn slappe haar hing geel en piekerig om zijn bleke gezicht. Maar het mocht hem dan aan fysieke charme ontbreken, zijn briljante geest maakte dit meer dan goed. Hij was de man die de Spaanse codes en de gecodeerde brieven tussen de Schotse koningin Mary en de leden van het Babington-complot had ontcijferd. Phelippes was systematisch en ging volledig op in zijn werk. Hij kon uren of dagen over een nieuwe code gebogen zitten als hij de frequentie van symbolen analyseerde om de 'nullen' – zinloze toevoegingen om de code-experts op een dwaalspoor te brengen – te bepalen en vast te stellen wat de meest voorkomende woorden en letters in de correspondentie waren. Tot nu toe was geen enkele code aan de alchemie van zijn buitengewone verstand ontsnapt. En hij bezat nog een gave: het talent om bijna ieder handschrift te vervalsen. Uiteindelijk had hij voor Walsingham de namen van Anthony Babingtons trawanten ontdekt door Mary

Stuarts handschrift na te bootsen en Babington concreet om die informatie te vragen. Zo waren Babington en dertien andere jongemannen in Tyburn bloedig terechtgesteld onder de ogen van een joelende menigte.

De deur ging open. Walsingham bleef even staan, liet zijn blik over zijn verzamelde assistenten glijden en liep toen onvast naar het hoofd van de tafel. Hij zag bleek en Shakespeare had de indruk dat hij achteruit was gegaan sinds hij hem het laatst op Barn Elms had gezien. De minister glimlachte zelden, en zijn gezicht leek nu nog holler en magerder dan anders. Zijn donkere ogen staarden voor zich uit toen hij ging zitten en zonder plichtplegingen ter zake kwam.

'Ik heb jullie hier vandaag laten komen vanwege kwesties die de toekomst van onze koningin en heel het Engelse rijk aangaan.' Hij hield een brief omhoog. 'Phelippes kent de inhoud van deze boodschap al. Het is het onweerlegbare bewijs dat de Spaanse vloot deze zomer naar Engeland zal uitvaren. Volgens onze informatie worden er in Santander zestien nieuwe galeien van meer dan honderd ton gereedgemaakt. Veertien andere, van hetzelfde tonnage, liggen bij Gibraltar. Laredo heeft acht nieuwe *pataches*, die wij pinassen noemen, en in San Sebastian wachten zes galjoenen van driehonderd en vier van tweehonderd ton. In Bilbao liggen nog eens zes pataches en in Figuera vier nieuwe barkassen van honderd ton. Er worden er nog meer gebouwd op de rivier bij Fuenterrabia. In de monding bij Sevilla liggen acht grote galjoenen van driehonderd ton en vier pataches, in Puerto de Santa Maria nog twee galeien en vier pataches. In totaal, mijne heren, beschikken de Spanjaarden dus mogelijk al over tweehonderd schepen: kraken, galjoenen, galjassen, galeien, hulken, pinassen, zabra's en andere bewapende koopvaardijschepen. Ik zal jullie niet vermoeien met de maritieme details, maar het beeld is duidelijk. Filips heeft de grootste vloot bijeengebracht die de wereld ooit heeft gezien, met maar één doel: de invasie van Engeland en de dood van Hare Majesteit.'

Het bleef stil in de kamer. Niemand twijfelde aan de naakte cijfers. Iedereen wist hoe efficiënt Walsinghams netwerk in Europa en Klein-Azië functioneerde. Hij had minstens vier permanente spionagebases in Spanje zelf. Bovendien was hij er de man niet naar om te overdrijven of zich op te winden. Als hij zich zorgen maakte, had hij daar alle reden toe.

'Dat betekent dat Drake zo snel mogelijk met zijn eigen vloot naar zee moet om de Spanjaarden tot zinken te brengen. We moeten Filips zo lang mogelijk tegenhouden, terwijl wij onze vloot en onze kustverdediging versterken.' Hij keek nadrukkelijk naar Shakespeare. 'Ik hoop dat ik duidelijk ben?'

Shakespeare knikte. 'Ja, heer minister.'

'Drakes veiligheid is dus van het grootste belang, maar het is niet langer voldoende hem te bewaken, hoewel ik er niet aan twijfel dat Cooper zijn werk goed zal doen. Jullie weten allemaal dat Mendoza een huurmoordenaar heeft gestuurd om sir Francis uit de weg te ruimen. We moeten deze man als een hondsdolle vos opjagen en afschieten voordat hij schade kan aanrichten. Hij mag niet in de buurt van de vice-admiraal komen. Als hij medeplichtigen heeft, moeten die ook worden geëlimineerd.'

Shakespeare streek met een hand door zijn haar. Gemakkelijker gezegd dan gedaan, heer minister, was zijn eerste gedachte. Londen wemelde van roddels en intriges, maar het opsporen van één enkele man zonder bekende contacten, was de grootste nachtmerrie voor iedere inlichtingendienst.

'Ik weet wat je denkt, Shakespeare, maar als je twijfelt aan de ernst van het gevaar, kunnen we je nog meer vertellen.' Walsingham wendde zich tot de man die links van Shakespeare zat. 'Mills, jouw verslag over de Hollandse connectie?'

Alle ogen richtten zich op Mills, die boog als een toneelspeler met een open doekje, voordat hij zijn keel schraapte. 'Hiervoor,' begon hij, 'moeten we bijna drie jaar teruggaan, tot 10 juli van het jaar 1584 toen Willem de Zwijger, prins van Oranje, in Delft werd vermoord. Zijn dood was het meest schandalige voorbeeld van politiek geweld in onze tijd. Hij werd gedood door drie schoten uit het pistool van Balthasar Gerards, een rooms-katholiek die was betaald door Filips van Spanje. Gerards werd bijna onmiddellijk gegrepen en terechtgesteld op een manier waarbij vergeleken hangen en vierendelen nog een pretje zijn. Zijn marteling duurde vier dagen. Hij werd aan een paal, de *strappado*, opgehangen aan zijn handen, die op zijn rug waren gebonden. Vervolgens werd hij gegeseld totdat zijn hele lichaam een open wond was. In die wond werd zout gewreven. Toen werd hij tot een bal opgerold, met zijn armen en benen zodanig vastgebonden dat hij zich niet kon bewegen. Zo lieten ze hem een hele nacht liggen. Daarna werd hij weer aan de strappado gehangen, met gewichten van honderd kilo of meer aan zijn voeten, waardoor zijn armen bijna uit de gewrichten werden gerukt. Zijn oksels werden gebrandmerkt met hete ijzers, waarna er een in alcohol gedrenkte doek tegenaan werd gepropt. Met tangen werd op verschillende plaatsen van zijn lichaam het vlees van de botten gescheurd. Hij kreeg kokend vet over zijn rug gegoten. Spijkers werden onder zijn nagels geslagen. Zijn rechterhand, waarmee hij de schoten had afgevuurd, werd met een gloeiend ijzer afgebrand. Hij werd levend van zijn ingewanden ontdaan, ze sneden zijn hart uit zijn lijf en smeten dat in zijn gezicht. Ten slotte werd hij gevierendeeld en onthoofd, wat een genadige verlossing voor hem moet zijn geweest. Vier dagen duurde die beproeving, heren. Vier dagen.'

Mills schepte even adem om zijn meedogenloze beschrijving van Balthasar Gerards' marteldood te laten bezinken, en vervolgde toen: 'Misschien lijkt jullie dat een terechte straf voor zo'n laaghartige moord, en daar ben ik het mee eens. Maar probeer je de geestestoestand van die ellendige man eens voor te stellen. Vreemd genoeg was Balthasar Gerards op zijn eigen manier wel dapper. Hij schreeuwde niet en smeekte niet om genade. Van de autoriteiten in Delft weten we dat hij zelfs bij de vreselijkste pijn nog vrij rustig leek en niet jammerde. Maar we weten ook dat hij soms in verwarde toestand raakte en begon te ijlen. Hij kan niet bij bewustzijn zijn geweest, maar wat hij zei, zou van groot belang kunnen zijn voor ons onderzoek. Zo herhaalde hij verschillende malen: "Wij hebben Goliath gedood. Ere zij God. O, mijn vriend, wij hebben Goliath van Gath gedood." Mills wachtte even en nam een slok bier.

'Algemeen wordt aangenomen dat Gerards in zijn eentje opereerde, maar ik kan jullie wel zeggen dat hij hoogstwaarschijnlijk een medeplichtige had. De militie van Delft sluit niet uit dat er een tweede dader was, misschien uit het zicht, of over het hoofd gezien in de paniek. Kwamen alledrie de kogels wel uit hetzelfde radslotpistool? Waarom zei Gerards: "*Wij* hebben Goliath gedood" en niet "*Ik* heb Goliath gedood"?'

Walsingham nam het over, met een stem die zowel krachtig als breekbaar klonk. 'Nu wordt het hypothetisch. Als er een tweede dader was, en daar ga ik van uit, wat schieten wij daar dan mee op? Wat voor aanwijzingen hebben we over zijn identiteit? En waarom ben ik tot de conclusie gekomen dat hij dezelfde man zou kunnen zijn die door Mendoza is gestuurd om Drake te vermoorden, Mills?'

Mills nam weer een slok bier om zijn keel te smeren. 'In diezelfde tijd werd er in Delft nog een moord gepleegd, op een hoertje van wie de naam hier niet ter zake doet. Je zou denken dat er geen enkel verband bestaat tussen de moord op een lichtekooi en de dood van een vorst – een van de beste vorsten uit de christelijke wereld. Maar er zijn sterke aanwijzingen dat die twee zaken toch met elkaar verweven zijn.'

Hij zweeg weer en liet zijn blik over de anderen glijden, die allemaal aan zijn lippen hingen. 'Gerards was een jonge, domme heethoofd; daarom dachten sommige mensen dat hij die moord nooit in zijn eentje had kunnen plegen. Onderzoek wees ten slotte uit dat hij bij de voorbereiding van de aanslag had gelogeerd in The Mermaid, een herberg van een Engelsman in Rotterdam – een bordeel, zoals de naam al suggereert. En hij was niet de enige gast. Hij werd gezien in het gezelschap van een andere man, die de vrouwen daar zich nog goed herinneren. Die ander, een Vlaming, hield van hoertjes en betaalde hen goed voor hun diensten. Maar hij had vreemde voorkeuren. Hij vroeg de vrouwen hem te slaan. Ze zijn gewend aan vreemde verzoeken, ook die waaraan geweld te pas komt, maar deze man ging veel te ver. Nadat hij door een van de vrouwen was afgeranseld, greep hij haar beet, bond haar vast en mishandelde haar zo erg dat ze voor haar leven vreesde. Haar heer, de herbergier van The Mermaid, smeet de man zijn zaak uit en Balthasar Gerards vertrok nog dezelfde dag.

Een week later werd het lijk van een hoertje gevonden in Delft, niet zo ver van Rotterdam. Ze was doodgeslagen in een woning die was gehuurd door twee mannen, van wie er een beantwoordde aan het signalement van Gerards en de ander sterk deed denken aan diens Vlaamse vriend uit The Mermaid in Rotterdam. De verwondingen van het meisje waren vergelijkbaar met die van de gewonde hoer in The Mermaid: een zware afranseling, waarbij ze met haar polsen aan een bed gebonden was. Volgens een van de verslagen had de dader ook een mes gebruikt en waren er religieuze symbolen in haar lichaam gekerfd. Geen van beide mannen werd meer gezien, totdat

Gerards nog geen week later met zijn pistolen in het Prinsenhof in Delft – de residentie van Willem de Zwijger – verscheen, waar de prins werd vermoord toen die een trap op liep. Op basis van de aanwijzingen neem ik aan dat die andere man daar ook moet zijn geweest. En als hij er niet was, dan heeft hij zeker een rol gespeeld in de uitvoerige voorbereidingen van de aanslag. Hoe het ook zij, Balthasar Gerards heeft niet in zijn eentje geopereerd.'

Shakespeare boog zich naar voren. Er kwam een verontrustende herinnering bij hem op: het lijk van lady Blanche Howard, koud en kil op die stenen plaat in de crypte van St. Paul's, terwijl de lijkschouwer, Joshua Peace, haar omdraaide en hem het crucifix liet zien dat in haar rug was gekerfd. Zou de man die haar die wonden had toegebracht dezelfde kunnen zijn als degene die in Delft een hoertje had gedood en medeplichtig was geweest aan de moord op Willem de Zwijger? Maar nog belangrijker was de connectie tussen de moord op prins Willem en het complot tegen Drake. 'Dus u denkt dat die Vlaming de zogenaamde "drakendoder" zou kunnen zijn die opdracht heeft de vice-admiraal uit de weg te ruimen?'

Walsingham gaf een teken aan Phelippes. 'Thomas, aan jou het woord…'

Phelippes duwde zijn brilletje met ijzeren montuur wat hoger op zijn neus en raadpleegde een vel papier dat voor hem op tafel lag. 'Hier,' zei hij met zijn ijle stem, als het kwetteren van een vogel, 'heb ik een bericht dat vorig jaar herfst is ontcijferd, kort na het proces tegen de leden van het Babington-complot. Op dat moment wisten we nog niet of het belangrijk was of zelfs maar wat het betekende, hoewel het duidelijk betrekking had op de Spaanse plannen om een vloot hierheen te sturen. Ook deze brief was op weg naar Filips, maar afkomstig van de hertog van Parma, niet van ambassadeur Mendoza. Ik zal hem voorlezen: "Kan Delft de zeeroute vrijmaken? Eén man met een haviksoog is wellicht honderd schepen waard voor Gods vloot." Het woord "Delft" lijkt me een verwijzing naar de moord op Willem de Zwijger. En de betekenis van "de zeeroute vrijmaken" is wel duidelijk. Ze willen hun vloot door het Kanaal kunnen sturen zonder obstakels als sir Francis Drake. Als je die verklaring accepteert, is het bericht van Parma glashelder: "Laten we de moordenaar van Delft ook op Drake afsturen."'

[125]

'Dank je, Thomas,' zei Walsingham. 'Goed, John,' hij richtte zich weer tot Shakespeare. 'Je hebt dus een signalement nodig van deze man en alles wat er over hem bekend is. Hij is een Vlaming, zoals Mills al zei. De autoriteiten in Delft en Rotterdam hebben beschrijvingen bekendgemaakt over zijn verschijning: een uitzonderlijk lange man van meer dan een meter tachtig, slank maar sterk, meestal gladgeschoren, hoewel dat niet veel zegt omdat hij sindsdien misschien zijn baard heeft laten staan. Hij heeft kille, bijna zwarte ogen, een bleke huid en hij bezoekt hoertjes. In Rotterdam noemde hij zich Hals Hasselbaink en hij beweerde een lutheraan te zijn. Het is niet veel, maar meer dan we hadden. Stuur Slide de bordelen langs en ga er desnoods ook zelf heen. Deze Vlaming heeft behoeften die bevredigd moeten worden. Doe navraag. Zijn er hier vrouwen op die manier mishandeld?'

Hij keek de tafel rond. 'En denk vooral aan het wapen dat bij de moord in Delft is gebruikt. Ik kan niet genoeg mijn bezorgdheid benadrukken over het gebruik van een radslotpistool. Ook de koningin maakt zich ongerust. Zulke wapens zijn gemakkelijk te verbergen en zeer dodelijk. Als de huurmoordenaar van koning Filips zo'n pistool wil gebruiken, is er alle kans dat hij dat hier heeft gekocht. Bezoek alle wapensmeden. Ondertussen druk ik iedereen hier op het hart dubbel zo waakzaam te zijn. De dood van de Schotse duivelin verandert alles – en niets. Er zal ongetwijfeld een reactie komen van onze vijanden in binnen- en buitenland. Heren, wees op het ergste voorbereid en bid om het beste.'

Shakespeare wilde Walsingham vertellen over zijn verdenking dat er een verband kon bestaan tussen de moord op Willem de Zwijger en die op lady Blanche Howard, maar voordat hij iets kon zeggen was Walsingham al verdwenen. Shakespeare zuchtte en brak zijn pen.

'Hij wordt op Greenwich verwacht,' zei Mills met een glimlach. 'Om een staatsbegrafenis te regelen. Onze vorstin laat weer van zich horen. Zoals de muzelmannen zeggen: de honden blaffen en de karavaan trekt voort.'

17

Shakespeare klopte op de deur van het huis in Dowgate. Hij meende binnen geluiden te horen, maar niemand reageerde. Pas toen hij ongeduldig op het houtwerk begon te bonzen kwam er eindelijk een vrouw die opendeed. Ze keek hem aan met een opgetrokken wenkbrauw, alsof ze zich afvroeg waarom hij zo nijdig op de deur stond te rammen. 'Neem me niet kwalijk dat het zo lang duurt, heer. Ik bracht net de kinderen naar bed.'

Shakespeare bromde wat, maar verontschuldigde zich niet. 'Ik kom voor heer Thomas Woode. Bent u vrouw Woode?'

'Nee, heer,' zei ze zacht maar helder. 'Er is geen vrouw Woode, tenzij u Grace bedoelt, het driejarige dochtertje van mijn heer. Ik ben Catherine Marvell, de gouvernante. Heer Woode is in zijn bibliotheek, als ik me niet vergis.'

Shakespeare keek haar wat scherper aan. Nam ze hem in de maling? Ze had donker haar en een ovaal gezicht. In een tijd van het jaar waarin de meeste mensen bleek en grauw waren, had zij nog een heldere huid, met enige kleur. Haar blauwe ogen keken hem aan en ze lachte om zijn barse, officiële houding. Hij voelde dat hij kwaad werd. 'Zeg dat John Shakespeare hem wil spreken uit naam van de koningin.' Zijn stem klonk nors en hij voelde zich onnozel. Te laat probeerde hij te glimlachen, en hij wist dat het misschien een grimas zou lijken.

Ze maakte een korte reverence en hij had het onprettige gevoel dat ze de spot met hem dreef. 'Kom in de voorkamer, alstublieft, dan zal ik kijken of heer Woode beschikbaar is.'

Shakespeare stapte de welkome warmte van de hal binnen, waar het naar vers eikenhout en goede waskaarsen rook. Aan de muren hingen vier of vijf portretten, waarschijnlijk van familie. Een ervan viel meer op dan de andere; het was van een plechtige jonge vrouw met blond haar, in een donkere jurk. Ze droeg een wit kapje en een crucifix om haar hals. De vrouw leek heel vroom, vond Shakespeare, als een non.

Even later kwam Catherine terug. Om de een of andere reden wilde hij graag de verkeerde indruk herstellen die hij had gewekt met zijn gebons op de deur en zijn agressieve toon. Maar hij kon de juiste woorden niet vinden. Ze ging hem voor naar de bibliotheek. Thomas Woode stond onmiddellijk op. 'Heer Shakespeare?'

Shakespeare drukte de man de hand – die trilde, zoals hij constateerde. 'Inderdaad. Ik kom van minister Walsingham. En u bent Thomas Woode van het boekdrukkersgilde, als ik me niet vergis?'

'Uw dienaar. Catherine zei dat u hier bent voor staatszaken. Kan ik u iets te drinken aanbieden? Catherine, wil je ons twee glazen van de beste rode wijn brengen?'

'Natuurlijk, heer. Mag ik u eraan herinneren dat de kinderen in bed liggen en graag welterusten willen zeggen?'

'Over een paar minuten.' Toen Catherine was verdwenen draaide Woode zich weer naar Shakespeare toe. 'Wat kan ik voor u doen?'

Shakespeare wachtte niet tot hem een stoel werd aangeboden maar ging aan Woodes tafel zitten. Hij keek eens om zich heen: een mooie lambrisering, boekenkasten met zware boeken en een wit plafond met stucwerk van tudorrozen. Een kostbaar wandkleed aan de ene muur, een oosters tapijt aan de andere. Een schilderij van de Madonna met kind, in Italiaanse stijl. Thomas Woode was een rijk man, dat stond vast. Hij ging zelf aan het hoofd van de tafel zitten. Shakespeare draaide zich naar hem om. 'U laat een prachtig huis bouwen, heer Woode.'

Woode legde zijn handen plat op de tafel. 'Het is voor de kinderen. Ik was er al tien jaar mee bezig, maar de energie om door te gaan ontviel me toen de Heer drie jaar geleden mijn lieve vrouw Margaret tot zich riep. Ten slotte besefte ik dat de kinderen een goed thuis nodig hadden en dat ik niet alleen aan mezelf kon denken.'

'Het spijt me te horen dat uw vrouw is overleden. Is dat haar portret, in de hal?'

Woode glimlachte – een grijze, droevige lach. 'Ik hield heel veel van haar. We kenden elkaar al sinds onze kindertijd. Onze ouders waren bevriend. Toen ik haar kwijtraakte, verloor ik ook bijna de wil om te leven. Maar wie zijn wij om het werk van de Heer in twijfel te trekken?' Hij zweeg een moment, zich blijkbaar bewust van het feit dat hij zich aan zijn eigen verdriet overgaf in het bijzijn van een vreemde. 'God hebbe haar ziel,' zei hij snel.

'Aan haar portret te zien moet ze heel mooi zijn geweest. Neem me niet kwalijk dat ik hierover begon.' Shakespeare legde het papier en de loodletters neer die hij in het uitgebrande huis in Shoreditch had gevonden. 'Job Mallinson op Stationer's Hall zei me dat u in Engeland de autoriteit bent als het om de herkomst van drukletters en papier gaat. Kunt u me vertellen wat u van dit papier en deze letters weet?'

Thomas Woode hoefde nauwelijks naar het papier of de loodletters te kijken, hij kende ze maar al te goed. Hij voelde zijn nekharen overeind komen toen hij het fragment oppakte en het bij het licht van een kaars van alle kanten bekeek. Hij haalde een goudsmidsloep uit een la en bestudeerde eerst het papier en toen de letters, een voor een.

Shakespeare wachtte zwijgend af. Catherine kwam terug met twee bekers wijn. Shakespeare keek haar na toen ze weer vertrok. Ze bewoog zich met een stille gratie en trok de deur geruisloos achter zich dicht. Eindelijk legde Thomas Woode zijn loep neer.

Shakespeare haalde het krantje tevoorschijn. 'En dit?' zei hij. 'Kan het op hetzelfde papier en door dezelfde pers zijn gedrukt?'

Woode wierp er een blik op.

'Nou, heer Woode?'

Woode knikte langzaam. 'Ik kan u heel wat vertellen over deze papieren en loodletters, heer Shakespeare. Mag ik vragen waar u ze hebt gevonden?'

'Het hoort bij een onderzoek naar een bijzonder ernstig misdrijf. Meer kan ik u niet zeggen, behalve dat het krantje gewoon van een straatventer is gekocht.'

Woode schoof het krantje opzij. 'Er is geen verband. Het krantje is armoedig, maar zeker niet gedrukt op hetzelfde papier of met dezelfde pers als dat fragment.'

'Vertelt u me dan wat meer over het fragment.'

Woode hield het tussen hen in, zodat ze het allebei goed konden zien. 'Om te beginnen is dit een inferieure papiersoort en heel slecht drukwerk. Kijk maar hoe bruin en vlekkerig het is. Het papier is gemaakt met troebel water, waarschijnlijk door een papiermolen stroomafwaarts van de stad. Voor goed papier heb je veel schoon water nodig, daarom staan papiermolens altijd stroomopwaarts van een stad, waar minder vuil op de rivier wordt geloosd en het scheepvaartverkeer de modder nog niet heeft losgewoeld. Modderwater levert bruin papier op, zoals dit. Een andere voorwaarde voor goed papier zijn eersteklas lompen, de grondstof van onze industrie, zoals u misschien weet. Die zijn niet makkelijk te krijgen, dus wordt er veel over alternatieven nagedacht. Maar voorlopig moeten we het met lompen doen, en ik kan u zeggen dat de maker van dit papier geen goede kwaliteit bezat. Daaruit zou je kunnen afleiden dat hij erg slecht was in zijn vak, of – nog waarschijnlijker – dat hij illegaal bezig was met wat voor grondstoffen hij voorhanden had.'

Shakespeare trommelde met zijn vingers op de tafel en keek Woode streng en ongeduldig aan. Dacht de man dat hij achterlijk was? Zijn irritatie groeide. Eerst had het meisje hem uitgelachen, en nu dit. 'Dat zou best kunnen.'

Als het Woode al opviel hoe Shakespeare naar hem keek, liet hij daar niets van blijken. Onverstoorbaar ging hij verder: 'Laten we nu eens de letters bekijken die op dit papier zijn gebruikt. Ze komen overeen met de verzameling loodletters die u me hebt gebracht – oud en versleten, daarom is het drukwerk zo slecht. Sommige letters zijn zo afgesleten dat je bijvoorbeeld niet eens een D van een B kunt onderscheiden. Loodletters worden gemaakt van zacht metaal en slijten snel. Vooraanstaande drukkers, zoals Plantijn uit Antwerpen voor wie ik werk als agent, vervangen ze daarom regelmatig. Het gebruik van zulke oude, versleten letters bevestigt de theorie dat dit illegaal drukwerk moet zijn.

Bovendien is het een merkwaardige collectie van allerlei lettertypen van gieterijen uit heel Europa. Ziet u deze romeinse letters? Die komen uit Rouen en worden in Engeland veel gebruikt. Maar er zitten ook andere tussen, zoals deze Black-letter, die uit Basel komt, dat weet ik zeker. Geen enkele drukker zou die samen gebruiken, tenzij hij geen keus had. Om te beginnen is het een rare combinatie – gotisch met romeins – maar het probleem zit hem er vooral in dat ze verschillende groottes hebben en door de drukker op maat moeten

[*130*]

worden gevijld, wat een tijdrovend werkje is. Er zijn ook andere let-ters bij, sommige uit Italië. Een vreemde verzameling, alsof ze op de vloer van een drukkerij bijeen zijn geveegd, heer Shakespeare.'

Shakespeare nam nog een slok van de opvallend goede wijn. Tho-mas Woode was niet alleen rijk, hij had ook een goede smaak. Helaas was hij een leugenaar. 'Hebt u enig idee wie de drukker zou kunnen zijn?'

Thomas Woode legde een hand tegen zijn gegroefde voorhoofd en streek met zijn aristocratische vingers over zijn grijzende slapen. Hij leek diep in gedachten verzonken, alsof hij probeerde na te gaan wie het papier of het drukwerk had gemaakt. Natuurlijk wist hij het ant-woord op beide vragen al. Hij had zelf de letters en de pers geleverd, en het papier was afkomstig van de oude monnik Ptolemeus, aan de Theems bij Windsor. Wie had er anders zo'n rommel van kunnen maken?

Eindelijk zuchtte Woode en schudde zijn hoofd. 'Het enige wat ik zeker weet, is wat ik u al heb verteld. Dit is niet het werk van een of-ficiële drukker. Ik denk aan een mobiele pers, die je snel van de ene naar de andere schuilplaats kunt brengen en op een wagen onder hooibalen of tentzeil kunt verbergen. Het papier zal wel gemaakt zijn bij een stad aan de Theems of de Medway, niet ver van Londen. Nie-mand zou zo'n inferieur product over grote afstand vervoeren, hoe slecht zijn bedoelingen ook zijn. Meer weet ik niet. Het is niet af-komstig van een van de erkende papiermakers of drukkers met een vergunning van het boekdrukkersgilde.' Hij zuchtte nog eens en keek Shakespeare aan. 'Het spijt me dat ik niet specifieker kan zijn, maar ik hoop dat ik u toch een stap verder heb gebracht.'

Shakespeare zei niets, maar hij keek Woode doordringend aan. Hij geloofde geen woord van wat de oudere man had gezegd. Woode loog tegen hem, en niet erg overtuigend. Kortaf zei hij: 'U moet heel wat drukkers kennen, heer Woode.'

Woode voelde zijn hart bonzen. Opeens besefte hij dat hij zijn rol niet zo best speelde. Bedroevend, zelfs. Hij werd ergens van verdacht, maar waarvan? Deze agent van de staat vertrouwde hem niet en dat was gevaarlijk. Ten slotte stond hij op en liep naar de haard om het vuur te temperen. 'Ik beroem me erop dat ik alle officiële drukkers in Londen en omgeving ken. En ik weet zeker dat niemand van hen verantwoordelijk is voor dit broddelwerk. Weet u zeker dat het in Engeland is gedrukt en niet door een colporteur is binnengesmokkeld?' Woode voelde een zweetdruppel op zijn voorhoofd. Hij was niet in de wieg gelegd voor martelaar; hij wilde niet sterven voor zijn geloof, zoals sommige anderen. Hij was gewoon de zoon van een geslaagde drukker die zijn vak goed had geleerd en nog succesvoller was geworden dan zijn vader. Afgezien van zijn rooms-katholieke geloof was hij voor de staat niet interessanter dan welke andere rijke koopman in deze welvarende stad ook. En toch hielden zich in dit huis, op korte afstand van deze agent van Walsingham – die kon laten martelen en executeren wie hij maar wilde – twee gezochte priesters verborgen die hem en zijn hele gezin in het ongeluk konden meeslepen als ze werden ontdekt.

Eerst had hij nog geaarzeld om Herrick te zeggen dat die moest vertrekken, bang voor diens reactie, maar ten slotte had hij hem die ochtend toch aangesproken na het ontbijt. Woode had hem uitgelegd dat hij bang was voor de veiligheid van zijn kinderen. Herrick had slechts zijn schouders opgehaald en met een glimlach beaamd dat het tijd werd om op te stappen. Het was heel vriendelijk van Woode geweest om hem te ontvangen, zei hij, maar de volgende morgen zou hij vertrekken. Het zou ook Cottons laatste nacht worden onder dit dak. Hij had een ander adres gevonden, bij een vooraanstaande dame die een inwonende priester wilde. Cotton boezemde in sommige opzichten Woode nog meer angst in dan Herrick; de man verlangde zo duidelijk naar een martelaarsdood, alsof dit leven niets voorstelde en het hiernamaals alles was – een manier van denken die Woode niet kon begrijpen. Hij zou alles hebben gegeven om Margaret weer bij zich te hebben, levend en wel, in deze wereld.

En nu... Stel dat Shakespeare de militie liet komen? De priesters waren zo gevonden. Ze zouden nog maar een paar uur blijven, maar in die tijd kon er heel wat misgaan. Hij moest Shakespeare zien weg te werken.

'Ik ben nergens zeker van, heer Woode. Daarom ben ik naar u toe gekomen,' zei Shakespeare. 'Maar ik heb het gevoel dat u me niet alles vertelt wat u weet. Waarom? Ik ben hier met geen andere bedoeling dan gebruik te maken van uw uitgebreide kennis van het drukkersvak. Maar nu begin ik me af te vragen of ik iets over het hoofd zie. Ik heb niet de gewoonte om in iemands ziel te graven, maar ik kan niet zomaar vertrekken en de indruk van me afschudden dat u, om welke reden ook, iets voor me verborgen houdt.'

'Heer Shakespeare...'

'Spaar me uw tegenwerpingen. Ik zou graag wat meer over uzelf en uw omstandigheden willen weten. Sommige mensen zouden denken dat uw zaken slechter gaan na de verovering van Antwerpen door Parma's leger, maar u en ik weten dat Plantijn goed staat aangeschreven bij de Spaanse koning en dat zijn zaak zelfs is opgebloeid onder de Spaanse bezetting. Waarom denkt u dat hij zo goed ligt, terwijl zo veel andere Antwerpse kooplui moesten vluchten voor de meedogenloze vijand?'

Thomas Woode veegde het zweet van zijn voorhoofd met een goudgezoomde zakdoek. 'De haard brandt wat te fel. Natuurlijk zal ik u vertellen wat u weten wilt. Het is niet mijn bedoeling om iets achter te houden voor u of de minister. Maar nu moet ik me even om de haard bekommeren.' Hij liep naar de deur en riep: 'Catherine!'

Ze kwam weer binnen, met een alerte blik in haar ogen.

'Catherine, wil jij iets aan het vuur doen? We leggen het hier af van de hitte.'

Shakespeare wierp de vrouw een onderzoekende blik toe, alsof hij haar wilde vragen of zij het ook zo warm vond, en zei: 'Ik vind de warmte heel plezierig, juffrouw Marvell. Misschien heeft heer Woode een kou opgedaan.'

'Heer Shakespeare, in het volgende leven zult u het nog warm genoeg krijgen, geloof me. Ik zal het vuur wat temperen.' Catherine liep naar de haard en probeerde de vlammen enigszins te doven.

Shakespeare keek nog eens naar haar en draaide zich toen weer om naar Woode. Het viel hem op dat ook die strak naar de gouvernante keek, en misschien niet helemaal zoals een werkgever naar een bediende. 'U zei?'

'Ik zou u graag beter van dienst zijn.'

'Vertel eens wat meer over uzelf. U hebt een hoge positie binnen het boekdrukkersgilde?'

Thomas Woode kon zijn trots niet verbergen. 'Ik ben inderdaad lid van het gildebestuur en ik heb daar een goede naam. Ik heb jarenlang hard gewerkt om de kleuren te mogen dragen.'

'En heeft uw roomse geloof u daarbij nooit gehinderd?' Het was een gok, nergens anders op gebaseerd dan op het schilderij van de Madonna. Shakespeare voelde zich schuldig dat hij het vroeg, maar hij had een antwoord nodig. Woode verstijfde als een standbeeld.

Catherine verblikte of verbloosde niet. Ze draaide zich om van de haard, met de pook nog in haar hand. 'Waarom stelt u zo'n vreemde vraag, heer?'

Shakespeare deinsde terug en staarde haar fronsend aan. 'Juffrouw Marvell?'

'Heer, u komt hier als gast, om hulp te vragen, en nu bemoeit u zich met dingen die daar niets mee te maken hebben. Wil Walsingham dat weten?'

'Mijn motief, juffrouw, is de waarheid te zoeken in dit huis. Volgens mij wordt hier gelogen.'

'En dat zegt u, als een gast die van onze wijn en onze gastvrijheid heeft genoten?'

Shakespeare richtte zich weer tot Woode. 'Uw gouvernante heeft een scherpe tong, heer. Het verbaast me dat u uw kinderen aan haar zorgen toevertrouwt.'

'Ik acht haar hoog, heer Shakespeare.'

'Acht u uw nek ook zo hoog? Geef dan antwoord op mijn vraag. Zou u uw geloof verloochenen?'

De gedachten tolden door Woodes hoofd. Wist deze agent van Walsingham inderdaad iets over zijn geloof, of raadde hij maar wat? Was het veiliger om toe te geven of de vraag te ontwijken, zoals het de jezuïeten werd geleerd? Opnieuw was het Catherine die Shakespeare moedig confronteerde.

'Ik zou míjn geloof nooit verloochenen, heer. Ik ben katholiek en daar ben ik trots op. Ik ben ook een trouw onderdaan van Hare Majesteit de koningin. Maar het helpt niet altijd om een trouw onderdaan te zijn, is het wel? Heeft pater Edmund Campion niet onze koningin geëerd en voor haar gebeden terwijl haar mannen hem als wilde honden aan stukken scheurden?'

Die woorden kwamen aan. Het was de fundamentele tegenspraak in Shakespeares werk. Dat begreep hij heel goed, maar er viel niet aan te ontkomen. Hij wist dat je vuur met vuur moest bestrijden en dat deze wankele reformatie kwetsbaar was voor degenen die Enge-

land met geweld en bloedvergieten onder de voet wilden lopen.
'Nu zegt u niets, heer?'

'Ik ben blij te horen dat u een trouw onderdaan van de kroon bent,
juffrouw Marvell. Dus aanvaardt u Hare Majesteit als hoofd van de
kerk in Engeland en zou u uw leven willen geven om haar te beschermen tegen buitenlandse potentaten of de paus zelf. Ik zal u niet vragen waar u ter kerke gaat, zoals de wet voorschrijft, omdat ik dat een
kwestie tussen u en uw parochie vind. Ik wil niet in iemands ziel graven, hoewel anderen dat misschien wel zouden doen. Maar,' vervolgde hij tegen Woode, 'ik laat me niet voorliegen. Als u informatie hebt
over dat drukwerk of misschien zelfs de inhoud van de tekst, verwacht
ik een eerlijk antwoord. En geloof me, u kunt het beter nu vertellen,
aan mij, dan aan anderen die misschien na mij komen. Begrijpt u wat
ik bedoel, heer Woode?' Shakespeares stem klonk zo koud als de winter in het noorden, maar het was een vreemde woede, vermengd met
zelfverwijt omdat hij zich had laten beetnemen en nu een onaangename discussie moest voeren met Catherine Marvell. Opeens besefte hij
dat hij deze mensen graag mocht. Thomas Woode was een goede
kerel en Catherine Marvell had iets wat hem erg aansprak, maar ook
verontrustte. En hij was kwaad omdat hij zich zorgen om hen maakte
als ze in handen zouden vallen van mensen met minder scrupules.

Woode stond zichtbaar te beven. 'Ik begrijp u heel goed,' zei hij,
'maar ik zweer u dat ik u alles heb verteld wat ik weet. En nee, mijn
geloof was geen hindernis in mijn functie, omdat ik er niet mee te
koop loop. Wat Christoffel Plantijn in Antwerpen betreft: hij is katholiek, dat klopt, maar hij is in de eerste plaats een geweldig vakman en
kunstenaar. Hij vormt voor niemand een bedreiging, zeker niet voor
Engeland. Hij is beroemd geworden omdat hij de Bijbel in het Hollands heeft gedrukt. Voor zover ik weet zag ook Willem van Oranje
hem niet als vijand en ik begrijp niet waarom u of minister Walsingham of wie dan ook daar anders over zou denken.' Woode zweeg om
adem te halen, en misschien voor het effect. 'En net als Catherine ben
ik een trouwe onderdaan van de koningin.'

Shakespeare stond op, gefrustreerd door een knagend gevoel van
onmacht tegenover de tegenstrijdigheden in het verhaal van deze
man. 'Dan ga ik nu maar, heer Woode. Maar ik kom terug en ik hoop
vurig dat u geen spijt zult krijgen van uw houding.'

Woode keek zijn bezoeker angstig na toen die door Catherine naar de deur werd gebracht.

'Pas goed op uw heer, juffrouw,' zei Shakespeare, zo zacht dat Woode het niet kon horen. 'Anders ben ik bang dat hij nog zal stikken in zijn eigendunk.'

'Beter dan te sterven aan schijnheiligheid.'

Shakespeare draaide zich om en keek haar aan. 'U hebt de tong van een slang, juffrouw.'

'Ja. En haar giftanden.'

Thomas staarde haar geschrokken na. Wat zei ze nou tegen Shakespeare? Begreep ze dan niet hoe gevaarlijk deze man voor hen kon zijn? Hij mocht niet langer wachten. Cotton en Herrick moesten vanavond nog vertrekken want als Shakespeare terugkwam met zijn agenten om het hele huis overhoop te halen, was niemand van hen meer veilig.

18

Parsimony Field woog het goud in haar handen. De glans en het gewicht ervan bezorgden haar een huivering van verbazing en angst. De vraag was hoe ze het in geld kon omzetten – en snel. Ze besefte heel goed dat het bezit van zo'n schat ook haar eigen doodvonnis kon betekenen.

Het was niet eenvoudig geweest om het in handen te krijgen. Starling Day wilde niet praten, en Alice was dood, gestikt in haar eigen braaksel. En de tijd drong omdat Parsimony wist dat Coggs lijk elk moment kon worden gevonden, waarop de hel zou losbarsten. Eigenlijk had ze dus geen keus. Ze zou Starling moeten losmaken om met haar te onderhandelen.

Toen ze terugkwam in de kamer waar Starling op bed lag, ademde het meisje snel en oppervlakkig. Sinds Parsimony's vertrek had ze met haar boeien geworsteld, en ze was nu in paniek. Parsimony keek naar haar vanuit de deuropening, met een mes in haar hand, en zag de angst in Starlings ogen.

'Nee mop, ik zal je niet vermoorden. Ik kom je lossnijden. Maar ik waarschuw je. Eén verkeerde beweging…'

Terwijl Parsimony de touwen lossneed, sloot het meisje haar ogen, ervan overtuigd dat het mes elk moment in haar vlees zou kunnen snijden.

'Zo. Dat viel toch wel mee?' zei Parsimony ten slotte.

Starling wreef haar polsen en kon nauwelijks geloven dat ze weer vrij was. Ze ging rechtop zitten, stomverbaasd dat ze nog leefde.

'Nou?'

'Dank je, Parsey. Ik dacht dat je me zou afmaken.'

'Zou ik mijn beste meisje iets aandoen? Vooruit, laten we het goud maar halen. Half om half, jij en ik.'

'En Alice dan?'

Parsimony kromp ineen. 'Liefje, je nicht is dood, verdronken in haar eigen kots toen ze lag te slapen.' Ze raakte Starlings hand aan. 'En dat is de waarheid, mop.'

Starling keek haar aan. Had Parsimony Alice vermoord? Niet dat het nog iets uitmaakte. Ze waren nu tot elkaar veroordeeld, met één kandidaat minder om de buit te delen. Maar ze mocht Parsimony Field nooit, helemaal nooit, haar rug toekeren. Zodra Parsey het goud in handen had, wist Starling, was ze ten dode opgeschreven als ze niet snel handelde.

Die dag zochten ze naar een woning. Ze moesten uit het bordeel van de Bel Savage vandaan. Dat was de eerste plek waar iedereen die Cogg kende naar hen en naar het goud zou zoeken. Ten slotte vonden ze een adres aan de overkant van de rivier, in Southwark. Het was niet veel, gewoon een kamer met een raam aan de straatkant, maar wel in een van de betere straten, waar ze minder kans liepen om te worden beroofd. Zodra ze het goud veilig hadden verborgen, moesten ze het verkopen. Daarna konden hun wegen zich scheiden. Maar eerst moesten ze het goud en de juwelen uit Starlings bergplaats halen.

Het kerkhof achter de puinhopen van St. Bartholomew the Great was bij nacht een spookachtige plek. Starling ging voorop. Er wankelden nog steeds feestvierders door Smith Field die op de dood van de Schotse koningin dronken, maar het feest duurde zo lang dat de militie opdracht had gekregen de straten schoon te vegen en een avondklok in te stellen. Zuiplappen die nu nog werden aangetroffen moesten met de wapenstok naar huis worden geslagen. De regering wilde geen ongeregeldheden nu de angst voor een invasie of een opstand maar al te reëel was.

Starling en Parsimony doken weg achter een muurtje aan de noordkant van Cock Lane. Daar hurkten ze, met de spaden die ze een paar uur eerder hadden gekocht.

Toen de kust veilig was, staken ze zo snel mogelijk het uitgestrekte, drie hectaren grote vierkant over. Ze hoorden een wachtpost iets roepen, maar renden verder tot ze veilig de overkant van de puinhopen hadden bereikt, waar vijftig jaar geleden het schip van de oude kerk was gesloopt.

'Waar nu heen, mop?' vroeg Parsimony hijgend.

'Langs de achterkant.'

Het probleem was hoe ze de schat moesten opgraven zonder te worden gezien. Starling en Alice hadden het goud begraven in een nieuw graf, waarvan de aarde nog rul was. Ze hadden het achtergelaten op een diepte van zestig centimeter, een halve meter boven het lijk. Starling en Parsimony gingen aan de slag bij het licht van de maan; ze gebruikten geen toortsen, uit angst om door een wachtpost te worden opgemerkt.

Ze groeven om beurten. De aarde was zwaar en plakkerig. Met een rinkelend geluid raakte Starling een oude steen van de gesloopte kerk. 'Stil!' siste Parsimony. 'Of wil je dat ze ons opknopen?'

'We moeten er bijna zijn,' hijgde Starling. 'Zo diep hebben we het niet begraven.' Opeens zat ze op haar knieën en groef met haar handen in de aarde. 'Hier is het,' zei ze, en ze greep de hengsels van het valies. Met een ruk kwam de tas omhoog. Ze sloeg de modder eraf. 'Hier, Parsey. We hebben het gevonden.'

Iets in de glinstering van Parsimony's ogen, zwart en zilverachtig in de nacht, waarschuwde Starling dat ze niet goed had opgelet. Op het moment dat Parsimony zich op haar wilde werpen, deed Starling een stap opzij en liet haar struikelen. Met zwaaiende armen duikelde Parsimony in de koude, vochtige kuil.

Starling liet de tas vallen, sprong de andere vrouw op haar rug en drukte haar hoofd in de aarde alsof ze haar wilde smoren – zoals Parsimony ook Alice had gesmoord, daar was ze van overtuigd. Het zou een passend einde voor haar zijn.

Maar Parsimony was sterker en rukte zich los. Worstelend in de dikke, natte klei sloegen ze naar elkaar, trokken aan elkaars haren, probeerden elkaars armen en benen uit de kom te draaien en elkaar de ogen uit te krabben. Ze vochten tot ze niet meer konden en geen kracht meer hadden om nog een vuist omhoog te brengen. Happend naar adem bleven ze liggen op de zachte grond, naast elkaar, in hun gescheurde, vuile kleren.

'Allemachtig, mop. Ik had niet verwacht dat je zo kon vechten.'

Starling zelf ook niet. Had ze dat maar eerder gedaan, toen ze nog in Strelley woonde en door Edward bont en blauw werd geslagen. 'Het is mijn enige kans, Parsey, en die laat ik me niet afpakken.'

Terwijl ze nog lagen na te hijgen, groeide er een wederzijds respect. Sterker nog, ze beseften dat ze elkaar nodig hadden. In hun eentje zouden ze nooit al dat goud kunnen verbergen en verkopen. Misschien konden ze samenwerken.

'Nou Parsey, doen we samen? We zouden zelfs een huis kunnen kopen met dit geld.'

Parsimony dacht even na. 'Ik heb altijd mijn eigen bordeel gewild. En jij lijkt me wel een goede partner, mop.'

'We zouden een paleis kunnen kopen!'

'Met hoge heren als klanten. En een speelhol erbij. De beste tent van de hele stad. We hoeven alleen maar een goede makelaar te zoeken en het goud in geld om te zetten. Dat wordt geweldig!'

Starling lachte. 'Weet je hoe we het noemen? Queens! Omdat we twee bijenkoninginnen zijn, de baas van de hele zaak.'

Parsimony hees zich overeind en klopte zo goed mogelijk de aarde van haar kleren. 'Of The Queen's Legs... omdat we nooit sluiten. Weet je, mop, het is jammer dat je Cogg niet beter hebt leren kennen. Hij zou je hebben gemogen. Je bent precies zijn type. Wie heeft hem eigenlijk vermoord? Het leek wel of zijn ogen waren uitgestoken.'

'Een afschuwelijke man in donkere kleren, koud als ijs in de kerstnacht. Hij had een smalle dolk met een zwart handvat. Ik zag dat hij Cogg daarmee twee keer stak, één keer in elk oog, tot aan het heft. Hij zou je net zo lief kelen als neuken, die vent.' Starling was weer opgestaan, met het valies in haar linkerhand. Ze keek ernaar, en toen, in een opwelling van vertrouwen, stak ze Parsimony de tas toe.

Parsimony pakte die aan, haalde er twee goudstaven uit om hun gewicht te voelen en borg ze weer in de tas. 'Nee mop, draag jij die maar.'

'O, en nog iets, Parsey. Toen die moordenaar zijn dolk in Coggs ogen had gestoken...' – met grote ogen dacht Starling eraan terug – '... sloeg hij een kruisje. Als een priester, verdomme.'

19

Zoals hij door Deptford Strand liep, tussen de matrozen, zeilmakers, scheepstimmerlui en hoertjes, viel Miles Herrick totaal niet op in zijn arbeidersjak met een tas vol gereedschap over zijn schouder geslingerd.

Het was een heldere, frisse februaridag, die al aan de lente deed denken. De laatste sneeuw was gesmolten of weggespoeld door de regen, en de mannen hadden frisse moed. De wereld leek weer de moeite waard om voor uit bed te komen. Herrick keek om zich heen naar de huizen en winkels langs de oever van de rivier. Zijn blik bleef rusten op een zaak in scheepsbenodigdheden, een oud, scheefgezakt pand van drie verdiepingen, met kleine raampjes. Er hing een bordje met KAMER TE HUUR. Dat leek hem wel geschikt. Hij bukte en stapte de winkel binnen.

De rook van tabaksblad was er te snijden. Door de nevel, tussen tuigage, zeilwerk, potten en pannen, tonnen met scheepsbeschuit, gedroogde erwten en pekelvlees en alle andere benodigdheden voor een lange reis, ontdekte hij twee mannen die stonden te praten – stoere kerels, die discussieerden over de bouwtekening van een karveel die op een schraagtafel lag uitgespreid. Toen hij dichterbij kwam, zwegen ze en draaiden zich om, allebei met een pijp tussen hun tanden waaruit rookwolken opstegen als van een herfstvuur.

'Bent u de eigenaar?' vroeg Herrick aan de langste van de twee, die het meest op zijn gemak leek. 'Ik zoek onderdak en ik zag uw bordje. Is die kamer nog vrij?'

'Vrij, dat wel,' antwoordde de man. 'Maar ook vrij duur.'

Herrick glimlachte even om de poging tot humor. Hij pakte zijn beurs en maakte het koordje los. 'Ik kan u goed betalen. Ik kom uit de Lage Landen en ben op zoek naar werk als wapensmid.' Die ironie beviel hem wel. 'Wapensmid' klonk plausibel, en hij wist dat niemand het ooit zou natrekken.

'Nou, er is werk genoeg. De admiraals zullen blij zijn met nog een handwerksgezel. Kom maar mee, dan kun je de kamer zien.'

De kamer lag op de tweede verdieping, onder het schuine dak, en was precies wat Herrick zocht. Hij hoorde ratten of vogels ritselen tussen de balken achter het pleisterwerk. Er stond een bed met een strozak, een kleine tafel en een krukje met drie poten. Verder niets. Maar het kleine, openslaande raam keek uit over de rivier. Herrick bleef daar even staan en draaide zich toen weer om. Gods hand. *Uw wil geschiede.* 'Ik neem de kamer.'

De huisbaas stak een hand uit om wat spinrag boven de lage deur weg te vegen. 'Mijn naam is Bob Roberts. Ik zorg voor dekens en een po. Twee shilling en een sixpence per week, maar je kunt de kamer krijgen voor een halve kroon.'

Herrick zette zijn tas met gereedschap op de grond, zo nonchalant als een huisvrouw die een mand met wasgoed neerzette, en gaf de man een hand om de overeenkomst te bezegelen. 'Henrik van Leiden.'

'Nou, Henrik, drink een kroes bier met ons, dan kun je me de eerste week huur betalen,' zei de huisbaas, en hij draaide zich om naar de deur. 'Als je namen van kapiteins zoekt voor werk, dan weet ik er wel een paar.'

'Drake, bijvoorbeeld – de grootste van allemaal?'

De huisbaas lachte. 'Wil je voor hem gaan werken? Dat is ploeteren voor weinig geld.'

'Dus hij is hier wel?'

'Elke dag. Ik heb nog nooit een kapitein gezien die zo veel tijd in de voorbereiding stak. Als onze vloot straks niet klaar is voor die armada, dan heeft het in elk geval niet aan Drake gelegen. Maar pas op. Na een paar dagen in zijn dienst zou je willen dat je galeislaaf was in het ruim van zo'n Spaans schip, vastgeketend en met dagelijks een portie slaag.'

Herrick glimlachte. 'Ik begrijp het. Maar ik zou het een eer vinden met hem kennis te maken.'

'Dan wens ik je het beste, Henrik, maar kijk uit. Hij mag je de hand schudden maar hij laat je werken tot je erbij neervalt.'

Toen de deur zich achter de huisbaas had gesloten, liep Herrick weer naar het raam. De vensterbank lag bijna een meter boven de vloer. Het raam zelf was ruim een halve meter breed en een meter hoog. Ideaal voor wat hij in gedachten had. Hij sloeg een kruisje, knielde en begon te bidden.

20

Het gezicht van Catherine Marvell zweefde John Shakespeare nog steeds voor ogen. Wat was ze? Een katholieke gouvernante, waarschijnlijk *recusant*, in een huishouding vol geheimen. Was ze meer dan een gouvernante voor Thomas Woode? In elk geval gedroeg ze zich heel vertrouwelijk in diens gezelschap. Shakespeare gaf zijn paard de sporen met een geweld waarvoor hij zich op een ander moment zou hebben geschaamd. Hij moest haar uit zijn gedachten zetten.

Hij reed de brug op naar Southwark, nog steeds gedreven door een onredelijke woede. Hij was kwaad op Thomas Woode om zijn domme leugens, kwaad op de indringer die zijn deur had geforceerd en de papieren in zijn werkkamer had doorzocht, maar ook kwaad op zichzelf, hoewel hij niet wist waarom.

Thuisgekomen trof hij Slide, die op hem wachtte met een nieuw nummer van *The London Informer* waarin de laatste momenten van Mary, koningin van Schotland, tot in alle gruwelijke details werden beschreven. Shakespeare las het verslag langzaam en aandachtig, maar het vertelde hem niets wat hij nog niet wist, zoals het lugubere incident met het hoofd dat uit de hand van scherprechter Bull was gerold. Dat verbaasde Shakespeare niet. Bull was nu eenmaal een prutser. Hij las verder, over de bloedrode martelaarskleren die Mary had gedragen, een kletsverhaal over het hondje dat tussen haar onderjurken was weggekropen, een paar regels over de grote vreugde in Londen en de angst dat Spanje onmiddellijk een invasievloot zou sturen.

'Hoe kon dit krantje worden gedrukt?' vloog Shakespeare op, terwijl hij het verscheurde en de snippers op de grond smeet. 'Ik dacht dat zijn pers was vernietigd door het boekdrukkersgilde.'

'Misschien had hij nog een andere.'

'Zorg dat je hem vindt, Harry,' gromde Shakespeare. 'Walstan Glebe moet worden opgepakt en opgesloten tot ik hem heb verhoord.'

Slide boog. Natuurlijk zou hij zijn best doen, zei hij. Het was maar een kwestie van tijd voordat Glebe zou worden gearresteerd.

'En die jezuïet Southwell moet ook achter slot en grendel worden gezet. Je zei toch dat je wist waar hij was? Je hebt geld gekregen, Harry. Arresteer die man! Als we hem niet snel inrekenen, zal de minister mijn hoofd op het hakblok leggen.'

Slide doorstond Shakespeares driftbui zonder een spier te vertrekken. Hij vertoonde nog steeds de sporen van het pak slaag dat hij had gekregen. De schaafwonden waren tot korsten gestold en de blauwe plekken geel verkleurd, maar hij zag er nog flink gehavend uit. Verder ging het wel weer, verzekerde hij Shakespeare. Hij zei er niet bij dat het spoor naar Southwell inmiddels koud was. Dat zou de sfeer niet hebben verbeterd.

'Ga de bordelen langs, Harry. Probeer erachter te komen of de dames de laatste tijd vreemde klanten hebben gehad die ze moesten afranselen, of zelf door iemand zijn afgetuigd. Zijn er Vlamingen geweest, of klanten met een Hollands of Duits accent? Als er vreemde snuiters rondlopen, wil ik dat weten – en snel. En steek je licht op over Blanche Howard. Kwam ze in dissidente kringen? Had ze omgang met buitenlanders, met name Vlamingen? Volgens mij moet er een verband zijn. Breng me alle informatie, zo gauw mogelijk.'

'Komt in orde, heer Shakespeare.'

'En Harry, wat weet je over een zekere Thomas Woode, een koopman? Gaan er verhalen over hem?'

'Natuurlijk heb ik van hem gehoord. Hij is rijk, maar loopt er niet mee te koop. Een beetje puriteins, aan de presbyteriaanse kant, zou ik zeggen, als je ziet hoe hij leeft. Misschien uit dezelfde school als de minister.'

Shakespeare lachte zonder humor. 'Ik denk het niet, Harry. Woode is rooms. De minister zou niet blij zijn met de suggestie dat hij ook maar íéts gemeen had met Woode.'

'O...'

'Zorg dat je wat meer over hem te weten komt: zijn verleden, zijn contacten met kooplui uit het buitenland, wie zijn vrienden zijn. En dan heeft hij nog een gouvernante voor zijn kinderen, ene Catherine Marvell. Neem haar ook maar onder de loep.'

Slide probeerde innemend te glimlachen, maar dat liet zijn gehavende gezicht niet toe. 'Natuurlijk.' Hij aarzelde een moment en vervolgde toen: 'Neem me niet kwalijk, heer, dat ik zo'n teer punt ter sprake breng… dit is natuurlijk niet het juiste moment, maar ik heb meer geld nodig.'

Shakespeare ontblootte zijn tanden. Hij wilde iets zeggen, maar bedacht dat hij daar misschien spijt van zou krijgen. Hij had Slide hard nodig, op dit moment. Hij kon hem niet missen. En de man zat blijkbaar krap bij kas. 'Hoeveel?'

'Vijftien mark. Als ik langs de bordelen moet, zullen de pooiers en hoertjes niet willen praten zonder enige aanmoediging. Dat begrijpt u wel.'

'Ja. Neem me niet kwalijk, Harry, maar mijn kennis van bordelen is nogal beperkt. Ik ben ervan overtuigd dat jij er alles van weet. Je moet het me maar eens vertellen bij een kroes bier. Maar niet nu.' Hij opende zijn beurs, telde de munten uit en gaf ze zonder plichtplegingen aan Slide. 'Ik verwacht wel resultaten, Harry. En verdwijn nou maar.'

Nu, een uur na dat gesprek, hield Shakespeare zijn paard in bij de gevangenis van Marshalsea. Later die dag moest hij misschien naar Dowgate terug om nog eens met Thomas Woode te spreken en hem desnoods op te pakken voor verhoor. Bovendien had hij de vreemde behoefte om Catherine Marvell weer te zien. Als zijn hoofd wat helderder was geweest, zou hij misschien de symptomen hebben herkend. Op een leeftijd van achtentwintig, wanneer de meeste mannen waren getrouwd en kinderen hadden, zocht hij nog steeds een vrouw. Het enige wat hij kon bedenken was dat hij zich gedroeg als een malloot door iets te zien in een meisje met wie hij nauwelijks een woord had gewisseld. Maar hij kon er niets aan doen.

De cipier van Marshalsea was een reus, maar toen Shakespeare verklaarde dat hij uit naam van de koningin kwam, reageerde de man een beetje nerveus. 'Ik wil John Doughty spreken, bewaarder.'

De cipier keek verbaasd. 'Ik ken niemand met die naam, heer.'

'Ach, kom. Ooit had hij plannen om sir Francis Drake te vermoorden. Hij zit hier al vijf jaar.'

De bewaarder schudde zijn hoofd. 'Nee, heer. Ik werk hier zelf pas drie jaar, maar ik kan me geen gevangene met die naam, of iets wat erop lijkt, herinneren.'

'Laat me je boeken dan zien.'

De cipier keek Shakespeare verbijsterd aan.

'Je hebt toch een zwart boek, man?'

'Natuurlijk, heer. Maar wat hebt u daaraan als de gevangene die u zoekt hier niet is?'

'Laat toch maar zien.'

Het kantoortje van de bewaarder paste goed bij de sombere sfeer van het gebouw. De man had een tafel, twee krukken, een haard en de instrumenten van zijn vak: grote sleutelbossen, zwepen en stokken, zware boeien en nog zwaardere kettingen. Hij stak een hand uit naar een stoffige plank en pakte een dik boek, dat hij met een klap op de tafel legde naast een halfleeg bord.

Shakespeare bladerde de dikke bladzijden van het zwarte boek door, terug tot 1582, toen John Doughty hier gebracht moest zijn. Ja, daar stond het: 'Doughty, John, wegens samenzwering tot moord; strenge bewaking.'

'Dit is onze man, cipier.'

De bewaarder rammelde zenuwachtig met zijn sleutels. 'Ik heb nooit van hem gehoord, heer. U mag in alle cellen kijken en met iedereen praten, maar ik weet zeker dat u niemand zult vinden die zo heet.'

Shakespeare keek de man doordringend aan. Ondanks zijn nervositeit leek hij de waarheid te spreken. Wat was er dan met Doughty gebeurd? 'Zijn er gevangenen die hier al vijf jaar of langer zitten en zich Doughty misschien kunnen herinneren?'

'Ja, Davy Bellard, heer. Hij zit hier al minstens vijftien jaar wegens valsemunterij. Een keurige en slimme man, heer.'

Bellard was klein van stuk, met lang, onverzorgd haar en een baard die in zijn hele gevangenschap nog niet geknipt leek. Maar zijn ogen stonden helder en alert. 'Ja, ik kan me John Doughty wel herinneren,' zei hij. 'De agressiefste kerel die ik ooit ben tegengekomen, heer. Hij wilde de hele wereld afslachten voor het onrecht dat hem en zijn broer was aangedaan. Ik maakte helaas de fout om hem uit te lachen, en hij probeerde me te vermoorden.' Bellard tilde de rafelige restanten van zijn hemd op. 'Ziet u dat litteken? Hij had een hoefmes bij zich en viel me aan. Gelukkig voor Davy Bellard richtte hij niet zuiver en ketste het mes langs mijn ribben af. Daarna ben ik uit zijn buurt gebleven. De man was niet voor rede vatbaar.'

Shakespeare bekeek het litteken, een onplezierige, grillige snee. 'Wat is er met hem gebeurd?'

'Dat is het vreemde, heer. We gingen ervan uit dat hij zou worden opgehangen. Samenzwering tot moord is een halsmisdrijf; dat dachten wij tenminste. Maar als hij is opgeknoopt, hebben wij daar nooit iets over gehoord. Op een mooie zomerdag, een paar weken na zijn aankomst, was hij opeens verdwenen. Misschien is hij naar een andere gevangenis overgebracht, maar dat weet ik niet. Geen idee of hij uiteindelijk is opgehangen of vrijgelaten. Het was een raadsel voor iedereen. Niet dat we er lang over nadachten. In elk geval was ik blij dat hij opgelazerd was.'

'Dank u, heer Bellard.' Shakespeare gaf hem een shilling. 'Hoeveel jaar hebt u gekregen?'

Bellard keek om zich heen of de cipier buiten gehoorsafstand was. 'Tien jaar, heer, maar zeg dat niet tegen de bewaarder anders gooit hij me eruit. Ik zit hier goed, ik wil niet weg.'

Shakespeare glimlachte even, voor het eerst die dag. 'Wees maar niet bang, uw geheim is veilig. En als u nog iets interessants hoort binnen deze vier muren, zou ik het op prijs stellen als u dat aan mij wilt doorgeven op het kantoor van minister Walsingham.'

Bellard tikte veelzeggend tegen de zijkant van zijn neus. 'De inlichtingendienst?'

'Zoiets. Ik wil het vooral weten als u iets over Vlamingen te horen krijgt. En over jezuïeten...'

Shakespeare liet de gevangene achter en vroeg de cipier hem – afzonderlijk – naar Piggott en Plummer te brengen, de twee priesters over wie Harry Slide hem had verteld. Het was een gok, maar Shakespeare was meer dan geïnteresseerd in de gasten bij de mis en het etentje dat Slide had beschreven. Misschien zou hij van deze mannen nog iets wijzer kunnen worden. Als ze hem naar de jezuïet Southwell konden leiden, zou dat een hele zorg minder zijn.

Plummer was de eerste. 'Heer Shakespeare. Harry Slide heeft me over u verteld.'

'En hij vertelde mij over u, heer Plummer. Ik begrijp dat u zo nu en dan informatie voor hem hebt.'

'Dat klopt.'

'Ik wil meer weten over de mis die hier is opgedragen. U was daar zelf bij aanwezig, met Piggott en drie dames – Anne Bellamy, lady Frances Browne en lady Tanahill, als ik me niet vergis.'

'En een jezuïet, pater Cotton.'

'Weet u zeker dat hij zo heette?'

Plummer krabde aan zijn kruis alsof hij de Franse pokken had – misschien was dat ook zo – en zette een ongemakkelijk gezicht. 'Hoe moet ik dat weten? Het lijkt me erg onwaarschijnlijk dat hij zijn echte naam gebruikte. Dat doen maar weinig priesters die door de Engelse seminaries hierheen worden gestuurd.'

'Dat begrijp ik. Kan hij pater Robert Southwell zijn geweest?'

'Geen idee. Ik heb wel van Southwell gehoord. Hij is een dichter en stond in roomse kringen bekend om zijn vroomheid, voor hij vorig jaar naar Engeland kwam. Maar ik heb niet in Douai of Rome met hem gestudeerd, dus ik ken hem niet.'

'We hebben een signalement van hem uit zijn jongere jaren. Hij is niet lang of zwaar, heeft rossig blond haar en groene of blauwe ogen. Zou dat die Cotton kunnen zijn?'

Plummer hoefde niet lang na te denken. 'Dat zou zeker kunnen, hoewel ik dacht dat hij grijze ogen had.'

'En gaf hij informatie over zijn bewegingen, waar hij logeert of met wie hij omgaat?'

Plummer schudde zijn hoofd. 'Nee. Daar zijn jezuïeten veel te slim voor.'

'En de dames bij die mis, kenden zij hem?'

'Dat meisje Bellamy wel, geloof ik, maar de anderen niet, hoewel ze erg van hem onder de indruk waren. Ik ook, trouwens. Een bijzondere man, en heel innemend. Ik kan me goed voorstellen dat hij mensen inspireert en tot het roomse geloof zou brengen. Hij vangt ze allemaal in zijn net.'

'En uw collega, Piggott?'

'Ik mag hem niet erg. Ik vertrouw hem niet en dat is wederzijds. Hij was heel familiair met Cotton, drukte hem tegen zijn smerige, pokdalige borst en fluisterde hem geheimen in zijn oor. Als u meer over Cotton wilt weten, kunt u beter met Piggott gaan praten. Hij is uw man. Ik denk dat hij gevaarlijk zou kunnen zijn.'

'En de drie dames bij dat etentje?'

'Domme kwezels die liever door God in de hemel worden genomen dan door een echte vent hier op aarde. Volgens mij lopen ze grote kans als martelaressen te sterven, en dat zou jammer zijn. Het zijn onnozele dwazen, die geen enkel gevaar vormen voor de staat.'

Shakespeare stond op om te vertrekken. 'U zult uw beloning krijgen, pater Plummer. Houd uw ogen en oren open. Ik zoek informatie over een Vlaming die graag door vrouwen wordt afgeranseld of ze zelf aftuigt. O, nog één ding. De cipier leek nogal zenuwachtig toen ik hier kwam. Waarom, denkt u?'

Plummer krabde nog eens aan zijn ballen en masseerde toen zijn nek, door zijn wollen pij heen. 'Vlooien, heer. Het wemelt ervan. Ze leven op de ratten, ben ik bang, die net zo groot en dik zijn als weldoorvoede katten. Ja, de cipier. Een brave kerel, die de zaak hier goed organiseert, afgezien van die vlooien. Maar hij heeft een klein geheimpje. Hij kan het oude geloof niet helemaal loslaten. En misschien is er nog een andere reden waarom hij nerveus was. U bent niet onze enige bezoeker vandaag.'

'O nee? Wie is er verder nog geweest?'

'Richard Topcliffe. Net als u wilde hij alles weten over het etentje en de mis. Ik durf wel te bekennen dat ik doodsbenauwd voor hem was.'

Alle spieren in Shakespeares lange, magere lijf spanden zich. 'Topcliffe?'

'Net als u was hij vooral geïnteresseerd in de dames en in Cotton. Hij dreigde me met de pijnbank als ik niet eerlijk antwoord gaf, dus heb ik hem alles verteld.'

'Ook dat u voor Slide werkt?'

'Nee, zo achterlijk ben ik niet. Maar ik heb hem wel gezegd dat hij van pater Piggott meer te weten kon komen. Ik vrees dat Piggott me nog vijandiger gezind zal zijn dan hij al was…'

'Dank u, pater Plummer. U kunt mijn naam noemen als u in gevaar verkeert en hulp nodig hebt. Maar dat zal weinig indruk maken op Richard Topcliffe, ben ik bang.'

Plummer drukte Shakespeare de hand en hield die nog even vast. 'Dank u. En ik hoop dat ik u geen vlooien heb gegeven.'

De cipier stond al te wachten en nam Shakespeare mee naar Piggotts kerker, een paar meter verderop. Piggott zat in een hoek van zijn cel, ineengedoken als een winterkoninkje bij strenge vorst. Hij bewoog zich niet en gaf geen geluid toen Shakespeare binnenkwam en de deur met een klap achter zich dichttrok.

'Pater Piggott?'

Piggott verroerde zich niet.

'Pater Piggott, ik moet u spreken, of u wilt of niet.'

Nog steeds geen reactie. Shakespeare greep de man bij de kraag van zijn grove wollen pij en trok hem met een ruk overeind. Toen pas kon hij hem aankijken, en geschrokken deinsde hij terug. Het gezicht van de man was tot een bloederige massa geslagen. Zijn neus leek gebroken en zijn ogen waren opgezet en bloeddoorlopen. Piggott probeerde rechtop te gaan zitten, kreunend alsof zijn ribben waren gebroken.

Shakespeare stak een hand uit om hem te helpen, maar Piggott kromp ineen alsof hij bang was te worden geslagen. Hij probeerde iets te zeggen, maar geen menselijk geluid kwam over zijn lippen. Shakespeare liep terug naar de deur en vroeg de cipier om water en doeken om Piggotts wonden uit te wassen.

De bewaarder was onwillig. Hij bleef staan, zwijgend en onbeweeglijk.

'Als je weet wat goed voor je is, cipier, doe je wat ik zeg. Of zal ik je kleine geheimpje bekendmaken? Topcliffe zal wel benieuwd zijn naar je roomse voorkeuren.' Het was een gemene streek, maar het werkte. De bewaarder keek geschokt, maar vertrok toen. Even later kwam hij terug met alles waar Shakespeare om had gevraagd. 'Goed. Was nu de gevangene het bloed van zijn gezicht.'

De cipier keek Shakespeare aan alsof hij gek geworden was. Waarom zou iemand het bloed van het gezicht van een gevangene willen wassen? Maar zodra hij de blik in Shakespeares ogen zag, stapte hij zuchtend op Piggott toe en begon mopperend het geronnen bloed weg te vegen. Toen de priester weer enigszins toonbaar was, gaf Shakespeare de bewaarder twee penny's en vroeg hem naar de dichtstbijzijnde apotheker te gaan voor katoenen verband om de verwondingen op Piggotts borst mee te verbinden.

'Ik kan mijn post niet verlaten.'

'Stuur dan een van je mensen. Moet ik je eraan herinneren dat ik hier ben uit naam van de koningin? Zal ik minister Walsingham melden hoe je je gevangenen verwaarloost?'

[151]

'Het lijkt wel of iedereen vandaag voor de koningin werkt,' mopperde de cipier toen hij weer wegsjokte.

'Goed, Piggott, nu onder ons,' zei Shakespeare zacht maar dringend terwijl hij zich over de gevangene boog, die er niet veel beter uitzag, al waren zijn wonden schoongemaakt. De priester was een afstotelijke man met een zwaar pokdalige huid en dun, slap haar. 'Geef eerlijk antwoord, anders ga je vandaag nog naar de Tower om een tijdje in het Ongemak door te brengen voor je onder dwang zult worden verhoord. Dit zijn staatszaken, dus je hebt geen keus.' Het Ongemak was een cel die zo klein was dat een gevangene er niet in kon staan, liggen of zelfs maar zitten. 'Het Ongemak, Piggott. Dat is zo verschrikkelijk dat je na een tijdje zult smeken om de schandpaal, waar je rug gebroken wordt.'

Piggott pulkte een prop bloed uit zijn neusgat. Hij deed denken aan een hond die op een haar na was doodgeslagen. Zijn stem was niet meer dan een hees gefluister. 'Ik zal u vertellen wat ik ook aan Topcliffe heb verteld.' Hij trok een grimas en legde een hand tegen zijn gekneusde kaak.

'Nou?'

'Ik zei hem dat ik een boodschap moest doorgeven aan een priester van wie ik de naam niet kende. Ik weet alleen dat hij op hetzelfde adres logeerde als pater Cotton.'

'En wat was de boodschap?'

'Cogg van Cow Lane. Dat was alles.'

'En van wie had je die boodschap?'

'Dat... dat weet ik niet.'

'Ik kan je vandaag nog op de pijnbank laten leggen, Piggott. Weet je wat dat ding aanricht bij een mens?'

Piggott knikte somber. Hij wist dat de pijnbank botten uit gewrichten kon trekken en spieren en pezen zo onherroepelijk kon scheuren dat het slachtoffer nooit meer zou kunnen lopen of zijn armen gebruiken.

'Dus geef antwoord. Van wie had je dat bericht dat je moest doorgeven?'

'Het was een Fransman, ik weet niet hoe hij heet. Hij kwam hier en zei dat hij was gestuurd door kardinaal Allen. Misschien kwam hij van de Franse ambassade. Ik weet het echt niet, heer. Dit was voor mij genoeg. Hij gaf me geld, twee mark – het verschil tussen leven en dood in deze gevangenis.'

'En wat dacht je dat die boodschap betekende?'

Piggott zat nu zo diep in de problemen dat hij alleen nog maar dacht aan overleven. Hij was bereid de paus, kardinaal Allen en het Engels seminarie in Reims te verraden voor de kleine kans op het redden van zijn huid. Zijn stem klonk steeds zachter en leek zijn keel te schuren. 'Ik dacht dat het een adres voor een wapen was. Een pistool, misschien. Dat schijnt tegenwoordig de manier te zijn om vorsten te vermoorden.'

O ja, dacht Shakespeare, een radslotpistool was zeker een wapen om vorsten mee uit de weg te ruimen. Dat was gelukt met Willem de Zwijger, en nu was Elizabeth bang dat ze hetzelfde lot zou ondergaan. Een radslotpistool kon van tevoren schietklaar worden gemaakt en was klein genoeg om onder een mantel of in een mouw te verbergen. Daarom waren dergelijke pistolen verboden op het terrein van koninklijke paleizen. 'Is dat maar een veronderstelling, of heb je een reden voor die theorie?'

Piggott schudde vermoeid zijn hoofd. 'Een veronderstelling, heer, meer niet.' Hij draaide zijn hoofd weer naar de muur en liet zich terugzakken in een foetushouding. Het enige bewijs voor het feit dat hij nog leefde was het geluid van zijn snelle, piepende, pijnlijke ademhaling.

21

Twee zwaargewapende wachtposten stonden voor de deur van Coggs huis in Cow Lane. Shakespeare steeg af en liep naar hen toe. 'Is Topcliffe hier?' vroeg hij.

Ze knipoogden tegen elkaar en keken hem smalend aan. 'Geen toegang,' zei een van hen, bestudeerd nonchalant.

'Weet je wie ik ben?'

'Voor mijn part ben je de aap van de Zweedse koning. Geen toegang.'

'Ik ben John Shakespeare, assistent van sir Francis Walsingham. Ik ben hier met een officiële opdracht en ik wil naar binnen.'

'Probeer het maar.'

Shakespeare kwam dichterbij. Onmiddellijk stapten de twee mannen naar elkaar toe, schouder aan schouder, en vormden een ondoordringbaar kordon. Ze droegen een dik wambuis van ossenhuid, dat de meeste messteken kon opvangen. Achter hun riem hadden ze een dolk, een caliver en een schede met een zwaard, dat ze niet eens hoefden te trekken. Ze waren sterk en breed genoeg. 'Als jullie niet opzij gaan, krijg je te maken met de minister van Hare Majesteit. Is dat goed begrepen?'

'Hoor eens, wie je ook bent... je dacht toch niet dat we bang waren voor jou of voor Walsingham? Wij werken voor heer Topcliffe, die rechtstreeks voor de koningin werkt. Is dát goed begrepen? Voor wie van die twee zou je banger zijn?'

Op dat moment ging de voordeur open en verscheen Topcliffe. Hij keek Shakespeare nijdig aan, voordat hij zich tot de twee wachtposten richtte. 'Haal een handkar,' beval hij. 'We moeten een lijk vervoeren.'

De wachtpost die het woord had gevoerd maakte gehoorzaam een buiging en verdween.

'Topcliffe,' zei Shakespeare, 'wat is hier aan de hand?'

Topcliffe wilde alweer naar binnen stappen, maar bedacht zich en bleef staan. 'Wat heb jij daarmee te maken?'

'Dat weet je heel goed. Ik ben bezig met een officieel onderzoek.'

'En bij God, wat gaat dat traag. Zou je Cogg hebben gevonden zonder mij? Zou die smerige priester, Piggott, met je hebben gepraat als ik hem niet eerst murw had gemaakt? Volgens mij zou jij nog geen poes in een hoerenkast kunnen vinden.'

'Topcliffe, we moeten samenwerken. Misschien hanteren we niet dezelfde methoden, maar we hebben wel hetzelfde belang: de veiligheid van de koningin en het land.'

'En wat voor slap en laf landje zou dat zijn als jouw soort ervoor moest vechten? Een land van mannen die liever knielen om de voeten van de antichrist te kussen dan hun handen te wassen in het bloed van de vijand van Hare Majesteit! Ik zou nog liever de laatste druppel paaps bloed vergieten dan dat haar één haar zou worden gekrenkt. En jij? Naar welke kerk gaat jouw vader op zondag, Shakespeare? Vertel me dat eens.' Topcliffe spuwde op de grond tussen hen in. 'Kom maar binnen, knul. Kom maar kijken wat we hebben gevonden en leg die Walsingham van jou dan uit waarom jij pas ergens komt als Topcliffe er al geweest is.'

Shakespeare kookte van woede, maar hij slikte zijn trots in en stapte naar binnen. Naast een vat lag een groot lichaam met een gezicht dat een masker van geronnen bloed leek. Vliegen zoemden eromheen.

'Met een mes door allebei zijn kijkers gestoken,' zei Topcliffe. 'Wat een zwijn, die vent, vind je niet? Als je hem door de slachters tot pasteitjes liet verwerken, zou niemand het verschil merken.'

'Wie is het? Cogg?'

'Ja, dit is Cogg, bordeelhouder, schavuit en heler in gestolen goederen, een groot liefhebber van vlees en wijven.'

'Je kende hem, begrijp ik?'

Topcliffe plantte zijn zware laars op Coggs borst en boog zich naar voren, zodat Shakespeare zijn adem kon ruiken. 'Hij kon voor je regelen wat je maar wilde. Een gevaarlijk man, maar hij had zijn nut.

Soms. Alleen koos hij niet altijd de juiste vrienden, zoals je ziet. Hoewel we natuurlijk weten wie dit geflikt heeft.'

'Southwell, denk je?'

'Ja, dit is het werk van die schoft. En ik weet ook waarom. Een pistool. Hij heeft een pistool van Cogg gekocht om onze koningin te vermoorden en daarna zijn spoor uitgewist door Cogg om zeep te helpen. Wij weten allebei dat die paapse schoft Southwell hierachter zit, maar jij loopt weer rond als een kip zonder kop! Geeft niet. Ik zal hem wel te grazen nemen en ervoor zorgen dat hij kermend van pijn dit leven zal verlaten, kronkelend als een aal als ik hem zijn pik en ballen afsnijd en druipend voor zijn uitpuilende ogen houd. Voordat hij de kans krijgt onze koningin iets aan te doen.'

Shakespeare wilde wat zeggen, maar hield wijselijk zijn mond. Het was verspilde moeite. Met Topcliffe viel niet te praten; de man was een dommekracht die niet naar rede luisterde. Als een terriër met een prooi tussen zijn kaken zou hij zich door niemand laten afbrengen van zijn overtuiging dat Southwell een seriemoordenaar was en Elizabeth zijn uiteindelijke doelwit. Heel even voelde Shakespeare iets van twijfel. Misschien had Topcliffe wel gelijk. Het moment verstreek, maar hij had nog een vraag. 'Topcliffe, je hebt mijn getuigen overgeplaatst. Waar zitten ze nu? Ik moet ze spreken.'

'Welke getuigen?'

'Dat weet je heel goed. Die zwervers van Hog Lane. Jij hebt ze uit Bridewell weggehaald, waar ik ze had laten opsluiten.'

'Zwervers? Ik weet helemaal niets over zwervers, Shakespeare. En áls ik het wist, zou ik ze allemaal vierendelen en opknopen. Het land zou beter af zijn zonder dat tuig.'

'Dus je ontkent dat je ze hebt weggehaald?'

Topcliffe zei niets, maar keek Shakespeare verachtelijk aan en ging weer aan het werk.

Shakespeare kon niets doen. Hij had geen bewijzen tegen Topcliffe. En zelfs als hij die had, zouden ze niemand interesseren. Vier zwervers minder? Opgeruimd staat netjes, vonden de meeste burgers, en ze zouden Topcliffe een schouderklopje geven.

Shakespeare doorzocht het huis, zo nu en dan gehinderd door Topcliffes mannen, die hem lachend lieten struikelen of hem de doorgang versperden. Hij wist zelf niet waar hij naar zocht, en na een tijdje vertrok hij maar naar Seething Lane. Hij moest Harry Slide spreken. Er knaagde iets, al sinds zijn bezoek aan de gevangenis van Marshalsea. Hoe was Topcliffe op de hoogte van Piggott, Plummer en de mis van die jezuïtische priester, Cotton? Hoe pijnlijk ook, Shakespeare vreesde dat Slide het hem had verteld.

Slide zat al op hem te wachten, maar niet alleen. Hij was in het gezelschap van een diender en Walstan Glebe, de uitgever van *The London Informer*. Glebes handen waren geboeid en de diender hield hem in bedwang. De uitgever protesteerde tegen zijn arrestatie, maar Shakespeare luisterde niet. Hij gaf de diender bevel om met Glebe in de voorkamer te wachten en nam Slide mee naar zijn werkkamer, waar de chaos van de inbraak inmiddels was hersteld. 'Harry, voordat we over Glebe beginnen moet ik je iets vragen. Hoe wist Topcliffe over die mis in de gevangenis?'

Slide keek oprecht geschokt. 'Wist Topcliffe dat?'

'Jazeker. Hij was er nog eerder dan ik en hij heeft Piggott halfdood geslagen. Heb jij contact met hem gehad?'

'Nee, heer Shakespeare! Ik praat nooit met hem.'

'Ik vroeg me af of jouw verwondingen...'

'In godsnaam! Nee! Dat is precies gegaan zoals ik het u zei. Ik ben overvallen en beroofd door een bandiet.'

'Dus het was niet Topcliffe die je in elkaar heeft geslagen om informatie te krijgen, zoals hij bij iedereen doet?'

Slide schudde heftig zijn hoofd.

'Hoe kan hij het dan weten, denk je?'

Harry Slide ging zitten. Hij leek van streek, maar Shakespeare wist maar al te goed dat de man een uitstekende acteur was. Als Slide ooit met het inlichtingenwerk stopte, had Walsingham eens gezegd, kon hij zo aan de slag als toneelspeler bij Burbage in het Theatre, zo overtuigend was hij. 'Iedereen kan dat aan Topcliffe hebben verteld,' zei Slide. 'De cipier, een van diens mannen, een bezoeker, andere gevangenen... Het is daar een komen en gaan. Marshalsea is de Tower niet. De bewaking is zo lek als een mandje.'

Shakespeare kwam naast hem zitten. Hij wist nog niet of hij Slide geloofde, maar in elk geval had hij hem nodig. 'Goed, genoeg hierover. Ik neem aan dat je de waarheid spreekt. Maar ik zal je één ding zeggen, Slide. Als je ooit met Topcliffe samenspant, krijg je niet alleen mij als vijand, maar ook heer Walsingham, die loyaliteit belangrijker vindt dan wat ook. En vertel me nu wat je weet over Cogg van Cow Lane.'

Een pijnlijk lachje gleed over Slides gekneusde gezicht. 'Gilbert Cogg! De dikste en meest hebzuchtige boef van heel Londen, maar wel een aardige vent.'

'Een dode vent, nu. Vermoord. Met een dolk in allebei zijn ogen gestoken.'

Slide leek niet verbaasd. 'Ach, wat jammer nou. Maar het was te verwachten. Hij ging met gevaarlijke mensen om en hij hield van goud, meer nog dan van vlees, drank of vrouwen. Goud en edelstenen waren zijn passie. Daar deed hij alles voor.'

'Bijvoorbeeld een pistool leveren aan een Spaanse huurmoordenaar?'

Slide keek Shakespeare aan. 'Dus daar gaat het om. Is er een verband met Piggott?'

'Hij was de tussenpersoon. Degene die Cogg had benaderd om het wapen te leveren, heeft via Piggott bericht aan zijn moordenaar gestuurd dat het gereed was. Dus loopt er nu een samenzweerder rond met een heel gevaarlijk wapen. Als we Drake tegen een vastberaden moordenaar met een radslotpistool willen beschermen, zouden we hem in zijn hut moeten opsluiten en ervoor zorgen dat hij niemand ziet tot hij weer veilig op zee is. Dat zal niet lukken, ben ik bang. En nu Cogg is vermoord, hebben we ook geen getuige meer.'

'En die jezuïet, Southwell?'

Shakespeare lachte vreugdeloos. 'Zou hij de moordenaar zijn? Dat lijkt in tegenspraak met alles wat we over hem weten. Vertel me eens, Harry, als Cogg zo rijk was, waar is zijn goud dan gebleven? Ik heb zijn huis grondig doorzocht, net als Topcliffe. Het was nergens te vinden.'

'Cogg was echt rijk, geloof me. Misschien heeft Topcliffe het gevonden en voor zichzelf gehouden. Of misschien heeft Cogg het ergens anders verborgen. Hij had een bordeel naast de Bel Savage, tot grote ergernis van het stadsbestuur. Ze vonden het veel te dichtbij, hoewel sommigen er dankbaar gebruik van maakten.'

'Breng me er maar eens heen, Harry, dan leer ik nog wat. Soms denk ik dat ik een veel te onschuldig leven leid. Maar ga eerst zelf maar poolshoogte nemen. Misschien weten die meiden wat. Goed, dan zullen we nu een praatje maken met onze vriend Glebe, om te zien of we reden hebben hem een tijdje aan de schandpaal te zetten. Zware rugpijn en een paar eieren in zijn gezicht kunnen misschien een beter mens van hem maken. Waar heb je hem gevonden?'

'In Fleet Lane. Hij was net bezig zijn pers te demonteren en mee te nemen. Blijkbaar waren uw vrienden van het boekdrukkersgilde niet zo snel.'

Glebe zat met een gebogen hoofd in de voorkamer en staarde nors naar de grond. Zijn handen waren vastgebonden, maar hij kon zijn vingers nog gebruiken om zijn dikke, stugge haar over zijn voorhoofd te kammen, over het brandmerk van de L. Hij keek op toen Shakespeare en Slide binnenkwamen en stak zijn geboeide handen omhoog. 'Alstublieft, maak me los, heer Shakespeare. Ik kan toch niet weg.'

Shakespeare knikte en de diender bevrijdde Slide van de boeien. Toen pakte Shakespeare een kleine bel van een kist en rinkelde. Jane verscheen in de deuropening. 'Wil je wat bier brengen?' Langzaam ijsbeerde Shakespeare de kamer door. Glebes ogen volgden hem gespannen, totdat Shakespeare zich eindelijk omdraaide. 'Goed, Glebe. Het is afgelopen met je smerige roddels. In elk geval kan ik je aanhouden wegens het verspreiden van illegaal drukwerk en verzet tegen je arrestatie. Gezien je strafblad kun je minstens het verlies van een hand en beide oren verwachten, plus tien jaar dwangarbeid.'

'Maar heer...'

'Heb je nog iets te zeggen voordat ik je naar Newgate stuur om te worden ingesloten?'

'Wat moet ik dan zeggen, heer? Het enige wat ik heb gedaan is roddels herhalen die ik in de kroegen en tavernes had gehoord.'

Jane kwam terug met het bier. Ze schonk Shakespeare, Slide en de diender in, en keek toen vragend naar Shakespeare, die knikte. Glebe kreeg ook een kroes.

'Nee Glebe, dat is niet alles wat je hebt gedaan. Iemand die iets wist over de moord op lady Blanche Howard heeft met je gepraat. Een tijdje in Newgate en het vooruitzicht van je straf zullen je misschien tot inkeer brengen. Ik heb geen tijd om naar je ontkenningen te luisteren.'

Glebe keek zuur, alsof hij in een onrijpe mispel had gebeten. 'Heer,' protesteerde hij, 'wat heb ik nou verkeerd gedaan? Ik wil alleen mijn recht uitoefenen als vrijgeboren Engelsman. Zijn wij soms slaven? Bent u de Magna Carta vergeten?'

'Dit heeft niets met slavernij te maken. Je weet net zo goed als ik dat alle drukwerk een vergunning nodig heeft. Die heb jij niet, dus zul je de prijs moeten betalen. Als je met ons had meegewerkt, hadden we een oogje kunnen dichtknijpen, maar het gaat om de moord op een nicht van de koningin, en we moeten de dader vinden. Als je eenmaal in de cel zit, Glebe, kom je er niet meer uit. Geen kans op beroep, dat begrijp je wel.'

Glebe haalde zijn afhangende schouders op. 'Ik heb niets meer te zeggen. U doet maar.'

Heel even was Shakespeare van zijn stuk gebracht. Hij had ver-wacht dat Glebe wel zou instorten en toegeven. Een man die de stank van zijn eigen verbrande vlees had geroken en de pijn gevoeld, zou toch niet opnieuw het risico willen lopen van gevangenschap en fol-teringen? 'Breng hem naar Newgate, diender. Laat hem aan de vloer vastketenen en geef hem niets anders dan pap en water. En vertel geen mens dat hij daar zit.'

22

De *Elizabeth Bonaventure*, een koninklijk schip van zeshonderd ton met vierendertig kanonnen en een bemanning van tweehonderdvijftig koppen aan boord, maakte zich bij hoog tij van de kade van Gravesend los en vertrok voor de wind. Het was een kille ochtend, vlak na zonsopkomst, en een stevige bries trok de wimpels strak en veroorzaakte schuimkoppen op het grijze water van de Theems.

De matrozen waren bezig de trossen op te rollen en de dekken te ontdoen van alle vuil van het land dat in de haven aan boord gekomen was. Achter hen verdween Londen geleidelijk uit het zicht. Rook kringelde lui boven de stad. Langzaam werd de rivier breder terwijl het schip sierlijk door het woelige water sneed, op weg naar de zee. De wind wakkerde aan, floot door de zeilen en het want en riep die merkwaardige betovering op die iedereen aan boord een tijdje zwijgend zijn werk liet doen.

Boltfoot Cooper liet zijn linkerarm op de gepolijste eikenhouten reling rusten en hield vice-admiraal Drake in het oog, van een afstand van nog geen veertig meter. Hij had zijn rechterhand op het heft van zijn korte sabel, dat losjes achter zijn riem stak. Eindelijk, aan het begin van de middag, bereikten ze de gapende monding van de rivier en stormden voor de wind de smalle zee op.

'Cooper!' dreunde Drakes norse stem boven de wind uit. 'Kom eens hier, man!'

Gelaten liep Boltfoot naar zijn voormalige commandant. Hij had gezworen nooit meer orders van die man te accepteren en nooit meer een voet aan boord van een van zijn schepen te zetten.

'Meld je maar bij de timmerman, Cooper. Er is genoeg werk te doen aan de ra's en de vaten. Maak jezelf nuttig. Hier op zee hoef ik niet te worden bewaakt als een baby.'

Boltfoot gaf geen krimp. 'Ik heb orders om bij u in de buurt te blijven. Wie weet of zich onder deze bemanning geen huurling van Spanje schuilhoudt?'

'Wel allemachtig, man! Wil je een order van je admiraal in de wind slaan? Ik zal je opknopen aan de hoogste mast.'

'Heer Shakespeare is mijn commandant en minister Walsingham mijn admiraal, zoals u heel goed weet. Ik ben alleen aan hen verantwoording schuldig, behalve aan God en de koningin.'

'Wat een chagrijn vanochtend, Cooper. Neem een slok brandewijn, man.' Drake draaide zich om naar zijn luitenant. 'Kapitein Stanley, wees zo goed om de koksmaat een fles Aquitaine te laten brengen.'

Stanley keek een beetje verbaasd, constateerde Boltfoot, alsof het niet aan hem was zulke dingen te regelen, zeker niet met Boltfoot en Diego in de buurt. Maar hoewel hij zich in zijn wiek geschoten voelde, protesteerde hij niet. Toen de brandewijn arriveerde, stond Boltfoot erop zelf de eerste slok te nemen, als voorproever. Drake keek nijdig. 'Waar zie je me voor aan, Cooper? Voor zo'n verwijfde Spanjool?'

Boltfoot keek nijdig terug en gromde: 'Als het aan mij lag, zou ik die wijn het liefst zelf vergiftigen.'

'En ik zou je een glas door je strot duwen, Cooper!'

Diego sloeg Boltfoot op zijn schouder. 'Luister maar niet naar hem. Boltfoot. Volgens mij is hij op je gesteld. Laten we een toost uitbrengen op de *Elizabeth Bonaventure*.'

'Is het geen kittig schip, heren?' vroeg Drake. 'Hawkins heeft geweldig werk verricht. Laag in het water, snel en gehoorzaam. Met de smalle taille van een wulpse vrouw. Ik moet het Spaanse galjoen nog zien dat de *Lizzie* kan bijhouden als het weer gunstig is. Goed, kapitein, waarschuw de meesterkanonnier en laten we wat plezier maken met de munitie. We zijn niet ver meer van het doelwit.'

Ze voeren in een brede curve naar het noorden, dicht langs de zandbanken van Pig's Bay bij Shoebury Ness. Een kustvaarder met kolen uit het noorden voer zuidwaarts langs hen heen en verdween langzaam de Theems op. Zestien maanden geleden, tijdens de expeditie naar de Cariben, was de *Lizzie* Drakes vlaggenschip geweest.

Toen was ze al een kwart eeuw oud, maar John Hawkins had het gestroomlijnd en er een heel nieuw schip van gemaakt. Daarna, met adviezen van Drake, had hij nog wat aanpassingen doorgevoerd om de snelheid en wendbaarheid te verbeteren. Slank en snel als een nevelsliert in de wind, maar met de vuurkracht van een draak, was de *Lizzie* nu de nachtmerrie van elk Spaans galjoen.

'Doelwit in zicht!' riep de uitkijk eindelijk vanuit de grote mast. Even later zagen ze het liggen, een oud, verweerd schip, vastgelopen op het zand. Het was nauwelijks meer dan een romp met wat gebroken masten en ra's, daterend van de eeuwwisseling of nog eerder.

'We doen zes series, meester,' zei Drake tegen de kanonnier. 'Te beginnen met de lange afstand, vijfhonderd meter.' De kanonnier, een kleine, breedgeschouderde man van dertig, boog voor zijn vice-admiraal en liep naar het geschutsdek, waar hij de nodige orders gaf.

Toen ze bijdraaiden voor de eerste serie en de zware kanonnen dreunden en schokten op hun vierwielige onderstellen, leek het of de rook de zon verduisterde, als bij een groot vreugdevuur in de herfst. Boltfoot keek naar Drake en herinnerde zich de lange dagen op de grote wereldzeeën met een nostalgie die hem verbaasde.

In gedachten zag hij weer het weidse water, waar je wist dat er een God in de hemel was, heel dichtbij. Op een heldere dag was de oceaan prachtig om te zien, met zijn woeste golven, hoger dan de boegspriet van de *Golden Hind*, en de oneindige horizon die zich in het noorden, oosten, zuiden en westen uitstrekte, indrukwekkend in al zijn glorie. Als de *Hind* van een golftop naar een lang, diep dal dook, zag je de volgende golf al aankomen als een hoge, grijze kathedraal, terwijl het schip zich gereedmaakte voor de klim en dan weer langs die muur van water viel in zo'n reusachtige, schuimende trog. Op zulke dagen waren heel wat zeelui angstig, maar Boltfoot hield ervan; hij was bijna vergeten hoeveel.

'Spijt, Cooper?' bulderde Drake na het tweede salvo van de kanonnen, alsof hij Boltfoots gedachten had gelezen.

Ja, dat je me mijn aandeel in de buit hebt ontstolen, dacht Boltfoot, maar hij zei niets.

Het schip vervolgde zijn lange bocht langs het doelwit, sierlijk en snel, met de boeg laag en gretig, voordat het geschut zich weer liet horen, met toenemende doeltreffendheid vanaf de steeds kortere afstanden. Al gauw was het doelwit aan splinters geschoten. Ten slotte, toen de munitie opraakte en het doelwit bijna onder water was verdwenen, gaf Drake bevel om terug te keren. 'We varen eerst naar Deptford om mij aan land te zetten, voordat jullie haar terugbrengen naar Gravesend met kapitein Stanley.'

Kort nadat een heldere zon zich de volgende morgen boven de kim had verheven, keerden ze in Deptford terug. De zeilen van de *Elizabeth Bonaventure* glinsterden in het lage licht in het oosten. Boltfoot had de nacht doorgebracht voor de grote hut op het achterschip, waar hij de wacht had gehouden met Diego, terwijl ze om beurten een uurtje sliepen in een provisorische hangmat. Zo bewaakte hij Drake ook thuis in Elbow Lane en aan het hof, als hij daar was. Ondanks Drakes bezwaren tegen de bewaking mochten Boltfoot en Diego wel voor de kamer van de vice-admiraal en diens vrouw bivakkeren.

Ergens in de vaargeul gooiden ze het anker uit, op enige afstand van de kade van Deptford. De bootsman, Matthew, liet de sloep zakken en hield haar gereed. Toen de roeiers op hun plaatsen zaten, daalde Drake de touwladder af – een kleine, onopvallende figuur tegen de achtergrond van het gestroomlijnde, geoliede eikenhout van de relingen en de zwartgeteerde romp eronder. Boltfoot en Diego volgden.

In zijn kamer boven de winkel aan de Strand in Deptford was Herrick voor dag en dauw opgestaan, fris en alert. Al van een afstand zag hij de *Elizabeth Bonaventure* naderen. Het was in alle opzichten een koninklijk schip, met zijn trotse vlaggen, waaronder het witte kruis van St. George en de zijden wimpels in goud en zilver, die op een hoogte van dertig meter of meer aan de masten wapperden. Toen het schip dichterbij kwam, herkende hij ook het rozenschild van de Tudors op het lage, snelle voorschip, de smalle neus die de *Lizzie* kwetsbaar maakte voor enteren maar ook snel en wendbaar als een wilde kat.

Heel even bewonderde Herrick de lijnen van het schip. Het was een indrukwekkend ontwerp. Als de Engelsen nog meer van zulke schepen hadden, zouden ze het de Spaanse armada behoorlijk lastig kunnen maken. Zodra hij deze heilige missie had volbracht, zou hij naar Parijs gaan om Mendoza te melden wat hij hier had gezien. Zijn Spaanse broodheren moesten de waarheid kennen over deze Engelse vloot.

Uit zijn tas nam hij de twee delen van het geweer: het mechaniek en de loop uit één stuk, en de afzonderlijke kolf. Ze klikten eenvoudig in elkaar. Hij maakte het wapen gereed met het dunne wilgenkruit en ramde een van de kogels in de loop. Het projectiel paste perfect, zoals vereist. Toen haalde hij zijn statief onder het bed vandaan. Het was kort, niet hoger dan zestig centimeter. Herrick had het zelf gesneden uit een weggeworpen stuk hout dat hij bij de naburige scheepswerf had gevonden. Bovenin zat een groef waarin hij de loop kon laten rusten.

Hij opende het kleine raam en tuurde naar buiten. Beneden hem kwam de werkdag op gang. Niemand keek op. Herrick pakte het kussen van zijn bed en legde dat op de vloer, dicht bij het raam. Hij zette zijn knie erop en bukte zo diep dat zijn hoofd vanaf de straat niet zichtbaar was. Zo had hij een helder, onbelemmerd uitzicht op de kadetrap waar Drake zou aankomen.

Hij zag de sloep snel naderen, voortbewogen door vier sterke roeiers, in een strak ritme. De bootsman gaf de maat aan. Achterin zat de commandant heel comfortabel, in gesprek met een man met een donkere huid, links van hem. Aan zijn andere kant zat een man met een stevig postuur, bijna een karikatuur van een piraat. Herrick bestudeerde de commandant. Was dit Drake? Als zijn informatie klopte dat Drake vandaag vanaf de *Elizabeth Bonaventure* aan land zou komen – en Herrick had geen reden daaraan te twijfelen – dan moest hij het zijn. Hij haalde het portretje uit zijn wambuis en keek er nog eens op. De man beantwoordde perfect aan Drakes signalement: een trotse, gezwollen borst; een gedrongen postuur; een vooruitstekend, strakgeknipt, goudblond baardje; vlammend rood krullend haar; en een arrogante uitstraling. Ja, dit was Drake. Herrick twijfelde niet meer.

Ze waren nog ongeveer tweehonderd meter van hem vandaan. Herrick legde de loop van zijn snaphaanmusket op het provisorische statief, niet meer dan twee centimeter over de rand van de vensterbank.

Hij wist dat het een heel bijzonder wapen was. Voordat hij naar deze hoge kamer in Deptford was gekomen had hij het geweer, verborgen in zijn tas, mee naar het bos genomen, voorbij de vijvers van Islington, waar hij driekwart van de vierentwintig speciaal vervaardigde kogels als oefening had verschoten. Het geweer was inderdaad zo trefzeker als de maker, Opel, had beweerd. Hij kon gemakkelijk iemands hoofd raken vanaf honderd meter, waarschijnlijk ook vanaf honderdvijftig en misschien zelfs vanaf tweehonderd meter. Met zo'n wapen in de handen van een huurmoordenaar zou geen enkele vorst of militair leider meer veilig zijn.

Herrick richtte het vizier van het geweer op zijn doelwit en tuurde langs de loop naar Drake. Hij zou hem nu kunnen neerschieten maar hij beheerste zich. De sloep deinde op het woelige water, en Herrick had geen haast. Hij wachtte al zestig uur achter dit raam, terwijl hij overdag Deptford Strand, de rivier en de afgemeerde schepen in het oog hield, met maar korte pauzes om te eten of te drinken. Dus kon hij nog wel even wachten tot Drake dichter bij de oever was, maar nog niet afgemeerd. Daar ging het om. Dit was de plek, had zijn man hem verzekerd.

Hij had Drakes hoofd in zijn vizier, zo groot als de watermeloenen op de markt aan de voet van de Capitolijn, bij het Engelse seminarie. Hij liet de loop wat zakken en richtte op Drakes borst. Altijd kiezen voor het grootste doelwit, het lichaam, niet het hoofd.

Ze waren nu voldoende dichtbij. De sloep lag in kalmer water en er waren geen obstakels tussen de loop van Herricks geweer en het lichaam van Engelands grootste zeevaarder. Herrick drukte de kolf tegen zijn schouder om de terugslag te beperken, en haalde de trekker over.

De explosie was oorverdovend. De terugslag smeet Herrick achteruit, terwijl er rook uit de loop kringelde. Herrick legde het wapen naast zich op de kale houten vloer en keek weer uit het raam om de sloep te zien. Er was groot tumult ontstaan en de boot deinde woest op en neer. De roeiers waren overeind gesprongen en schenen om Drake heen te staan. Was hij dood? Dat kon niet anders. Herrick had geen tijd te verliezen. Hij moest voortmaken. Per boot terug naar Londen was onmogelijk, omdat de rivier onmiddellijk zou worden afgesloten. Hij had een paard klaarstaan in een stal landinwaarts, een halve mijl naar het zuiden, bij het grote landgoed Sayers Court. Van daar wilde hij naar Southwark rijden, waar hij zich kon verschuilen op een onderduikadres totdat het stof was neergedaald. Misschien een week, of nog langer. De havens waren al gesloten sinds de dood van Mary, de Schotse koningin en alle buitenlanders die het Kanaal wilden oversteken zouden nu nog strenger worden gecontroleerd. Herrick moest koel blijven, zich gedeisd houden en afwachten.

Hij demonteerde het wapen, borg het weer in de tas en schoof die onder zijn bed. Hij had het niet meer nodig. Verder had hij geen bezittingen, behalve de kleren aan zijn lijf, het radslotpistool achter zijn riem, zijn lange, dunne dolk en een sabel. Hij deed de deur van de kamer achter zich dicht en liep de krakende trap af naar de winkel beneden.

Bob Roberts, zijn huisbaas, stond in de deuropening. Hij draaide zich om en grijnsde breed naar Herrick, de steel van zijn dampende pijp in zijn vuist geklemd. 'Een hele drukte daar, Henrik van Leiden,' zei hij, terwijl hij Herrick nonchalant de rook in zijn gezicht blies.

'Wat is er dan, Bob?'

'Moeilijk te zien. Ik zou denken dat er iemand gewond is.' Roberts keek Herrick onderzoekend aan. 'Gaat het wel? Ik hoorde een klap. Ik dacht dat je uit bed gevallen was.'

Herrick lachte. 'Zo is het, Bob. Maar ik moet er weer vandoor om werk te zoeken. Ik zie je vanavond wel.' Hij stapte naar buiten om zo snel mogelijk de stal te bereiken, maar eerst moest hij zich door de menigte op de kade worstelen om te zien of Drake echt dood was.

Boltfoot was doorweekt. Hij stond op de kade, zijn ogen gericht op een klein raam. Vlak voor het schot viel, had hij achter dat raam iets zien glinsteren. Die glinstering was veranderd in een wolkje rook, onmiddellijk gevolgd door de bekende klap van een exploderende kruitlading. Op dat moment had Matt, de bootsman, net zijn pikhaak uitgestoken om de sloep naar de kadetrap te trekken. Hij was in zijn buik geraakt en achterovergevallen, op Drakes schoot.

Boltfoots blik ging even naar Matt, maar meteen weer terug naar het raam. Toen de rook optrok, verscheen er een gezicht. Het was gladgeschoren, zo bleek als een marmeren buste en het tuurde hun kant op. Na de eerste schok verzamelden de roeiers en Diego zich rond Matt, tilden hem van de schoot van de vice-admiraal en legden hem op de bodem van de boot, waar ze hem konden verzorgen. Drake nam de leiding over de situatie, terwijl Boltfoot uit de boot klauterde en door de rivier naar de trap waadde, die bij hoogtij onder water lag.

Druipend hees hij zich omhoog naar de kade. Er was nu veel publiek, dat probeerde te zien wat er in de sloep was gebeurd. Na een paar seconden op de kade om zich te oriënteren, wrong Boltfoot zich door de menigte en keek weer naar het raam. Het gezicht was verdwenen. Boltfoot ging op weg naar het gebouw. Ondanks zijn horrelvoet was hij behoorlijk snel. Hij had zijn dolk in zijn hand, losjes langs zijn zij. De winkel waarboven hij het gezicht achter het raam had gezien lag zestig of zeventig meter van de kade. Er stond nu iemand in de deuropening, een man met een baard, die een gewone toeschouwer leek. Naast hem dook een ander op, een vent met een gladgeschoren gezicht, net als de man achter het raam. Dit moest hem zijn. Boltfoot versnelde zijn pas.

Herrick kreeg Boltfoot in de gaten zodra hij naar buiten stapte en herkende hem onmiddellijk als de piraat die naast Drake in de sloep had gezeten. De man had zijn dolk getrokken en kwam recht op hem af met een moeizame, scheve tred, waarbij hij zijn ene been achter zich aan sleepte alsof hij gewond was. Zou hij zijn geraakt in de chaos van de aanslag op Drake? Herrick veranderde van plan. Dan maar niet naar de kade. Deze man had het op hem voorzien. Haastig sloeg hij rechts af, dook een steegje in en schampte een waterdrager, waardoor hij de grote, kegelvormige ton van zijn schouders stootte. De ton was sterk genoeg en brak niet, maar er stroomde wel water uit. De man vloekte, maar Herrick was al doorgelopen.

Boltfoot verscheen in het steegje toen de waterdrager net zijn zware last weer op zijn rug hees.

'Waar is hij heen?'

De man, die grijs haar had en een kromme rug, wees door het steegje en beduidde dat de vluchteling aan het eind rechts was afgeslagen. 'En sla die klootzak een bloedneus voor me!'

Boltfoot had zijn caliver getrokken en maakte die schietklaar voordat hij verder rende. Aan het einde van de steeg ging hij naar rechts en zag nog net de rug van de man, een meter of dertig voor zich uit. Het zou een onmogelijk schot zijn, maar Boltfoot wist dat hij de man nooit zou kunnen inhalen. Hij bleef staan, knielde, nam het radslotwapen in zijn rechterhand en liet de loop op zijn linkerarm rusten. Hij richtte zo goed als zijn hijgende borstkas mogelijk maakte en vuurde.

Herrick voelde een stekende pijn in zijn zij, net onder zijn linkeroksel, en kromde zijn rug. Maar hij bleef rennen, zijn rechterhand tegen de wond gedrukt. Zijn vingers waren nat van het bloed, maar dat hiehl hem niet tegen. In het ergste geval was het een vleeswond, dacht hij. De kogel was afgeketst tegen zijn ribben. Hij had geluk gehad. Dus rende hij door.

De steegjes waren druk en smal, met overkappingen boven allerlei zaken die iets te maken hadden met de bedrijvigheid waar de stad op dreef: zeeliedenpensions, kroegen, hoerenkasten, winkels. Herrick hield vol, als een wolf op de vlucht voor een herder wiens lammeren hij net had afgeslacht. Hij was fit, maar zijn borst en longen deden nu pijn. Eindelijk had hij het centrum van Deptford achter zich gelaten. Hij stak een straat over, toen nog een en ontweek maar net een ruiter die met moeite zijn paard inhield. Voor zich uit zag hij de stal, en hij vertraagde zijn pas.

Een van de stalknechten leidde net zijn paard naar buiten over de keitjes van de binnenplaats. Hij zag Herrick aankomen. 'Morgen, heer. Precies op tijd. Uw paard is klaar voor zijn ochtendrit.'

Herrick hapte naar adem. Hij nam de teugels van de man over en accepteerde diens gevouwen handen als opstapje om zich op het paard te slingeren. Rustig aan, vermaande hij zichzelf. Geen achterdocht wekken. Hij wist een glimlach op te brengen voor de stalknecht en gooide hem een muntstuk toe uit zijn beurs.

'Dank u, heer.' Toen: 'U lijkt wel gewond, heer.'

'Ik ben op een ijzeren punt gevallen. Een oude spaak van een karrenwiel, denk ik.'

'Te diep in het glaasje gekeken?'

Herrick lachte. 'Wie weet.' Over de schouder van de stalknecht zag hij in de verte de hinkende schutter komen; de vreemde tred van de man was onmiskenbaar. Herrick ramde zijn hakken in de flanken van het paard, sloeg met de teugels, wendde het dier en ging ervandoor.

23

Het gedempte tromgeroffel deed denken aan het verre gebulder van kanonnen. Alle doorgaande wegen in Londen waren afgesloten voor het verkeer. Langs alle straten stonden sombere mensenmassa's om de laatste eer te bewijzen aan hun dappere ridder en dichter, sir Philip Sidney.

Hij was gestorven aan koudvuur na een schotwond in zijn dijbeen die hij had opgelopen toen hij en zijn mannen door de Spaanse troepen van de hertog van Parma in een hinderlaag waren gelokt bij Zutphen in de Lage Landen, afgelopen oktober. Zijn lichaam was gebalsemd naar Engeland teruggebracht door een schip met zwarte zeilen. Maandenlang had hij opgebaard gelegen in de Minories bij de Tower, in afwachting van de eerste Engelse staatsbegrafenis voor iemand die niet van koninklijken bloede was.

En nu was die dag gekomen. Sir Philip was Walsinghams schoonzoon geweest, en de minister betaalde de indrukwekkende processie hoewel hij zich dat nauwelijks kon veroorloven. Het was een moment van grote symboliek: de teraardebestelling van een voorvechter van de protestantse reformatie. Zevenhonderd officiële begrafenisgasten volgden de stoet die zich langzaam door de straten bewoog, van Aldgate naar St. Paul's. Aan het hoofd reed de katafalk, die alles in de schaduw stelde, bedekt met fluweel en vlaggen en omringd door de belangrijkste leden van de families Sidney en Walsingham. De groten van het land waren aanwezig, zoals sir Philips oom, de graaf van Leicester, bleek en vermoeid alsof hij de wil om door te vechten had verloren, en Leicesters stiefzoon, de graaf van Essex, de nieuwe held van de oorlog in de Lage Landen. Van de heersende elite ontbrak alleen de koningin zelf, die volgens de verhalen nog steeds woedend was om de executie van Mary Stuart en zich had teruggetrokken in haar geheime kabinet in Greenwich Palace.

De menigte applaudisseerde voor de begrafenisstoet. Tranen liepen de mensen over de wangen, emoties die nog werden versterkt door het nieuws over de aanslag op het leven van hun andere grote held, Drake. Er werden eerbetuigingen geroepen naar Sidney, Engelands meest geliefde zoon. Anderen riepen om wraak op Parma, koning Filips en Spanje.

John Shakespeare keek nog een tijdje, maar de aanblik van Top-cliffe, die voor in de stoet van treurende gasten liep, was hem te veel. Hun blikken kruisten elkaar en Topcliffe leek smalend te lachen, zijn bruine gebit ontblotend als een rij slagtanden. Shakespeare draaide zich om. Er was werk te doen. Hij moest Catherine Marvell en Thomas Woode weer spreken en naar Deptford reizen om de verhalen te horen van degenen die de dader van de aanslag op Drake hadden ontmoet. Bovendien had hij nog een andere missie in Deptford: een gesprek met de vlootvoogd zodra die van de begrafenis was teruggekeerd. Howard moest hem toch meer kunnen vertellen over lady Blanche. Toen Shakespeare naar Dowgate liep, snoof hij de heerlijke geur van geroosterde kastanjes op. Hij kocht er een paar, pelde ze onder het lopen en at ze op. De met zwarte doeken gedempte trommels roffelden een dodenmars die langzaam wegebde in de nevel achter hem.

Catherine was thuis, maar Woode niet. Ze leek niet blij met zijn komst. 'Het verbaast me dat u niet bij St. Paul's bent om te treuren om de heldhaftige sir Philip,' zei ze. 'Heel Londen schijnt daar te zijn.'

'Vindt u hem geen held, juffrouw Marvell?'

'O, jawel, heer. Hij was een volmaakte, edele ridder. Maar het moment van de begrafenis vind ik wel interessant. Die dag is gekozen door uw eigen minister Walsingham, als ik me niet vergis. Merkwaardig snel na de executie van de koningin van Schotland.'

Shakespeare had die opruiende roddels over de keuze van de datum ook gehoord. Sterker nog, hij had zelf vraagtekens bij de datum, want deze grootse begrafenis van sir Philip Sidney was inderdaad een goede manier om de aandacht van het publiek af te leiden van Mary's terechtstelling. Het was echter één ding om je zoiets af te vragen, maar heel iets anders om er openlijk over te beginnen, zoals Catherine Marvell nu. 'Pas op met wat u zegt, juffrouw, anders vestigt u nog ongewenste aandacht op deze huishouding.'

'Is het nu ook al een halsmisdrijf om jezelf katholiek te noemen?'

'U mag uzelf noemen zoals u wilt,' reageerde Shakespeare geïrriteerd, 'zolang u maar naar uw parochiekerk gaat en geen priesters uit het buitenland onderdak verschaft. U weet toch dat het een ernstig misdrijf is voor een paapse priester om Engeland binnen te komen.'

'Nou, heer Shakespeare, dan moet ik ze maar niet binnenlaten.'

'En wat de Schotse koningin betreft: waarom zou u een traan om haar laten? Was ze geen overspelige? Heeft ze niet een echtgenoot in koelen bloede vermoord? Twijfelt u eraan dat ze van plan was de koningin van Engeland uit de weg te ruimen?'

'Dat oordeel laat ik aan God over, maar ik ben ervan overtuigd dat ze als christen is gestorven.'

Dit was geen goed begin. Shakespeare had helemaal geen zin om de degens met Catherine Marvell te kruisen. Hij stond daar een beetje stuntelig, als een schooljongen, aarzelend wat hij nu moest zeggen of doen. Hij wilde niet de autoritaire agent van de regering spelen.

'Het spijt me, heer Shakespeare,' zei Catherine ten slotte met een lachje dat haar blauwe ogen deed oplichten. Ze droeg een lange jurk van mooie, bordeauxrode wol en een bijpassend lijfje. Haar kraag was simpel en haar lange, donkere haar hing los. Daardoor werd het standvastige karakter van haar ogen en haar mond nog benadrukt, evenals haar tengere figuur. 'Ik neem aan dat u niet bent gekomen om u de les te laten lezen. Het is onvergeeflijk van me om u in deze kou voor de deur te laten staan. Kom binnen, alstublieft.'

Hij bedankte haar en stapte de warmte van het huis in. Binnen hoorde hij de geluiden van lachende en spelende kinderen.

'De kinderen van heer Woode. Wilt u ze spreken? Misschien houden ze wel priesters verborgen.'

Shakespeare merkte dat hij glimlachte. 'Uw gevoel voor humor wordt nog eens uw ondergang, juffrouw.'

'Zo ben ik nu eenmaal. Als ik naar Tyburn word gestuurd omdat ik voor mijn mening uitkom, zegt dat veel meer over u en Walsingham dan over mij, dat weet ik zeker.'

Shakespeare slaakte een hoorbare, verwijtende zucht, zoals zijn oude leraar altijd deed als een leerling een slecht excuus had om te laat te komen op een winterochtend. 'Dat is het punt niet, zoals u heel goed weet. En ík ben het ook niet die uw hoofd op het hakblok zou brengen, maar er zijn... anderen... met minder begrip en minder zorg om uw welzijn.'

'Misschien. Maar u werkt wel met hen samen, heer Shakespeare. Zo gemakkelijk kunt u zich niet van uw bedgenoten distantiëren.'

'Evenmin als u, juffrouw. Want u weet ook wel dat de roomse priester Ballard in een complot zat om onze vorstin te vermoorden. U weet ook dat de paus zelf een moordaanslag op de koningin sanctioneert en verraderlijke jonge priesters uit het slangennest van het Engels seminarie in Rome hierheen stuurt om haar bewind te ondermijnen. Dat zijn toch úw bedgenoten?'

Catherines ogen stonden fel. 'Ik héb geen bedgenoten, heer. Ik ben nog maagd. Kom, dan gaan we naar de kinderen. Daar heb ik leukere gesprekken.' Ze ging hem voor naar de kinderkamer. De jongen, Andrew, rende op haar toe en wierp zich in haar armen. Hij was een stevige knul van zes, met het blonde haar van zijn vader en hetzelfde brede voorhoofd. Het meisje, Grace, leek Shakespeare een jongere versie van het portret van Woodes overleden vrouw in de hal. Ze rende ook naar Catherine, terwijl ze een houten pop bij zijn enig overgebleven arm over de houten vloer sleepte. Catherine sloeg haar armen om hen heen en hurkte om hen te kussen. Opeens ontdekten de kinderen de bezoeker en kropen bij haar weg.

'Andrew, Grace, dit is heer Shakespeare. Willen jullie hem netjes begroeten?'

'Goedemorgen, heer,' zei de jongen ferm, zoals hem was geleerd.

Shakespeare bukte zich en gaf hem een hand. 'Goedemorgen, jongeheer Andrew.'

Grace wendde verlegen haar hoofd af en wilde niets zeggen.

'Ze moet voor haar pop zorgen. Dat is vast belangrijker dan met saaie volwassenen te praten,' zei Shakespeare.

Catherine liet de twee kinderen voorzichtig weer los en gaf hen een klopje op hun hoofd. 'Ga maar weer spelen, terwijl ik met heer Shakespeare praat.'

De kinderen renden de kamer door, zo ver mogelijk van hen vandaan.

'Kan ik u iets aanbieden? Een warme kruidenwijn, misschien?'

'Nee, dank u. Doe geen moeite. Ik heb maar een paar vragen, dat is alles.'

'En hoe moet ik antwoorden? Naar waarheid, zodat ik mijn nek riskeer? Met humor, zodat ik kans loop in Tyburn terecht te komen? Of moet ik gewoon liegen en in leven blijven?'

Shakespeare negeerde die steek onder water. Hij wist dat hij haar van repliek kon dienen. De ene wreedheid tegenover de andere. Zoals de slachting die de Franse katholieken onder de protestantse hugenoten hadden aangericht in de Bartholomeüsnacht. Of hij kon beginnen over de gruwelen van Torquemada's inquisitie en diens brandstapels. Maar in plaats daarvan kwam hij ter zake: 'Kende u lady Blanche Howard?'

Catherine aarzelde een fractie van een seconde, maar voor Shakespeare was dat genoeg. 'Jawel, heer Shakespeare. Ik hield van haar als van een zuster.'

Dat oprechte antwoord bracht hem evenwel van zijn stuk. 'Waarom hebt u dat niet eerder gezegd?'

'Heer, ik wist niet dat het van belang was voor uw onderzoek en bovendien hebt u het me niet gevraagd.'

'Wilt u me vertellen hoe u haar kende?'

Catherine liep naar de deur. 'Laten we in de bibliotheek gaan zitten, dan worden we niet gestoord door het rumoer van de kinderen. Kan ik u echt niets aanbieden?'

Shakespeare bedankte haar en zei dat hij een warme kruidenwijn toch wel op prijs stelde. Terwijl hij wachtte tot Catherine terugkwam met de beker, slenterde hij door de bibliotheek en bekeek Woodes uitgebreide collectie boeken, waarvan een groot aantal in het Italiaans. Ergens in huis hoorde hij timmergeluiden. Toen Catherine even later verscheen, bedankte hij haar voor de wijn en vroeg naar het gehamer.

'Het huis is nog niet klaar, heer Shakespeare. De timmerlui en metselaars zijn nog bezig met het gedeelte aan de westkant van de binnenplaats.'

'Is het niet vreemd dat zo'n groot huis maar zo weinig bedienden heeft?'

'Dat was vanwege de bouw. Heer Woode wilde niet verhuizen vanwege de kinderen, dus zijn we hier gebleven en heeft hij het personeel ingekrompen. Ik moet bekennen dat we nogal krap hebben gewoond.

Pas de laatste tijd hebben we meer ruimte. De dienstmeiden en koks komen overdag en ik geef ze hun instructies. Ik geloof dat er gelukkig wat meer personeel komt als het huis af is.'

Shakespeare verzamelde zijn gedachten. 'U vertelde me over lady Blanche. Het verbaast me dat u haar kende, moet ik zeggen. Zij was een dame aan het hof, u bent gouvernante van de kinderen van een koopman.'

'U bedoelt dat ik te min voor haar was...'

Shakespeare bloosde. 'Neem me niet kwalijk. Dat wilde ik zeker niet beweren.'

'O nee? Volgens mij bedoelde u dat wel. En u hebt volkomen gelijk. Ik ben maar een eenvoudige schoolmeestersdochter uit York. Ik heb geen geld en weinig vooruitzichten. Blanche was een dochter uit een vooraanstaande Engelse familie en had een graaf of hertog kunnen trouwen. Wat hadden wij dan gemeen?'

'Nou?'

Catherine hield haar hoofd schuin. 'Dat hebt u al bedacht, neem ik aan. Ons geloof, natuurlijk. Blanche was kortgeleden in de kerk van Rome teruggekeerd en we ontmoetten elkaar bij de mis.'

'En waar werd die mis gehouden, als ik vragen mag?'

'Dat kan ik u niet zeggen, zoals u begrijpt. Ik vertel u dit alleen omdat ik wil dat de dader van die afschuwelijke misdaad wordt gepakt. En...'

Ze wendde haar hoofd af en staarde uit het raam. De hemel buiten was winters wit. Shakespeare wachtte. Ze keek hem weer aan.

'En omdat ik u vertrouw, heer Shakespeare.'

Haar woorden deden een rilling over zijn rug lopen. De inlichtingenofficier in hem, de agent van de staat, vreesde haar vertrouwen. Het laatste wat hij wilde was geheimen te moeten aanhoren die hij niet kon bewaren. Hij nam een slok van de wijn en genoot van de zoete warmte. 'Juffrouw,' zei hij ten slotte, 'ik kan u niet beloven dat ik de zaken die u mij vertelt geheim zal houden. Mijn eerste plicht ligt bij de minister en Hare Majesteit de koningin.'

Catherine lachte droog. 'Ik wil u niet in verlegenheid brengen. Ik bedoel alleen dat ik erop vertrouw dat u gewetensvol zult omgaan met wat ik u zeg.'

'Vertel me dan wat meer over lady Blanche.'

'Nou, ze leek soms heel jong, vol leven en vrolijkheid. Op andere momenten was ze juist ernstig en devoot. Ze had plannen om naar Italië of Frankrijk te reizen en daar in het klooster te gaan, maar veranderde toen van gedachten. Op dat moment begreep ik niet waarom. Nu wel, natuurlijk. Ze werd verliefd.'

'Op de vader van haar ongeboren kind?'

Catherine sloot haar ogen en sloeg haar handen voor haar gezicht, als een klein meisje bij het hondengevecht met de vastgeketende beer, dat haar ogen afwendt zodra er bloed vloeit. 'Ik geloof het wel,' zei ze zacht. 'Ik wist niet dat ze in verwachting was tot ik het nieuws over haar dood hoorde. Vraag niet verder, alstublieft. Ik kan zijn naam niet noemen.'

'Wat voor man was hij? Een vreemdeling? Een vriend? Een andere papist?'

'Alstublieft…'

'Maar u wilt dat ik de moordenaar vind. Ik kan niet met schimmen werken. U moet wat meer licht in de duisternis brengen. Misschien steekt er namelijk veel meer achter deze tragedie dan we nu denken. Ik heb reden om aan te nemen dat haar moordenaar door Spanje is gezonden en een complot beraamt tegen Engeland. Mogelijk heeft lady Blanche meer ontdekt dan goed voor haar was en is ze een bedreiging voor hem geworden. U zegt dat u een trouw onderdaan van de kroon bent. Dit is het moment om dat te bewijzen. Als de moordenaar van lady Blanche dezelfde is die haar zwanger heeft gemaakt, is het uw plicht als goede Engelse mij zijn naam te zeggen. Bovendien – en dat is geen dreigement – kent u het gevaar voor uzelf en dit huis als u belangrijke informatie achterhoudt.'

Catherine schudde heftig haar hoofd. 'De man van wie ze hield zou geen vlieg kwaad doen. Hij is heel zorgzaam. Het was triest dat ze nooit hadden kunnen trouwen.'

'Dus u kent hem?'

Ze knikte langzaam. 'Ja. Maar ik zal u zijn naam niet zeggen.'

'Hoe weet u dat hij haar niet heeft vermoord? Alleen God kan in het hart van de mensen zien.'

'Heer Shakespeare, ik ben niet onnozel. Ik vertrouw u zoveel als ik kan, maar dan moet u mij ook vertrouwen. De man van wie ze hield heeft haar niet vermoord.'

'Weet u dan wie wel?'

Buiten zweefde een vogel met lome wiekslag langs de hemel; een kraai, wellicht, of een havik, op zoek naar prooi. Er klonken harde geluiden: de timmerlui die spijkers in balken en verbindingen sloegen, met ergens in het westen het trage tromgeroffel van de begrafenisstoet. Catherine dacht een tijdje na. Ze had haar verdenkingen, maar geen bewijzen. En ze kon niets over haar angsten zeggen; dat zou verraad zijn aan degenen van wie ze hield. 'Nee,' zei ze zacht. 'Ik weet niet wie haar heeft vermoord.'

'Maar u hebt wel een idee, nietwaar?'

'Als ik verdenkingen koester, heb ik daar geen bewijzen voor, dus zijn ze ongegrond. Het zou geen zin hebben u die te vertellen.'

'Mag ik dat zelf beoordelen?'

'Ik kan er niets over zeggen.'

Shakespeare knarsetandde van frustratie. Iedere andere getuige zou hij hebben aangehouden en opgebracht voor een verhoor onder dwang. Waarin verschilde deze vrouw van Walstan Glebe, die nu lag weg te kwijnen in een kerker van Newgate, bedreigd met verminking en jaren dwangarbeid? Misschien had Topcliffe wel gelijk en was hij te week voor dit werk. Hij keek Catherine nijdig aan. 'Goed juffrouw, daar komen we nog op terug. Maar nu een andere kwestie. Welke connectie had lady Blanche met het drukken van opruiende lectuur? Zijn u en heer Woode daarbij betrokken?'

'Ik weet niets over drukwerk. En ik weet ook niet of lady Blanche bij zoiets betrokken was.'

'Maar heer Woode weet wel iets, daar ben ik van overtuigd. Ik zag zijn reactie toen ik hem ondervroeg. Hij herkende het papier, het drukwerk of allebei.'

'Dat zult u heer Woode zelf moeten vragen. Ik kan niet voor hem spreken.'

'En het huis in Hog Lane, waar het lichaam van lady Blanche is gevonden?'

'Daar weet ik ook niets van. Ik ben daar nog nooit geweest. Ik had er zelfs nog nooit van gehoord en ik kan u niet zeggen waar het is.'

'Kunt u me verder nog iets vertellen – iets wat ons kan helpen deze smerige moordenaar te vinden?'

'Heer Shakespeare, geloof me, alstublieft. Als ik wist wie de moordenaar was, zou ik u zijn – of haar – naam echt wel noemen, zonder aarzelen. Ik wil dat die laaghartige dader zijn gerechte straf krijgt, zodat hij nooit meer zoiets zal kunnen doen.'

Catherines toon was heftig genoeg, maar toen ze het zei kreeg ze een kil gevoel in haar maag. Want hoewel ze zorgvuldig had vermeden te liegen, was ze zich er pijnlijk van bewust dat ze ook niet de hele waarheid had verteld.

24

Rose Downie stak haar hand omhoog naar de kaasplank in de provisiekamer en pakte de parmezaanse, de cheshire, een kleine geitenkaas en een zachte stinkkaas uit Rouen. Ze vond ook nog een stuk spermyse, een romige kruidenkaas, maar die was gaan schimmelen, dus hield ze hem apart voor het varken. Vanavond was er een belangrijk etentje, had ze gehoord, en de gravin verwachtte een goede keus.

Ze legde de kazen op een grote houten plank en sneed er wat koud vlees bij. Net als de andere twee dienstmeiden in dit grote, oude labyrint van een huis in de wijk Farringdon was Rose heel nieuwsgierig wie haar vrouwe, lady Anne Tanahill, vanavond zou ontvangen. Die gelegenheden werden zeldzaam, de laatste tijd. Sinds de heer des huizes, lord Philip, twee jaar geleden in de Tower was gevangengezet, hadden lady Anne en haar kindje een triest en teruggetrokken bestaan geleid. Hoewel lady Anne een lange vrouw was, met blond haar en een huid die glansde als van een half zo oude vrouw, was ze ook mager en verlegen. En toch bezat ze een gratie waar Rose van hield en bewondering voor had.

Het huis, hoe oud en slecht onderhouden ook, was prettig om in te wonen. Ooit was het de stadswoning van bisschoppen en andere vooraanstaande figuren geweest, voordat het zo'n veertig jaar geleden in het bezit van de graven van Tanahill was gekomen. Het had een lange, brede tuin, helemaal tot aan de Theems, waar een eigen aanlegsteiger lag. Het stond, heel brutaal, vlak bij het grote huis van de graaf van Leicester en het paleis van de koningin, Somerset House – geen gunstige ligging voor een familie die aan het oude geloof vasthield, terwijl het grootste deel van de omgeving de nieuwe kerk had omhelsd.

Meestal gingen de meiden, de knecht en de vrouw des huizes naar bed zodra het donker werd, maar vanavond was heel Tanahill House met kaarsen verlicht. Amy Spynke, de huishoudster, had twee vogels en een biefstuk laten braden. En dan waren er nog wintergroenten, soep en zoetigheid.

De gasten arriveerden om zeven uur, eerst de familie Vaux, dan de Brownes, gevolgd door de Treshams en heer Swithin Wells, die al grijs en kromgebogen was. Wells was tegenwoordig de meest regelmatige bezoeker van de gravin. Rose kende hen allemaal goed en wist dat ze papen waren, maar dat kon haar weinig schelen. Ze waren vriendelijk tegen haar en behandelden haar met respect. Ze had geen belangstelling voor dat godsdienstige gedoe. Elke zondag ging ze naar de anglicaanse kerk van haar parochie omdat ze anders volgens de recusation-wet een boete zou krijgen, maar dat was alles.

De laatste twee gasten kende ze niet, maar ze werden voorgesteld als heer Cotton en heer Woode. Rose maakte een reverence, omdat ze stijlvol waren gekleed, als hoge heren. Toen de drie meiden – Rose, vrouw Spynke en het meisje Beatrice Fallow, die pas elf was – zich in de keuken terugtrokken, begon de baby te huilen in Rose' kamer op zolder. Ze bleef abrupt staan. 'O nee, niet weer!' mompelde ze. Alle spieren in haar lichaam verstijfden. Ze moest naar hem toe, hoewel ze wist dat het geen zin had hem te troosten. Hij zou toch blijven huilen, met dat griezelige geluid. Het enige wat een eind kon maken aan het kattengejank was haar melk en, uiteindelijk, de vermoeidheid. Maar hij had al twee uur geslapen en zou waarschijnlijk wakker blijven tot na middernacht.

'Ik moet naar hem toe, Amy,' zei ze. 'Zeker vanavond.'

Amy knikte. 'Goed Rose, schat. Kom maar terug als het kan. Beatrice en ik redden het wel.'

In haar kleine kamertje boven in het huis boog Rose zich over de wieg. Ze staarde een tijdje naar het ronde gezichtje met de lage oren. De merkwaardige, zwarte kikkerogen, zo ver uiteen, keken niet-begrijpend terug. Het kind had zijn mondje wijd open in een schreeuw. Een monstertje, dacht Rose, net als sommige dieren die ze nooit in werkelijkheid had gezien. Met het kussen van haar bed zou ze zonder moeite zijn levensvlammetje kunnen doven. Er waren momenten dat ze zich afvroeg of ze niet op een nacht door een spook was bezocht dat dit gedrocht in haar schoot had achtergelaten, maar toen herinnerde ze zich weer dat het haar kind helemaal niet was. Haar eigen zoon heette William Edmund en zag er prachtig uit. Wie had haar baby weggenomen en dit… *ding*… ervoor in de plaats gelegd?

Ze maakte haar blouse los en tilde de baby uit zijn wieg naar haar borst. Met open mond, gulzig als een pasgeboren mus in zijn nest, zoog hij zich aan haar tepel vast en begon hevig te drinken. Ze zou hem een naam moeten geven, dacht Rose. Ze kon hem niet Edmund of William noemen, want zo heette haar eigen kind. Misschien Robert, naar haar overleden vader? Was deze baby ooit gedoopt?

Rose ging op het kussen liggen met het kind aan haar borst, terwijl al die gedachten door haar hoofd speelden totdat ze slaperig werd. Ze was bijna ingedommeld toen er zachtjes op de deur werd geklopt. 'Ik ben het, Amy. M'lady heeft gevraagd of je het kind beneden wilt brengen.'

Onmiddellijk begon de baby weer te krijsen. 'Waarom wil ze de baby zien als ze gasten heeft?' zuchtte Rose. Ze was de gravin erg dankbaar. Niet veel werkgevers zouden een jonge weduwe met een kind hebben teruggenomen.

Toen ze beneden kwam, was de tafel al afgeruimd en zaten de gasten zachtjes te praten bij een glas wijn. Rose bleef in de deuropening staan met de in doeken gewikkelde baby in haar armen. Hij schreeuwde nu hard en hoog, een doordringend, monotoon geluid, waarbij horen en zien je verging. De gasten draaiden zich naar haar om. Lady Tanahill stond op van haar stoel en kwam naar haar toe. Ze legde een hand op Rose' schouder en bracht haar naar de tafel. Glimlachend nam ze het kind van Rose over en liet het aan de anderen zien. 'Dit is Rose' vondeling,' zei ze, zonder op het gekrijs te letten. 'Haar eigen baby is gestolen toen ze op de markt was, en deze werd ervoor in de plaats gelegd. Helaas hebben de rechter en de dienders helemaal niets gedaan om haar zoontje, William Edmund, terug te vinden. Maar Rose heeft heel dapper voor deze baby gezorgd. Daarin is ze een echte christen, want ook dit is een van Zijn schepselen. Heel mooi van haar.' Ze glimlachte tegen Rose. 'Ik hoop dat ik je situatie niet te luchtig voorstel. Het moet verschrikkelijk zijn om op die manier een kind kwijt te raken. Veel vrouwen zouden niet bestand zijn geweest tegen de last om het kind van een ander te zogen en te verzorgen.' Ze hield het hoofdje van de baby omhoog voor de gasten. 'Dit kind is niet als alle andere, zoals jullie zien.'

De gasten keken aandachtig en met sympathie. De vrouwen stonden op, dromden om de baby heen en raakten zijn gezichtje aan. Rose Downie keek verbaasd toe. Ze had niet gedacht dat dit groteske kind zo veel belangstelling en medeleven bij anderen zou opwekken.

'Pater Cotton,' zei de gravin ten slotte, 'wilt u dit kind zegenen?'

Cotton nam hem uit haar armen. Met zijn ene hand streelde hij het kleine gezichtje, terwijl hij het kind met de andere ondersteunde. Toen mompelde hij wat woorden in het Latijn en maakte een kruisje op zijn voorhoofd. De baby hield op met huilen. Cotton gaf hem aan Rose terug en zei tegen haar: 'Pax vobiscum, mijn kind. Je bent waarlijk een gezegende onder de vrouwen, want Hij heeft jou gekozen om voor deze baby te zorgen zoals ooit de Heilige Moeder werd uitverkoren.'

Rose zei niets. Ze wist niet wat ze moest zeggen. De gasten glimlachten tegen haar, maar toch voelde ze zich klein en onbetekenend in hun gezelschap, zeker tegenover deze heilige man met zijn gave. Als ze niet had beseft dat hij een paapse priester was, zou ze hem voor een tovenaar hebben gehouden, zoals hij de baby wist stil te krijgen. Wat ongemakkelijk maakte ze een reverence voor de gravin en liep toen achterwaarts de kamer uit. Ze werd opgevangen door Amy en Beatrice, die vanaf de deur hadden toegekeken.

'Hoe deed hij dat?' vroeg Beatrice. 'Dat moet een truc zijn.'

'Ja, het leek mij ook tovenarij,' zei Amy, 'maar als je dat een nacht slaap oplevert...' Ze stapte naar Rose toe en fluisterde in haar oor: 'En hij blijft hier, verborgen in huis. Geen woord tegen wie dan ook, anders zijn we allemaal in moeilijkheden. Ik weet dat je een ander geloof hebt, maar je bent een goed mens. Met een beetje geluk kan pater Cotton de baby rustig houden als jij wilt slapen.'

Rose voelde zich misselijk en beschaamd om de vreselijke gedachten die door haar hoofd spookten. Ze wist dat pater Cotton, de vrome priester van de kerk van Rome, de man was naar wie Richard Topcliffe zo wanhopig zocht – dezelfde Topcliffe die de macht had om William Edmund te vinden en veilig terug te brengen in haar armen. Als dat betekende dat hij haar kon nemen wanneer hij er zin in had en dat ze niet alleen Cotton maar ook haar weldoenster en dit hele huis zou moeten verraden... het zij zo. Welke moeder zou niet álles doen voor haar kind, ten koste van zichzelf en iedereen om haar heen?

De baby sliep nog als een roos toen ze de trap op liep om hem in zijn wieg te leggen. Daarna trok ze haar warme wollen mantel met capuchon dicht om zich heen en sloop stilletjes de achtertrap af. Buiten werd de maan verduisterd door de hoge, van kantelen voorziene torens van Tanahill House, maar er viel genoeg kaarslicht door de loodvensters van de grote huizen aan de Strand om Rose haar weg te doen vinden terwijl ze haastig naar het westen liep, een paar honderd meter tot aan Charing Cross, en van daar door Whitehall Palace naar Westminster.

25

De ijzeren vuist van Topcliffe en zijn papenjagers daalde neer vlak voor het ochtendgloren, op het moment dat Cotton in een kamer op de eerste verdieping de mis opdroeg voor de gravin, haar kindje en haar personeel. De knecht, Joe Fletcher, rende de smalle stenen trap achter in de hal af, maar tegen de tijd dat hij de voordeur bereikte, was die al met een stormram ingebeukt. Als aan de grond genageld bleef hij staan, tegenover een muur van blikkerende zwaarden, oplaaiende toortsen, hoofden met stalen helmen en leren borstkurassen met het wapen van de koningin.

Topcliffe stond voor de groep van tien donker geklede mannen en wierp een dreigende, dansende schaduw door de toortsen achter hem. Ook de belangrijkste Londense papenjager, Newall, maakte deel uit van het gezelschap. Alle mannen, behalve Topcliffe, hadden hun zwaard getrokken. Ze schreeuwden en stampten met hun laarzen. Scherpe rook walmde omhoog van de toortsen en uit de pijp die Topcliffe tussen zijn kaken hield geklemd.

Topcliffe deed een stap naar voren en bracht zijn gezicht vlak bij dat van Fletcher. Hij was een half hoofd kleiner dan de knecht, maar straalde twee keer zoveel kracht uit. 'Waar zijn ze?' gromde hij, door een rookwolk heen. 'Breng me naar ze toe, of ik sla je kop van je romp.'

Op de eerste verdieping probeerde lady Tanahill met trillende handen het heilige vaatwerk te verbergen. Cotton pakte zijn misgewaden, dook het trappenhuis in en rende met twee treden tegelijk naar de tweede verdieping. Met bonzend hart stak hij een grote kamer over naar de deur van een kleine toren, waar hij nog een paar treetjes beklom en zich verborg in het hokje met het privaat. Er deugde iets niet met de afvoer en de stank van uitwerpselen was niet te harden.

Aan een verborgen scharnier tilde hij het privaat omhoog. Eronder zat een gat in de vloer. De gravin had hem die schuilplaats gewezen na het vertrek van de andere gasten. Cotton draaide zich half om, hurkte bij de rand, liet zich in de schuilplaats zakken en trok het privaat weer over zich heen. Meteen was het aardedonker. Hij had geen kaars bij zich, maar ook dan had hij die niet kunnen aansteken, omdat de rook van de brandende was hem zou hebben verraden. Hij bad dat de gravin – de enige andere in huis die deze plek kende – eraan zou denken het scharnier weer te verbergen.

Joe Fletcher deinsde terug voor Topcliffe en zijn papenjagers. Hij vreesde voor zijn leven, maar zei geen woord. Opeens verscheen Beatrice onder aan de trap. Ze was niet groot, en de mannen moesten meteen hebben gezien dat ze nog maar een kind was. 'Leg jullie zwaarden neer,' zei ze ferm, met een stem waarin opvallend veel moed en zelfbeheersing klonk. 'Leg die zwaarden neer, zei ik!'

De gravin dook achter haar jonge dienstmeisje op.

'Wie ben jij?' bulderde Topcliffe tegen Beatrice.

'Ik ben Beatrice, dienstmeid van lady Tanahill,' zei ze dapper. 'En wie bent ú, heer?'

'Dat doet er niet toe, meisje. Waar is de vrouw des huizes?' Topcliffe ontdekte de gravin in de deuropening onder aan de trap. Ze was tenger en breekbaar. 'Aha, lady Tanahill, het is me een genoegen. Waar is Southwell?'

'Southwell?' vroeg Anne met zachte stem, nauwelijks verstaanbaar.

'Zeg me waar hij is, anders sloop ik dit hele huis, plank voor plank en steen voor steen, want ik weet dat hij hier moet zijn. Ik zal hem te pakken krijgen, hoe lang het ook duurt.'

De gravin ademde moeizaam. Topcliffe was hier al eerder geweest om haar te treiteren met de gevangenschap van haar man en bewijzen tegen hem te zoeken in zijn papieren. Hij had niets gevonden, hoewel hij anderhalve dag had gezocht. Na dat bezoek had ze de schuilplaats onder het privaat laten maken door een timmerman die haar was aanbevolen door haar roomse vrienden. Het was een heel slimme, ingewikkelde constructie en zo goed weggewerkt in de indeling van het huis dat niemand haar zou kunnen vinden. Een papenjager zou inderdaad het halve huis moeten slopen om erbij te komen.

Topcliffe stuurde de bedienden naar de keuken en lady Tanahill naar haar kamer. Buiten het huis stonden nog vijftien man, die het aan alle kanten hadden omsingeld en alle deuren en ramen in de gaten hielden terwijl de zon opkwam. Systematisch begonnen Topcliffe en zijn mensen het huis te doorzoeken, stampend door alle kamers. Ze keken in en onder alle kisten, bedden en kasten. Ze klopten of hamerden op alle panelen van de lambrisering, luisterend naar een hol geluid. In de bibliotheek smeten ze alle boeken uit de kasten, op zoek naar een valse boekenkast waarachter een deur kon zitten. Topcliffe nam alle bedienden apart en bedreigde hen met martelingen en de dood. 'Als je me nu vertelt waar hij zit, zal ik je leven sparen. Als we hem vinden en je hebt niets gezegd, zul je op de pijnbank worden gelegd en terechtgesteld wegens verraad.' Daarmee dreigde hij zelfs Beatrice.

Toen het de beurt was aan Rose Downie om te worden meegenomen voor verhoor, behandelde hij haar nog ruwer dan de anderen. Maar zodra ze alleen waren, zei hij dat ze kon gaan zitten en schonk haar wat wijn in.

'Je bent een knappe meid, Rose,' zei hij.

'Dank u, heer Topcliffe.' Rose ging zitten, met de baby in haar armen.

'Vind je het niet moeilijk om tussen die smerige, verachtelijke papen te moeten werken?'

'Dat valt wel mee, heer. Het zijn brave mensen, die me geen kwaad doen.'

'Maar ze bieden onderdak aan verraders, Rose. Aan jezuïeten. Dat zijn de mensen die onze geliefde koningin willen doden.'

Rose boog haar hoofd.

'En ze zullen je niet helpen je baby terug te vinden...'

Ze keek op, met hoop en verwachting in haar ogen.

'Waar is die man, Rose?'

'Mijn baby, heer?'

'Alles op zijn tijd. Eerst Southwell.'

Rose klemde de vondeling tegen haar borst. Ze had de vreemde blikken van de andere bedienden wel gezien en hen niet durven aankijken. 'Ik weet niet waar hij zich heeft verborgen, heer. Echt niet. Ik weet alleen dat hij in huis moet zijn. Ze zeiden dat hij hier zou blijven. Geloof me, ik smeek u…'

'Allemachtig, Rose, dat is niet genoeg. Praat met de anderen. Probeer erachter te komen wat ze weten.' Zonder enige waarschuwing hief hij zijn vuist en sloeg haar hard tegen haar mond. Ze viel van haar stoel en de baby gleed over de vloer. Het kind begon te krijsen. Versuft tastte Rose om zich heen, vond de baby terug en tilde hem op. Er zat bloed aan haar handen, dat vlekken maakte op de luiers van het kind. Bloed droop uit haar mond, en een van haar voortanden zat los. 'Dat was om de anderen te bewijzen dat je hen niet verraden hebt, Rose. Ga nu maar terug om uit te vinden waar die priester zit.'

De stank in het donkere gat was overweldigend. Cotton kokhalsde en voelde zijn maag in opstand komen. De schuilplaats was anderhalve meter in het vierkant en ruim twee meter hoog. Er stond een koud stenen bankje, verder niets. Van enig comfort was geen sprake. Eten was er niet, alleen een emmer water met een beker om uit te drinken. De atmosfeer leek bedompt en Cotton betwijfelde of er voldoende luchtcirculatie was. Hoe moest hij ademen als hij gedwongen zou zijn hier langer te blijven? Hij had nog nooit zo'n inktzwarte duisternis meegemaakt, donkerder dan de zwartste nacht. Het maakte geen enkel verschil of hij zijn ogen dicht of open had. Zo moest Christus zich hebben gevoeld toen hij opstond uit zijn graf. Maar meteen schaamde hij zich voor die gedachte en zette haar uit zijn hoofd. Hoe durfde hij zijn eigen lot te vergelijken met het lijden van de Messias?

Hij probeerde rustig te blijven en zijn ademhaling en hartslag onder controle te houden, zodat hij langer met de zuurstof zou kunnen doen. Hij dronk wat water en telde de seconden, toen de minuten, die zich aaneenregen tot een uur en ten slotte tot vele uren. Overal om zich heen hoorde hij gehamer en gekraak, de geluiden van splinterend hout als er panelen of vloerdelen werden losgewrikt en vernield. Hij wist dat hij geen enkel geluid mocht maken. Op een gegeven moment waren ze vlakbij en hoorde hij de mannen lachen, grappen maken, vloeken en dreigen. Een wonder dat ze het bonzen van zijn hart niet konden horen. 'Kom eruit, paapse hond!' riep iemand. 'Je stinkt als een mesthoop!' Toen lachten ze weer. Een van de papenjagers gebruikte het privaat om te poepen, nog geen halve meter bij hem vandaan, aangemoedigd door de anderen toen hij zat te persen. Cotton had het idee dat de stank nog twee keer zo erg werd. Dezelfde woorden maalden maar door zijn hoofd, hoewel hij ze niet durfde uit te spreken: '*Fiat voluntas dei, fiat voluntas dei, fiat voluntas dei...*' Gods wil geschiede.

Na zestien uur liet Topcliffe een nieuwe groep papenjagers aanrukken, zodat de eerste ploeg naar bed kon. Maar zelf bleef hij de hele nacht. Het hameren en breken ging door, ook in de donkere uren. Wandkleden werden losgescheurd, ruiten gebroken. De volgende morgen liet Topcliffe twee aannemers komen. Toen ze bij het half gesloopte huis arriveerden, kregen ze opdracht alle muren en vloeren in het huis op te meten om een verborgen holte te vinden. Urenlang waren ze daarmee bezig, terwijl ze druk discussieerden en zich op het hoofd krabden. Tot ze eindelijk een ruimte ontdekten die niet te verklaren leek. Maar toen Topcliffes mannen een gat wilden slaan, begon de muur gevaarlijk te wankelen en moesten ze in allerijl een paar schoren halen. Eindelijk waren ze erdoorheen, maar het bleek de provisiekast te zijn. Woedend stuurde Topcliffe de aannemers weer weg, zonder betaling. Toen ze protesteerden, zei hij dat ze de rekening aan lady Tanahill konden sturen.

In de loop van de tweede avond trok Topcliffe eindelijk zijn mannen terug, maar hij liet buiten een paar wachtposten achter, en een in de grote hal. 'Morgenochtend kom ik terug,' zei hij tegen de gravin. 'Probeer niet hem het huis uit te smokkelen.'

In zijn schuilplaats viel Cotton zo nu en dan in slaap. De uren verstreken en hij wist niet meer of het dag of nacht was. Hij leunde op het bankje tegen de muur, bang dat hij zou snurken of praten in zijn slaap. De kou deed hem huiveren, maar dat kon hem niet schelen omdat hij op de jezuïtische seminaries was getraind in barre omstandigheden. De honger knaagde, maar ook dat was niet nieuw, want hij had genoeg ervaring met vasten. Een groot deel van de tijd zat hij te bidden of dacht hij na over wat hem te wachten zou staan als – of wanneer – hij werd gevonden. Zou hij bestand zijn tegen de folteringen? Sommige mannen verdroegen zelfs de pijnbank zonder om genade te smeken en hun kwelgeesten alles te vertellen wat ze wilden weten. Maar de meesten beschikten niet over die kracht. Tot welke

groep behoorde hij? Het was goed en wel om naar een martelaarsdood te verlangen zolang alles goed ging, maar volhouden als het
erop aankwam was een ander verhaal.

Door het ontbreken van licht leek hij beter te kunnen horen en voelen. Elk geluid in huis scheen tot hem door te dringen, en het lukte
hem al gauw om zich volkomen geruisloos te bewegen in zijn benauwde hol, waar hij op de tast zijn weg vond, steen voor steen. Gelukkig raakte zijn reuk na een tijdje verdoofd, zodat hij de stank van
het privaat – en zijn eigen behoeften, zorgvuldig in een hoekje van
het gat gedeponeerd – niet langer rook.

Het meest van alles, in die eindeloze uren, verlangde hij naar licht
en leesmateriaal. Hij troostte zichzelf door in zijn hoofd gedichten en
passages uit de Bijbel op te zeggen.

Ook stelde hij een brief op in gedachten, een onverzettelijke brief aan
een denkbeeldige gevangene. Misschien aan Philip, graaf van Tanahill,
die hij nooit had ontmoet maar die nu wegkwijnde in de Tower, ter
dood veroordeeld als verrader. Of aan die andere heilige broeders van
de Societas Jesu, zoals Campion, die hier vóór hem was geweest en
daarvan de ernstige gevolgen had ondervonden. Of aan degenen die
nog moesten komen. Misschien aan zijn vriend en metgezel op deze
reis, Henry Garnet, die nu ergens buiten Londen rondzwierf. Of wellicht aan zichzelf, om zich er opnieuw van te overtuigen dat dit alles
Gods wil was en dat Hij hem de kracht zou geven om vol te houden:

*Laat geen razernij of verdichtsel, noch het zwaard, noch de pracht
van schitterende gewaden, noch steekpenningen, smeekbeden of geweld u afhouden van Christus' genade. Ge zijt geboren om God toe te
behoren. Ge leeft door Hem en voor Hem zult ge ook sterven. Het is
een dood die de weifelaars zal sterken en de sterken nog krachtiger
maken. God is uw doel, de strijd slechts kort van duur, en de beloning
zal eeuwig zijn. De nederigheid van een deemoedig hart, uitgedrukt
door de verspilling van uw eigen bloed in deze zaak, zal alle zonden
wegwassen, net zo volledig als de doop, zo groot is het voorrecht van
het martelaarschap.*

Martelaarschap. Alleen het woord al deed hem huiveren. De volledige
onthechting van het vlees, die hem zo dicht bij God zou brengen als

maar mogelijk was. Hoe dikwijls had hij niet over martelaarschap gedroomd in die lange nachten van zijn seminarietijd?

Na bijna twee dagen in het hol hoorde hij een fluisterstem en hij vroeg zich af of het God of een engel was, die hem kwam halen. Het was een vrouwenstem, lieflijk als het geluid van kerkklokken op een zomerdag. En toen, boven zijn hoofd, zag hij een streepje licht, zo verblindend als hij nog nooit had meegemaakt, zodat hij zijn ogen stijf dichtkneep en zijn handen voor zijn gezicht sloeg.

'Pater Cotton, ik ben het. Anne.' Haar stem klonk heel zacht.

'Is het veilig?'

'Nee, ze zijn er nog. Maar het is laat en ze zitten te kaarten in de grote hal nu Topcliffe is vertrokken. Ik heb eten voor u.'

'Ik kan niet tegen het licht in kijken. Het is te fel.'

De gravin deinsde terug voor de stank. 'Pater, het spijt me zo dat ik u in deze situatie heb gebracht.'

'Fiat voluntas dei, mijn lieve Anne.'

Ze had een doek bij zich met wat eten – brood, kaas, plakjes koud vlees, wat wijn. Niet veel, omdat Topcliffes mannen de provisiekast goed in de gaten hielden. Amy en zij hadden haastig wat restjes uit de keuken verzameld terwijl Rose Downie op haar kamer was met de baby. Ze konden niet geloven dat Rose zoiets zou doen, maar ze ontweek hun blikken.

'Dank je voor dit eten; het is heel welkom. En maak je alsjeblieft geen zorgen om mij. Als het Gods wil is, zal ik hier veilig doorheen komen. Als je denkt dat iemand in dit huis gevaar loopt door mijn aanwezigheid, moet je het de papenjagers vertellen. De veiligheid van de anderen is belangrijker dan de mijne.'

'Dat kan ik niet doen, pater. Bovendien kan niets ons nu nog redden van Topcliffes woede.'

'Topcliffe? Ik heb van hem gehoord.'

'Hij is een wreed man, pater. Hij zal het zoeken niet staken tot dit huis in een puinhoop is veranderd, want hij weet dat u hier bent. We mogen van geluk spreken dat dit hol zo veilig is, hoewel het niet meeviel om hier te komen en de scharnieren te verbergen voordat ze werden ontdekt. Als ik dat niet had gedaan, zou u toch zijn gevonden, ben ik bang.'

Haar stem klonk zwak en verstikt. Hij vreesde dat ze er erger aan toe was dan hij. 'Ik smeek je om vol te houden, Anne, want er komt eens een eind aan.' Hij probeerde een oog te openen, maar het begon meteen te tranen, dus sloot hij het weer. Hij maakte het kruisteken en zegende haar voordat ze het luik sloot en de scharnieren verborg.

In zijn donkere schuilplaats gaven de frisse lucht en het eten Cotton weer nieuwe hoop. Bij de wijn en het brood droeg hij de mis op, voordat hij dankzegde voor de gaven en langzaam begon te eten en te drinken.

Topcliffe liet Rose Downie weer bij zich komen.

'Vertel me eens wat meer over dat etentje. Was die jezuïet in zijn eentje?'

Rose' mond was gekneusd en gezwollen, haar gezicht vuil en betraand. 'Nee, hij kwam met een andere man, Thomas Woode. Ik had hem nooit eerder ontmoet, maar we werden aan hem voorgesteld.'

Thomas Woode? Die naam klonk bekend. 'Wat weet je verder nog? Hoe zag hij eruit? Wat zei hij?' drong Topcliffe aan.

Rose beschreef hem zo goed als ze kon, maar antwoordde dat hij weinig had gezegd. Toen vroeg ze voorzichtig: 'En mijn baby, heer Topcliffe?'

'Je baby is veilig en gezond, Rose. Meer kan ik je nu niet zeggen. Pas als ik Southwell in handen heb, dood of levend, zal ik je naar William Edmund brengen. Begrijp je me, Rose?'

'Maar ik heb alles gedaan wat u had gevraagd! Ik weet dat hij hier is. Ik weet dat ze de mis opdroegen toen u en uw mannen arriveerden. Hij moet nog in huis zijn, tenzij...' Ze zweeg, toen ze zag dat Topcliffe rood aanliep.

'Tenzij?'

Ze had willen zeggen: 'Tenzij u hem hebt laten ontsnappen.' Maar ze bedacht zich. 'Tenzij hij op de een of andere manier is weggekomen, heer. Misschien zijn er tunnels vanuit de kelders. Ik ben mijn deel van de afspraak nagekomen, heer. Geef me nu alstublieft mijn baby terug.'

'Alles op zijn tijd, Rose. Alles op zijn tijd.'

26

Lord Howard van Effingham, de hoogste admiraal van de marine en de adoptievader van lady Blanche Howard, was niet thuis.

Zijn lijfknecht, Robin Johnson, verwelkomde John Shakespeare in de grote hal van het imposante huis dat Howard tegenwoordig vaak gebruikte. Het stond aan de rand van Deptford Green, dicht bij de plek van de aanslag op Drake, ideaal gelegen voor Howards taak bij de voorbereidingen van de marine in geval de Spanjaarden hun duivelse oorlogsvloot lieten uitvaren – en voor zijn regelmatige bezoeken aan het hof van Greenwich Palace, nog geen anderhalve kilometer naar het oosten, aan de overkant van Deptford Creek. Johnson was een rustige, innemende man. Hij bood Shakespeare aan hem naar het Royal Dock te brengen, waar de admiraal toezicht hield op de bevoorrading. Samen staken de twee mannen de brink over.

'Dit moeten moeilijke dagen zijn voor je heer, Johnson.'

'Zeker. Het hele huis rouwt nog om lady Blanche.'

Er waaide een frisse oostenwind vanaf de Theems. Meeuwen speelden in de bries en compenseerden de windkracht met kleine bewegingen van hun vleugels, zodat het leek alsof ze stilstonden in de lucht.

'Heb jij enig idee wie dit gedaan zou kunnen hebben?'

'Helaas niet, heer. Ik hoop alleen dat de dader zo snel mogelijk voor het gerecht zal worden gebracht.' Johnson bleef staan. 'We zijn er. En ik zie de admiraal al.' Hij wees naar een bark, waar een paar mannen zich op het halfdek hadden verzameld. In het midden was de lange gestalte van Howard van Effingham te zien, herkenbaar aan zijn karakteristieke, sneeuwwitte haar.

Shakespeare liep naar het schip. Howard was in gezelschap van Diego, kapitein Stanley en drie anderen, terwijl Drake op het dek geknield zat om zijn aanvalsplannen op een stuk perkament te schetsen. Shakespeare had liever dat hij die dingen benedendeks deed, buiten schootsafstand van een musket. Een eindje verderop hield Boltfoot niet alleen de mannen maar ook de drukke kade in het oog. Hij zag Shakespeare onmiddellijk en stak zijn hand op als groet. In elk geval was hij op zijn hoede. Maar verder was Drake nog net zo onbeschermd, luchthartig en kwetsbaar als altijd. Hij had zich niets aangetrokken van de aanslag op zijn leven.

Drake keek op van zijn schetsen. 'Heer Shakespeare, hoe gaat het?' dreunde hij. 'Kwam u kijken of ik nog leef? Verdomd, ik ben er nog! Net als die vervloekte Cooper, helaas.'

'Sir Francis, ik ben inderdaad blij u levend en wel te zien. Hoe is het met uw bootsman?'

'Niet zo goed, maar de arts zegt dat hij het wel zal overleven. Het is in Gods hand, zoals alles. Wat kan ik voor u doen?'

'Ik had een vraag, sir Francis. Hoe kan de dader van die aanslag hebben geweten waar en wanneer u zou afmeren en aan land gaan?'

Drake wimpelde de vraag af. 'Hij zal me wel in de gaten hebben gehouden en zijn kans hebben afgewacht. Je kunt me hier altijd vinden. Ik ben zeekapitein. Hier liggen mijn schepen.'

Shakespeare was niet tevreden met die verklaring, maar liet het erbij. Het had geen zin om sir Francis Drake tegen te spreken. Hij bedankte hem en draaide zich om naar lord Howard van Effingham. Hun vorige gesprek had weinig opgeleverd, maar deze keer zou hij zich niet laten afschepen. Howard moest hem wat meer kunnen vertellen over zijn geadopteerde dochter. 'Kan ik u onder vier ogen spreken, admiraal?'

Howard nam Shakespeare mee naar de kapiteinshut benedendeks en sloot de deur. Er stond een fles brandewijn op tafel en Howard schonk twee glazen in. 'Hoe staat het met uw onderzoek?'

'We maken vorderingen, admiraal.'

'Maar u hebt de moordenaar nog niet gegrepen?'

'Nee.' Shakespeare aarzelde. Hoeveel van het verhaal zou Howard kunnen verdragen?

Alsof hij Shakespeares gedachten las, zei Howard met een dun lachje: 'U hoeft me niet te sparen, heer Shakespeare. Het is al erg genoeg dat ze dood is.'

Shakespeare boog. 'Helaas moet ik u zeggen dat er misschien meer achter de moord op lady Blanche steekt dan we eerst dachten. Ik heb ontdekt dat ze de laatste tijd omging met een groep rooms-katholieken. Ze hing het oude geloof aan, admiraal.'

Howard lachte vreugdeloos, een kort blafje, als van een kleine hond. 'Heer Shakespeare, dat verbaast me niets. Het is een familiegebrek van de Howards. Ik had u al eerder gezegd dat ze contact had met mensen tegen wie ik bezwaren had.'

'Maar er is meer. Ze had bepaalde verwondingen...'

'Ja?'

'Een crucifix, in haar rug gekerfd... na haar dood. Dat had ik aanvankelijk niet gezien. En ze is ook vastgebonden geweest, te oordelen naar de striemen van touwen om haar polsen.'

Howard keek ontzet.

'Ik zeg dit alleen omdat ik een religieuze betekenis vermoed en u wilde vragen of u suggesties hebt op dat punt. Admiraal, ik vrees dat de dader dezelfde zou kunnen zijn als de huurmoordenaar die door Spanje is gestuurd om sir Francis uit de weg te ruimen.'

Howard keek ongelovig. 'Wat kan er in vredesnaam voor verband bestaan tussen Blanche en een complot tegen Drake? Weet je wel wat je zegt, man?'

'Er zijn enkele merkwaardige connecties die me tot die conclusie brengen.' Shakespeare verklaarde zijn theorie, tot en met de gewelddadigheid van de huurmoordenaar tegenover de hoertjes in Delft en Rotterdam.

Howard keek hem even doordringend aan, alsof hij zich afvroeg of hij het wel goed had verstaan. 'Zei u hoertjes, heer Shakespeare?' vroeg hij ten slotte. En toen viel hij uit: 'Wilt u soms suggereren dat mijn dochter een hóér was?'

Shakespeare hief afwerend zijn handen op. 'Natuurlijk niet, admiraal.'

'Hoe durft u dan zo'n schandalig verband te leggen?'

'Admiraal, u begrijpt me verkeerd. Lady Blanche was een vrome jonge vrouw, daar twijfel ik niet aan. Er is niet de minste aanwijzing dat ze een hoer is geweest. Maar ik geloof wel dat ze deze man kan hebben gekend. En als hij in Londen is, zoals ik vermoed, is er geen reden om aan te nemen dat zijn gewelddadige houding tegenover vrouwen – álle vrouwen, niet alleen hoertjes – zou zijn veranderd. De aard van lady Blanche' verwondingen en het feit dat ze in katholieke kringen verkeerde waar de huurmoordenaar mogelijk onderdak heeft gezocht, hebben mij op de gedachte van zo'n connectie gebracht. Het is een hypothese, maar ik kan er niet omheen. Misschien had ze iets ontdekt en heeft hij haar vermoord om haar het zwijgen op te leggen.'

Howards gezicht stond nog steeds op storm, maar zijn ergste woede was gezakt. 'Dus u gelooft dat de moordenaar van Blanche dezelfde kan zijn als de man die Drake heeft beschoten en zijn bootsman verwond?'

'Het is mogelijk. Sterker kan ik het niet uitdrukken.' Shakespeare dronk zijn glas leeg. 'En ik moet u ook vragen, admiraal, of u de naam kent van de man met wie lady Blanche omging en van wie zij in verwachting is geraakt.'

Howard keek nog altijd ontstemd. 'Uw vragen bevallen me niet. Ze zijn… onbehoorlijk. Mijn arme Blanche is nog niet eens begraven, en u verspreidt al roddels over haar.'

'Nee admiraal, zo is het niet. Ik heb tegen niemand met een woord over haar gesproken.'

'Dan iemand anders wel. Ik heb krantjes gezien met smerige verhalen.'

'Ik ben bezig dat te onderzoeken, admiraal. De beruchtste van dat stel, ene Walstan Glebe, zit al in Newgate, in afwachting van een proces wegens verschillende vergrijpen. Het zal hem waarschijnlijk zijn oren, zijn vrijheid en zijn rechterhand gaan kosten.'

'Laten we het daar dan maar bij laten. Zorg dat u Blanche' moordenaar vindt, heer Shakespeare. Als hij in Tyburn aan de galg bungelt, kunt u op mijn dankbaarheid rekenen. Goedemiddag.'

Shakespeare had gehoopt op meer informatie, op aanwijzingen in de achtergrond van lady Blanche, namen van haar vrienden en kennissen, maar het was duidelijk dat Howard dit gesprek als beëindigd beschouwde. Shakespeare wist maar al te goed dat het geen zin had om aan te dringen bij machtige mannen als hij. Hij boog, bedankte Howard, en samen verlieten ze de hut.

Drake stond aan dek, tikte met zijn vinger op het perkament en mompelde iets over de loef afsteken. Shakespeare liet lord Howard bij zijn marinematen achter en liep naar Boltfoot Cooper. 'Alles goed, neem ik aan?'

Boltfoot gromde iets onverstaanbaars.

'Het ziet ernaar uit dat we op een haar na onze vice-admiraal hadden verloren. Het Arsenaal heeft het wapen bekeken dat jij had gevonden. Ze hadden nog nooit zoiets gezien. Ongelooflijk nauwkeurig. Gemaakt door een Duitser uit Beieren, een zekere Opel, voor Gilbert Cogg. Het is duidelijk ontworpen met maar één doel. Opel had ons moeten waarschuwen. Hij kan nu kiezen: het land uit worden gezet of voor het Arsenaal gaan werken.'

Boltfoot keek in de richting van Deptford Strand. 'U moet eens met de man van die winkel in scheepsbenodigdheden gaan praten, Bob Roberts. En met de stalknecht van de Eagle Tavern bij Sayers Court. Zij kunnen u meer vertellen over de man die dat schot heeft afgevuurd. Ze hebben hem gezien en met hem gesproken.'

'Ik ben ze allebei tegengekomen op weg hierheen. Ze gaven me een goed signalement van onze man, maar hadden geen idee waar hij nu kon zijn. Het paard waarop hij is gevlucht is niet meer teruggezien. Je had hem geraakt, Boltfoot?'

Boltfoot schudde zijn hoofd. 'Niet meer dan een schampschot in zijn zij. Hij was te ver weg. Ik had hem midden in zijn rug moeten treffen, maar ik raakte achterop.'

'Ik vind het al knap dát je hem hebt geraakt. Heb je hem ook goed gezien?'

'Nee, maar misschien zou ik hem herkennen als hij rent. Het enige wat ik weet is dat hij geen baard had, lang en slank is en hard kan lopen.'

'Blijf op je hoede. Ik heb alle artsen, chirurgijnen en apothekers gewaarschuwd, voor het geval hij toch behandeld moet worden.'

Shakespeare verliet het drukke Royal Dock en liep door de menigte in de richting van Deptford Strand voor de huifboot naar Londen. Maar onderweg bleef hij staan en veranderde van koers, naar het huis van Howard van Effingham aan de brink.

Robin Johnson, de lijfknecht, deed open. Hij leek niet verbaasd om Shakespeare terug te zien. 'Ik hoop dat de admiraal niet te scherp tegen u was, heer Shakespeare?'

'Nee, nee.'

'Ik weet zeker dat hij de zaak graag opgelost wil zien, maar hij is bang voor het effect op de goede naam van de familie. Dit zijn geen gemakkelijke tijden geweest voor de Howards, zoals u zult begrijpen.' Shakespeare begreep het. Er hadden de afgelopen halve eeuw te veel hoofden van Howards op staken boven het poortgebouw van London Bridge geprijkt.

'Juist. Maar nu zou ik jou graag spreken, Johnson. Is er een rustig plekje waar we kunnen praten?'

Johnson nam hem mee de hal door, naar een zijgang en de trap af naar zijn eigen kamer in de bediendenvleugel. Het was er kaal, vergeleken met de luxueuze hal van zijn heer, maar er brandde een haard en er stonden stoelen en een kleine eiken tafel. 'Dit is mijn heiligdom,' zei Johnson, 'waar ik kan ontsnappen aan de problemen van alledag en het werk van de andere bedienden kan indelen.'

Hij droeg de livrei van zijn positie als lijfknecht van een van de belangrijkste mannen in Engeland: een witte satijnen wambuis met gouden biezen, en een zwarte broek. Hij was een knappe man van eind twintig of begin dertig, met een gemiddeld postuur, donker haar en een verzorgd baardje. Zijn knappe kop en ontspannen charme waren de reden waarom Shakespeare was teruggekomen. En omdat hij zich iets had herinnerd wat Catherine Marvell bijna terloops had opgemerkt: dat lady Blanche en haar minnaar nooit hadden kunnen trouwen. Een huwelijk tussen een adellijk meisje en een bediende was uitgesloten.

'Waar kan ik u mee helpen, heer Shakespeare?'

'Ik wil graag wat meer weten over lady Blanche.'

'We treuren allemaal om haar verlies, heer, zoals ik zei.'

'Hoe lang werk je al voor lord Howard?'

Johnson zat stijf rechtop, als een eikenhouten plank. 'Sinds ik een jongen was, heer. Mijn moeder werkte in de keukens van lord Howard en ik ben in de huishouding opgegroeid. Ten slotte heb ik me opgewerkt tot lijfknecht.'

'Ik twijfel er niet aan dat je je best doet. En je bent een vriendelijke man, Johnson. Ik neem aan dat je geliefd bent.'

'Ik hoop het, heer.'

'Misschien was lady Blanche ook op je gesteld?'

'Hoe bedoelt u dat?'

'Je was haar minnaar, is het niet?'

Johnson zweeg geschokt. Toen zei hij: 'Als ik openlijk met u spreek, heer, kan ik er dan op rekenen dat u de admiraal niet vertelt wat ik heb gezegd?'

Shakespeare keek hem onderzoekend aan en zag een zekere op-rechtheid in Johnsons ogen, maar dat was niet genoeg. 'Dat kan ik je niet beloven, Johnson, zoals je begrijpt. Maar toch vraag ik je me de waarheid te vertellen. Dat is beter voor jezelf. Ik heb respect voor eer-lijkheid. Het alternatief is dat je onder dwang moet worden verhoord, en dat doe ik liever niet.'

Johnson knikte langzaam. Een spoor van een glimlach gleed over zijn lippen. 'Ik begrijp wat u bedoelt, hoop ik. En ja, heer Shake-speare, ik was inderdaad haar minnaar. Meer nog, we hielden van el-kaar. Haar dood heeft mijn hart gebroken, heer.'

'Was jij de vader van haar kind?'

Tranen blonken in Johnsons ogen, maar hij knipperde ze weg. 'Ja. Maar het zou heel moeilijk zijn geworden. De admiraal zou nooit hebben toegestaan dat ze met iemand uit het gewone volk zou trou-wen. We hebben wel overwogen om weg te lopen, misschien de zee over te steken naar Frankrijk, maar dat zou onmogelijk zijn geweest, ben ik bang. Waar hadden we van moeten leven?'

'Heb jij haar bij de kerk van Rome gebracht?'

Johnson wendde zijn hoofd af, zodat Shakespeare zijn verdriet niet kon zien. 'Zo lag het niet helemaal. We praatten veel. Ze was lange tijd erg eenzaam omdat ze door de familie niet echt werd geaccepteerd, behalve door de admiraal. Dan kwam ze hier, naar mijn kamer, waar we uren zaten te praten over van alles – godsdienst, muziek, ontdek-kingen. Serieuze onderwerpen voor jonge mensen, maar we waren echt geïnteresseerd in de wereld om ons heen. En we hadden veel ge-meen omdat we allebei buitenstaanders waren in dit huis. Op een dag vroeg ze of ik paaps was; dat had ze blijkbaar afgeleid uit mijn mening over sommige dingen. Ik gaf het toe. Ze toonde belangstelling en ten slotte nam ik haar mee naar de mis. Zo ontmoette ze Catherine Mar-vell – die u kent, heb ik begrepen – en nog enkele anderen.'

'Maar toen waren jullie nog geen gelieven?'

'Nee. Dat gebeurde pas vorig jaar, aan het einde van de zomer. Blanche had al een paar keer gezegd dat ze naar Italië wilde om daar in het klooster te gaan, maar ze veranderde van gedachten. Op dat moment begreep ik dat ze hetzelfde voor mij voelde als ik voor haar. Kort daarna werden we gelieven.' Hij zweeg en vervolgde toen zacht: 'Ik smeek u niet te hard over mij te oordelen.'

'Dat hangt ervan af hoe goed je ons kunt helpen. Vertel eens wat meer over die geheime missen. Wie kwamen daar zoal? Was er ook een Vlaming bij? Welke priesters droegen de mis op?'

'Dat kan ik u allemaal niet vertellen, heer Shakespeare.'

'Ik heb die informatie nodig. Je moet het me zeggen.'

'Dat kan ik niet, heer. U wilt toch niet dat ik het vertrouwen van die mensen zou beschamen?'

'Ja Johnson, dat wil ik wel. Dit zijn staatszaken. Ik denk dat er een Vlaming rondloopt die een groot gevaar vormt voor ons land. Ik moet zijn naam weten, en waar hij te vinden is. En ik geloof dat jij me daarbij kunt helpen.'

'Het spijt me. Meer kan ik u niet zeggen.'

'Dan ben je nu mijn belangrijkste verdachte voor de moord op lady Blanche Howard. Je had het motief. De volgende keer dat we elkaar spreken, zal in Newgate zijn als ik je ondervraag met alle bevoegdheden die mij door Hare Majesteit de koningin zijn verleend. Ik heb de tijd niet om subtiel te zijn.'

'Heer Shakespeare, alstublieft...'

'Aan het eind van de dag zal er een gerechtelijk bevel worden uitgevaardigd en zullen de schout of zijn dienders je komen halen. Ondertussen mag je dit huis niet verlaten. Doe je dat wel, dan ziet het er nog veel slechter voor je uit als we je te pakken krijgen.' Shakespeare liep naar de deur.

'Heer, wacht...'

Shakespeare bleef staan en draaide zich om. 'Ja?'

Johnson opende zijn mond alsof hij nog iets wilde zeggen, maar bedacht zich toen en schudde wanhopig zijn hoofd.

Als een woedende stier stormde Shakespeare de kamer uit. Hij was kwaad op Johnson omdat die hem in deze positie had gebracht, en kwaad op zichzelf omdat hij met geweld had gedreigd tegen iemand die beter verdiende. Maar de moordenaar had al een aanslag op Drakes leven gepleegd. Wanneer konden ze de volgende verwachten?

27

Thomas Woode schrok wakker met zo'n beklemmende angst in zijn borst dat hij bang was nooit meer adem te krijgen. Een hand lag om zijn keel geklemd, terwijl twee andere, sterke handen zijn armen tegen het bed drukten. Woode verzette zich uit alle macht, maar hij kon geen vin verroeren.

Het was in het holst van de nacht. Middernacht. Ergens in de verte hoorde hij een stadswacht het uur afroepen. Het ene moment nog een prettige, erotische droom, zoals iedere man wel heeft, het volgende moment een nachtmerrie bij het ontwaken. Hij hapte naar adem. De hand om zijn keel dreigde zijn adamsappel en luchtpijp te verpletteren.

'Woode? Thomas Woode?' De stem klonk ruw en kortaf, met een gewelddadige ondertoon. De hand om Woodes hals sleurde hem overeind van het kussen. Zijn armen werden door een tweede indringer op zijn rug gewrongen en met grof touw vastgebonden. Eindelijk liet de eerste man zijn keel los. Hijgend probeerde Woode lucht te krijgen, terwijl zijn mond open- en dichtging als van een zeelt die aan een haak uit het water werd getrokken.

Hij zat nu rechtop in zijn comfortabele hemelbed, met de dure damasten gordijnen en het rood-met-gouden beddengoed. Woode droeg een wit batisten nachthemd en een muts. De slaapkamer was groot en betimmerd met prachtig hout. Maar die mooie kamer werd nu verlicht door de flakkerende toortsen van zes agressieve kerels. De man die het dichtst bij hem stond en naar zijn naam had gevraagd bekeek hem verachtelijk van top tot teen. Woode wilde iets zeggen, protesteren, maar kwam niet verder dan een onderdrukt gerochel.

'Thomas Woode?'

Woode knikte en probeerde 'ja' te zeggen.

'Thomas Woode, u hebt zich schuldig gemaakt aan een misdrijf en u staat onder arrest. U zult worden meegenomen voor verhoor en vervolgens worden berecht door een jury van uw gelijken, die u zal veroordelen tot de strop.'

'Wat? Wat voor misdrijf?' vroeg Woode schor.

'Diefstal, Woode. Diefstal van hout dat bestemd was voor Hare Majesteits vloot. Wij weten hoe je dit mooie huis hebt gebouwd.'

'Wat bedoelt u?'

De man deed een stap terug. Hij droeg een zwarte bontmantel. 'Je weet heel goed wat ik bedoel, Woode. Bij de bouw van dit huis heb je hout voor marineschepen gebruikt. Het hout is als zodanig geïdentificeerd, en er bestaat geen twijfel. Dankzij jouw mooie huis kunnen de Spanjaarden ongehinderd hun invasievloot hierheen sturen.'

'Dat is een leugen!'

'O, kun je weer praten?'

'Ik zeg u dat dit hout is geleverd door mijn timmerlui, vakmensen die goed bekendstaan. Ik heb niets gestolen, heer... wat is uw naam?'

'Topcliffe. En de jury zal wel uitmaken wie de waarheid spreekt, Woode. Je gaat mee.' Hij draaide zich om naar zijn mannen. 'Afvoeren.'

Na drie dagen in het stinkende hol begon pater Cotton in het donker te zien. Hij zag vreemde dingen: engelen met blauwe vleugels van vliesdun spinrag; demonen met zeven tenen aan hun klauwen en rode, rauwe pikken die glinsterden als zwaarden in het licht. Hij zag feestmaaltijden van verboden vruchten, en vlees dat stonk naar bederf, als herfstappels die te lang aan de boom hadden gehangen.

Als die beelden kwamen, sloot hij zijn ogen en begon te bidden. Maar ook met gesloten ogen zag hij nog alles. Na een tijdje wist hij niet eens meer of hij zijn ogen dicht of open had.

Soms stak hij zijn handen onder zijn kleren om te voelen of zijn lichaam er nog was. Misschien was hij wel dood; soms was hij daar zelfs van overtuigd. Kan een mens zonder zintuigen nog bepalen aan welke kant van de grens tussen leven en dood hij staat ?

Het eten was snel op geweest, hoewel hij nog een schimmelig stuk kaas had, dat hij in tweeën sneed, telkens als hij ervan at. Het gaf hem troost om te voelen hoe zijn lichaam werkte en het voedsel verteerde. Hij vroeg zich af hoe vaak je een stuk kaas doormidden kon snijden voordat het verdwenen was. Maar honger was niet zijn belangrijkste probleem. Hij wist dat hij moest drinken om te overleven, dus dronk hij voortdurend en piste regelmatig in de hoek.

De geluiden buiten dit stinkende hol werden steeds vager en minder frequent. Hij wist nu dat hij niet zou stikken door gebrek aan zuurstof. Hij verlangde naar de frisse lucht van buiten, maar degene die deze schuilplaats had ontworpen en aangelegd had toch een vorm van ventilatie ingebouwd.

Soms vroeg hij zich af of het huis nog wel bewoond werd. Waren Topcliffes wachtposten er nog? Zo niet, waarom was de gravin dan niet gekomen om hem te bevrijden? Misschien was ze zelf meegenomen. Bij die gedachte greep de angst hem bij de keel en ging zijn ademhaling snel en hortend. Dit zou zijn graf kunnen worden. Zonder de gravin om hem te bevrijden zou hij hier sterven zonder dat iemand het wist. Hij bad veel, meestal met dezelfde woorden: 'O Heer, mijn werk hier is nog niet voltooid. Verlos uw nederige dienaar, zodat ik weer de wereld in kan trekken als een herder tussen wolven, om uw kudde thuis te brengen.'

Hij probeerde gedichten te schrijven, zoals hij ook had gedaan tijdens zijn acht jaar in Rome. Als in een droom dacht hij soms terug aan zijn tijd daar, en aan zijn idyllische jeugd in Norfolk, zwemmend in het kristalheldere water van de Hor, een stroompje dat zich door de dorpen ten noorden van Norwich slingerde. Hij was altijd een stil en bedachtzaam kind geweest, dat niet van de ruwe spelletjes van zijn vrienden hield – zo ernstig zelfs, dat hij al heel jong door zijn eigen vader 'pater Robert' werd genoemd. Ja, hij was wel serieus. Misschien had hij te veel over de zorgen van God en de wereld nagedacht, in plaats van een varkensblaas over het gras te schoppen of met een havik op konijnen te jagen, zoals zijn oudere broers.

In gedachten zag hij de troosteloze ruïnes van St. Faith's Priory. Zijn halve leven had hij in de schaduw van die puinhopen geleefd. Het oude benedictijner klooster was door zijn eigen grootvader, sir Richard, gesloopt op bevel van Hendrik VIII. Als beloning had de familie de landerijen en bezittingen van de kerk verworven. Sir Richard had een mooi huis kunnen bouwen, maar de stenen van het oude klooster bleven liggen, als om hen er voortdurend aan te herinneren waar die welvaart aan te danken was. Rijkdom die was verkregen ten koste van het ware geloof, kon niet ongestraft blijven. Zo lang als hij zich kon herinneren had hij geweten dat er een dag zou komen waarop hij zelf de last moest aanvaarden om vergiffenis te zoeken en de zonden van zijn familie uit te wissen.

Zijn rug en schouders deden pijn en zijn benen voelden slap en onvast. Hij had het nu constant koud en nergens kon hij rust vinden. Hoe lang zat hij hier nu al? De dagen en nachten regen zich aaneen tot één lange nacht. Hij zou nog gek worden voor hij stierf.

Hij zakte weer op zijn knieën, vouwde zijn handen en begon te bidden.

Vroeg in de middag hoorde Shakespeare van de schout in Deptford dat Robin Johnson niet meer te vinden was in het huis van Howard van Effingham. Shakespeare slaakte een wanhopige zucht en vervloekte Johnson om zijn domheid. Hij stuurde de boodschapper terug naar Deptford met instructies om de jacht te openen, de lijfknecht in de boeien te slaan en hem naar Newgate te brengen.

Toen de man was vertrokken, liet Shakespeare zich op de divan in zijn werkkamer zakken om van het laatste, nevelige uurtje daglicht te genieten. Hij had veel om over na te denken.

De belangrijkste vraag bleef of er een verband bestond tussen de moord op Blanche Howard en de aanslag op het leven van sir Francis Drake, of dat Shakespeare last had van een te levendige fantasie. Verder moest hij de betekenis achterhalen van de papieren die hij in het uitgebrande huis in Hog Lane had gevonden. Hadden ze iets te maken met een illegale drukkerij, en zo ja, wat was dan de rol van Thomas Woode? Hij wist dat Woodes gouvernante, Catherine Marvell, bevriend was geweest met lady Blanche en met de lijfknecht van Howard van Effingham, Robin Johnson, die had bekend dat hij Blanche' minnaar was geweest. Onduidelijk was of een van hen op enige manier bij Blanche' dood betrokken was geweest. Zou Johnson de moordenaar kunnen zijn? Shakespeares instinct zei nee. Wie dan wel? Er waren overeenkomsten tussen Blanche' verwondingen en die van de hoertjes in Holland. Was de huurmoordenaar van de Spaanse koning – die, zoals nu bekend, in Deptford had gelogeerd onder de naam Van Leiden – verantwoordelijk? Waarom had hij dan het meisje vermoord en zo de aandacht op zich gevestigd?

Terwijl hij nog nadacht, werd er op de deur geklopt. Jane kwam binnen. 'Er is een zekere Catherine Marvell om u te spreken, heer. Ik zei dat u het druk had, maar ze antwoordde dat het dringend was en dat u haar wel zou ontvangen.' Jane keek hem onderzoekend aan en Shakespeare voelde dat hij bloosde.

'Goed Jane,' zei hij. 'Laat haar maar binnen.'

Hij zag meteen dat Catherine van streek was. Ze stond te hijgen alsof ze de hele weg vanaf Dowgate had gerend. Haar haar was verwaaid en ze had een wilde blik in haar ogen.

'Juffrouw Marvell...'

'Waarom hebt u ons dit aangedaan?'

Shakespeare schrok. 'Wat bedoelt u?'

'Ik vertrouwde u!'

'Juffrouw, waar hebt u het over? Ik begrijp niet wat u zegt. Wat zou ik u hebben aangedaan?'

Catherine deed een stap naar hem toe, staarde met haar heldere ogen woedend in de zijne, hief haar handen op en begon hem met verrassende kracht op zijn borst te rammen. Hij deinsde terug maar reageerde verder niet. Op de achtergrond, in de deuropening, zag hij Jane staan, met het veelzeggende lachje van een vrouw die dingen ziet die een man ontgaan. Eindelijk pakte hij Catherine bij haar polsen, trok haar mee en zette haar op de divan. Ze boog haar rug en steunde haar hoofd in haar handen.

'Juffrouw, begin nu bij het begin. Ik weet zeker dat ik niets heb gedaan om u in problemen te brengen.' Hij knikte naar zijn dienstmeisje. 'Jane, wil je wat sterke wijn of brandewijn voor ons halen?'

Catherine keek op. 'Wilt u zeggen dat u niets weet van die papenjagers die heer Woode kwamen halen? Ze hebben hem met geweld meegesleurd, beschuldigd van God mag weten wat.'

Er kwam een grimmige trek om Shakespeares mond. 'Topcliffe?'

'Natuurlijk, ja. Topcliffe, die smeerlap. Met zijn beulsknechten Young en Newall. En dat weet u bliksems goed, want u hebt ze zelf gestuurd.'

'Nee. Topcliffe is geen vriend van me.'

'Dan hebt u Walsingham over ons verteld en heeft hij hen gezonden.'

'Nee.'

'Ze kwamen als dieven in de nacht om hem van zijn bed te lichten. Ze hebben zelfs de kinderen wakker gemaakt, zodat ze konden zien hoe hun vader met geboeide handen werd afgevoerd door mannen met zwaarden en dolken. Dat is de overheid waarvoor u werkt, heer Shakespeare. Dat zijn uw bedgenoten.'

'Zeiden ze ook waar ze hem naartoe zouden brengen?'

'Nee.'

'Hebben ze nog iets tegen u gezegd?'

'Ze hebben me uitgescholden en beschimpt. Topcliffe probeerde me aan te raken, maar ik heb hem van me af geduwd. Hij noemde me een paapse hoer, die de hel verdiende. Hij zei dat hij de kinderen naar Bridewell zou brengen om ze nuttig werk te laten doen.'

'Maar dat is niet gebeurd?'

'Nee.'

'Hebt u hier al met iemand over gesproken?'

'Ik heb de hele dag in Lincoln's Inn gezeten, bij een advocaat, Cornelius Bligh. Hij is een oude vriend van heer Woode. Hij heeft geprobeerd een verklaring van habeas corpus te krijgen en te ontdekken waar Thomas... heer Woode... naartoe is gebracht, maar voorlopig zonder resultaat.'

'En waar zijn de kinderen?'

'Hier. Ik heb ze in uw voorkamer achtergelaten. Ik wilde ze niet uit het oog verliezen.'

'Ik zal Jane vragen om ze hier te brengen. Ze zullen wel van streek zijn en u missen. Dan kan ze wat koek voor hen halen, en iets te drinken.'

'Dat doet ze al, geloof ik.'

Shakespeare liep terug naar zijn tafel om enige afstand te scheppen tussen Catherine en zichzelf. Hij moest dit voorzichtig aanpakken. Zijn bemoeienis zou alles nog erger kunnen maken voor iedereen, zeker nu Topcliffe erbij betrokken was. De man stelde zijn eigen wetten en was alleen verantwoording schuldig aan de koningin. Zelfs Walsingham en de schatkistbewaarder, Burghley, schenen weinig greep op hem te hebben, evenmin als de rechtbank.

'Laten we even logisch nadenken. Heeft Woode ooit eerder problemen gehad met Topcliffe?'

'Niet dat ik weet. Ik dacht meteen dat u erachter zat. Als dat niet zo is, moet het iets te maken hebben met zijn connectie met lady Tanahill. Ze zijn oude vrienden. Hij had daar gegeten op de avond van de razzia.'

'Aha, daar weet ik van. Heel Londen praat erover. Dus Woode was daarbij?'

Catherine schudde haar hoofd. 'Niet bij de razzia zelf, maar eerder. Ik denk dat Topcliffe op zoek is naar een priester en nu het hele huis sloopt, wat ik ervan gehoord heb.'

'Ja. Hij zoekt de jezuïet Robert Southwell. Ik ook, trouwens. Maar ik denk dat de koningin wel tussenbeide zal komen. Zelfs zij kan de zinloze verwoesting van een van de grote huizen niet tolereren.'

'Iemand zal Topcliffe wel hebben verteld dat heer Woode daar was.'

'Daar ziet het naar uit. En ik ben bang dat hij met grof geweld zal worden ondervraagd over de verblijfplaats van Southwell. Zo gaat Topcliffe te werk…'

'Het is te erg voor woorden.'

'Juffrouw, als u enige informatie hebt over de verblijfplaats van jezuïtische priesters in Engeland, kunt u me dat beter nu vertellen. Hoe sneller we ze vinden, des te eerder er een eind kan komen aan de marteling van Woode en de ellende van lady Tanahill. Ik zoek niet alleen Southwell, maar ook een andere jezuïet, of een priester die contacten heeft met de Societas Jesu. Zijn naam weet ik niet zeker, hoewel hij zich Van Leiden noemt. Hij is een Vlaming, maar hij is niet wat hij lijkt. De kans is groot dat Southwell hem kent, want die mensen arriveren hier meestal samen en helpen elkaar.' Terwijl hij dat zei, kwam Jane binnen met een alcoholversneden wijn. Shakespeare vroeg haar om de kinderen te brengen en koek te geven.

'Nou juffrouw,' vroeg Shakespeare toen Jane weer vertrokken was, 'kent u jezuïeten?'

'Nee, die ken ik niet.' Het waren de moeilijkste vijf woorden die Catherine ooit had uitgesproken. Het was een leugen, die ze voor zichzelf niet kon verantwoorden. Haar ouders zouden zich doodschamen dat ze zo laag was gezonken. Maar anders zou ze iedereen die ze kende binnen de roomse kerk, al haar vrienden, moeten verraden.

Shakespeare geloofde haar niet, maar hij knikte. 'Goed. Dan moe-

ten we eerst zien te ontdekken waar Woode wordt vastgehouden. Ik
zal navraag doen. Wat bent u ondertussen van plan, juffrouw?'

'Ik ga naar het huis in Dowgate terug, met de kinderen.'

'Bent u daar veilig?'

'Ik kan alleen maar bidden – als dat nog is toegestaan.'

28

Topcliffe gebruikte de zwaar verzilverde punt van zijn wapenstok om een van de laatste ruiten van Tanahill House in te slaan. Het glas versplinterde en de scherven kletterden op de vloer van de hal. De koningin had hem bevel gegeven te vertrekken. Hij gehoorzaamde met tegenzin. Na vier dagen was hij er nog altijd van overtuigd dat Robert Southwell zich hier verborgen hield, maar Elizabeth had hem gezegd dat hij zijn bloedhonden moest terugroepen.

Hij bleef voor lady Tanahill staan en keek haar nijdig aan. 'Ik kom terug,' zei hij, 'en dan is dit huis van mij. Luister goed, paapse teef. Dit huis wordt van mij als jij en je soort zijn uitgeroeid.'

'Ik zal voor u bidden tot God, heer Topcliffe, dat Hij u op uw dwalingen mag wijzen.'

Topcliffe spuwde naar haar en stormde weg. Anne Tanahill veegde het speeksel van haar zachte kraag en verdween naar binnen. Niets kon haar nog kwetsen. Toen ze haar blik over de ravage liet glijden, kon ze nauwelijks geloven dat dit ooit een mooi herenhuis was geweest. In rustiger tijden, voor Philip naar de Tower was gebracht, hadden ze hier zo veel fijne uren beleefd. Nu zag ze enkel puin en versplinterd hout toen ze van de ene kamer naar de andere liep en de trappen beklom naar de verdiepingen. Alle panelen waren losgescheurd en weggesmeten, alle vloerdelen omhooggewrikt, zonder dat iemand ze had teruggelegd. De gemetselde achterwand van alle haarden was met mokers kapotgeslagen, net als de achterkant van de kasten en de ruimten onder de balken. Zelfs de gestucte plafonds, zo prachtig bewerkt, waren vernield.

'Dat zoiets mag, m'lady. Dat geloof je toch niet?' zei haar huishoudster, Amy Spynke, toen ze na hun rondgang terugkwamen in de keuken, waar ze allemaal de meeste tijd doorbrachten. 'Ze zullen u toch wel een schadevergoeding betalen?'

De gravin lachte vreugdeloos. 'Dat is net zo waarschijnlijk als vrede op aarde, Amy. Topcliffe heeft me duidelijk gezegd dat hij dit huis zelf wil hebben. Daar gaat het allemaal om. De mensen die ons beschuldigen, stelen ons bezit. Het is allemaal ijdelheid.'

Rose Downie zat ineengedoken in een hoekje bij de haard, met de vondeling in haar armen. Ze ontweek nog steeds hun blik.

Amy en Joe Fletcher, de knecht, hadden Rose ondervraagd, maar ze had geen woord willen zeggen, ontkennend noch bevestigend. Elke dag hadden ze haar gevraagd of zij het was die Topcliffe had gewaarschuwd, en als ze weigerde antwoord te geven wisten ze dat het zo was. Maar ze wisten ook dat Topcliffe haar wreed in haar gezicht had geslagen, dus ze voelden toch medeleven en nog een sprankje twijfel in hun hart.

'Ze moet zich verantwoorden tegenover God, niet tegenover ons,' zei lady Tanahill zachtjes tegen Amy, met een blik naar Rose. 'Maar we kunnen haar nooit meer vertrouwen. We moeten haar weghouden bij alle aspecten van ons geloof, en ze mag zeker geen priesters zien die hier komen. Topcliffe zal het huis voortdurend laten bewaken.'

Een tijdje later, toen iedereen zat te eten, doodmoe na de eerste pogingen tot opruimen, liet de gravin hen in de keuken achter; ze liep de trap op om pater Cotton vers eten en water te brengen. Ze vreesde dat hij er slecht aan toe was, maar toch moest hij nog een paar dagen in het hol blijven, voor hij op een nacht naar een veiliger adres zou kunnen ontsnappen. De Bellamy's en de familie Vaux wilden hem wel opnemen, maar hij had zelf nog andere mogelijkheden.

Ze tilde het privaat op met het luik, en keek naar binnen. Bij het licht van haar kaars zag ze pater Cotton op het stenen bankje zitten, met opgetrokken benen, zijn armen eromheen en zijn kin tegen zijn borst. Hij zat te huiveren en ze hoorde hoe hij klappertandde.

'Pater, we denken dat het nu veilig is. Ze zijn vertrokken.'

Cotton bewoog zich niet en gaf geen enkel teken dat hij haar had gehoord.

'Pater?'

Ze wist dat hij nog leefde omdat hij zo zat te beven, maar verder reageerde hij niet. De stank was walgelijk, maar toch liet ze zich naast hem in het hol zakken, terwijl ze de kaars op de rand van het luik liet staan. Ze ging naast hem op het stenen bankje zitten en sloeg een arm om zijn schouders. Zijn lichaam was steenkoud, maar toch rilde hij alsof hij koorts had. Lady Tanahill streelde zijn voorhoofd zoals een moeder bij een kind zou doen, en kamde zijn slappe haar met haar vingers naar achteren.

Ze meende dat hij iets zei, maar zo zacht dat ze het niet kon verstaan. Ze praatte tegen hem met zachte, geruststellende woorden. Weer leek hij iets te zeggen, zo vaag dat ze het nauwelijks hoorde, maar ze dacht dat hij zei: 'Ik heb God gezien.' Er ging een tinteling door haar heen en ze drukte de pater nog dichter tegen zich aan. Ze kon hem niet één minuut langer in dit hol achterlaten.

Harry Slide stapte met zijn gebruikelijke zwier John Shakespeares huis in Seething Lane binnen. Het enige wat aan zijn koninklijke entree ontbrak was een heraut om zijn komst aan te kondigen. 'Ik heb sappig nieuws vandaag, heer Shakespeare,' verklaarde hij zonder plichtplegingen. 'Om te beginnen schijnt onze vriend Walstan Glebe, uitgever van *The London Informer*, bereid om te praten in ruil voor zijn vrijheid.'

'Dat is wat we wilden.' Shakespeare stond op van zijn tafel, waar hij een verslag over zijn onderzoek had zitten schrijven voor Walsingham, en drukte Slide de hand. 'Maar ik laat hem pas uit de gevangenis als ik weet of hij iets zinnigs te melden heeft. We spreken hem wel in Newgate. Verder nog nieuws?'

'Twee van de duifjes uit Coggs duiventil zijn uitgevlogen en een derde is dood.'

'Kijk, dat is interessant. Ga door.'

'De dode is Alice Hammond. Niets bijzonders aan haar dood, trouwens. Ze heeft zich bewusteloos gezopen en is toen in haar eigen braaksel gestikt. Maar vreemd is wel dat haar nicht, Starling Day, en de beheerder van het bordeel, Parsimony Field, worden vermist. Dat soort meisjes wordt natuurlijk wel vaker vermist, maar ik hoorde dat Parsimony twee handen op één buik was met Cogg. Als íémand zijn geheimen kent, is zij het wel.'

'Enig idee waar ze kunnen zijn?'

'Helaas niet. Het spoor is koud. Maar ik heb laten weten dat wij op zoek zijn en dat alle informatie zal worden beloond. Jammer genoeg zijn we niet de enigen. Topcliffe maakt ook jacht op hen.'

Shakespeare sloot zijn ogen en kreunde inwendig. Niet dat het hem verbaasde, want hij wist dat Topcliffe geïnteresseerd was in de moord op Cogg. Maar waarom zou Topcliffe belang hebben bij de goede gezondheid van sir Francis Drake? Zijn enige doel was meestal het afslachten van paapse priesters en het spekken van zijn eigen beurs. 'Nou, laten we maar uitzoeken wat er met die twee jonge vrouwen is gebeurd. Misschien hebben zij Cogg vermoord. Maar we mogen onze prioriteiten niet uit het oog verliezen, Harry. We moeten de moordenaar van lady Blanche vinden en de man uitschakelen die sir Francis Drake wil vermoorden. Niets meer en niets minder. En er is nog een ander punt dat me bezighoudt. Weet jij toevallig waar Thomas Woode naartoe is gebracht?'

Slide was in een uitgelaten stemming. 'Zou best eens kunnen. Wat is u dat waard, heer Shakespeare?'

Shakespeare keek gepijnigd. 'Hoeveel denk je zelf, Harry?'

'Vier mark. Plus twee voor het nieuws over Walstan Glebe en Cogg. En ik heb onkosten. Hoertjes willen geld voor hun informatie.'

'En waarvoor nog meer? Drie mark, voor al je inlichtingen. Dat Glebe wil praten, zou ik zelf wel hebben ontdekt. En een halve kroon voor het opvrijen van die hoertjes.'

'U bent een harde onderhandelaar, maar ik zal uw aanbod in genade accepteren. Over genade gesproken, heb ik u al verteld wat ik over zijne genade de aartsbisschop van Canterbury heb gehoord?'

'Ja Harry. Je zei dat hij was betrapt toen hij een lid van zijn kudde naaide, en haar de volgende dag als middagmaal heeft verorberd met een blaadje munt. Een goeie, maar een ouwe.'

'Nee, heer Shakespeare, deze is beter. Het schijnt dat hij haar toch niet heeft opgegeten, maar haar als zijn maîtresse heeft geïnstalleerd in de tuin van Lambeth Palace. Net zo vaak neuken als hij wil, ze spreekt nooit tegen en ze houdt het gras mooi kort. O, en na het scheren houdt hij er een warme wollen onderbroek aan over – als hij haar kan leren breien. Het schijnt dat hij heeft beloofd een fatsoenlijke vrouw van haar te maken door met haar te trouwen, maar dat zegt hij natuurlijk tegen al die meiden.'

'Harry Slide, als je doorgaat met die lasterlijke grappen, kom je nog eens op Paddington Fair terecht. Vertel ze nooit aan de verkeerde. Goed, waar heeft Topcliffe Thomas Woode naartoe gebracht?'

'Naar huis, heer Shakespeare. Naar huis.'

'Terug naar Dowgate? Ik had niets gehoord over...'

'Nee, nee, naar zijn éígen huis, in Westminster.'

'Nu even geen grappen, Harry.'

'Het is de waarheid. Hij heeft hem mee naar huis genomen. De Raad heeft de woning goedgekeurd als huis van bewaring voor het verhoor van gevangenen. Hij heeft daar een complete cel, met een eigen pijnbank.'

Shakespeare keek ontzet. 'Zou de koningin daarvan weten?'

Slide lachte een beetje vreemd. 'Ze noemen Topcliffe de hond van de koningin. Meer kan ik ook niet zeggen.'

'Maar dat betekent niet dat hij boven de wet staat. De vraag is hoe je habeas corpus kunt toepassen als een gevangene bij Topcliffe thuis wordt opgesloten. Wie heeft daar jurisdictie over?'

'Ik ben geen advocaat, heer Shakespeare. Van dat soort dingen weet ik niet veel.'

Shakespeare was oprecht geschokt. Dit had hij niet geweten. Als de Raad ermee had ingestemd, moest Walsingham ervan op de hoogte zijn. Maar waarom zouden ze zoiets goedvinden? 'Nood breekt wet,' had Walsingham tegen hem gezegd, 'vooral in deze tijd, met de dreiging van een oorlog en een invasie.' Was daarom alles maar toegestaan in de strijd tegen Rome en het Escorial?

'Allemachtig, Harry, dit zijn moeilijke tijden. Kom, dan rijden we samen naar Newgate.'

Naast de Tower was Newgate de meest gevreesde gevangenis van Londen. Hier werden veroordeelde verdachten opgesloten in een smerig hol dat het 'Voorgeborchte' heette, in afwachting van hun laatste reis naar het schavot, meestal in Tyburn, bij het dorp Paddington, of in Londen zelf, op Smith Field, Holborn of in Fleet Street.

Walstan Glebe zat niet bij de terdoodveroordeelden, maar in een hok voor gevangenen die op hun proces wachtten, veertig of vijftig in getal, voornamelijk mannen, maar ook een paar vrouwen. Ze waren allemaal met boeien aan de vloer of de muren vastgeketend en lagen in stinkend, met mest bevuild stro. Glebe was er slecht aan toe. Hij had een smerig verband om zijn hoofd en zijn ene oog zat dicht. Zijn kleren wemelden van de vlooien en andere insecten. Ratten scharrelden tussen de gevangenen door. Soms werd er een gegrepen en doodgeslagen als smakelijk hapje bij de lunch.

'Je hebt jezelf verwond, Glebe,' zei Shakespeare, bij wijze van begroeting.

'De bewaker heeft een partijtje cricket gespeeld met mijn hoofd, heer Shakespeare.'

'En ik neem aan dat het eten goed is?'

'Absoluut. Ik ben echt dol geworden op rauwe rat. En de pap gaat het ene gat in en het andere weer uit zonder merkbare verandering in geur of samenstelling.'

Shakespeare draaide zich om naar Slide. 'Glebe heeft het te makkelijk hier, Harry. Anders was hij zijn gevoel voor humor wel kwijtgeraakt. Misschien moeten we hem overbrengen naar het Ongemak in de Tower...'

Slide grinnikte. 'Ik hoorde dat het hol in Wood Street Counter ook heel onaangenaam is in deze tijd van het jaar.'

Shakespeare richtte zich weer tot de gevangene. 'Goed Glebe, ik hoorde dat je informatie voor me hebt. Ik hoop dat je mijn tijd niet verspilt door me te laten komen, anders zul je er spijt van krijgen.'

Glebe krabde zich in zijn van luizen vergeven haar. Een paar dikke maden vielen eruit. Hij pakte er een en vrat die op. Toen Shakespeare een wenkbrauw optrok, lachte hij schaapachtig. 'Heel voedzaam, heer. Van wat ze je hier voorzetten, kan geen muis leven.'

'Nou? Wat had je me te vertellen?'

'Heb ik uw woord dat u me zult vrijlaten als ik u vertel wat u horen wilt?'

'Pas als ik het grondig heb gecontroleerd.'

'En krijg ik mijn pers terug?'

'Nee, Glebe. Die zal nu wel brandhout zijn. Maar als je een goed verhaal hebt, zal ik je wat geld geven voor eten.'

Glebe haalde hulpeloos zijn schouders op. 'Dan heb ik geen andere keus dan uw voorwaarden te accepteren. U wilde weten hoe ik die dingen over de dood van lady Blanche Howard had gehoord. Dat zal ik u vertellen. Het was de beroemde Moeder Davis zelf die me de informatie gaf over dat stukje bot en het zilveren crucifix die in het lichaam van de dame zouden zijn gevonden. Dat wilde u weten, neem ik aan?'

'Moeder Davis? En welke Moeder Davis mag dat wel zijn, Glebe?'

'Dé Moeder Davis. Zijn er dan nog meer? Dezelfde toverkol die zulke pittige liefdesdrankjes voor de graaf van Leicester zou hebben bereid.'

'Wil je beweren dat die vrouw echt bestaat?' vroeg Shakespeare vermoeid. Hij wilde informatie, geen bijgelovige geruchten.

'Natuurlijk, heer Shakespeare. Zij is de bron van veel van mijn roddels.'

'Ik dacht dat ze was ontstaan uit de koortsige fantasie van de een of andere papist.'

'Helemaal niet, heer. Ze bestaat wel degelijk – een beruchte heks die voor je kan regelen wat je maar wilt: rijkdom of wellust, liefde of moord. Maar je betaalt haar altijd een hoge prijs, zoals ik nu.'

'Dus jij zegt, Glebe, dat je je huidige omstandigheden te danken hebt aan die Moeder Davis?'

'Natuurlijk. Ik heb haar niet het volledige bedrag betaald dat ze vroeg. Die fout zal ik niet nog eens maken, heer Shakespeare...'

'En waar vind ik die heks?'

Glebe lachte somber. 'U zult haar niet vinden, heer. Ze vindt ú.'

'Hoe weet ze dan dat ik haar zoek?'

'Omdat ze een heks is, heer. Ze weet meer dan anderen.'

Shakespeare draaide zich om naar Slide. 'Heb jij wel eens van die vrouw gehoord?'

Hij knikte langzaam. 'Ik zou niet graag ruzie met haar krijgen.'

Shakespeare hechtte nooit veel geloof aan zulke verhalen. Maar ook als ze geen heks was, wist ze misschien iets over de moord op lady Blanche. 'En laat ze snel iets van zich horen, Glebe?'

'Heel snel.'

'Waar woont ze?'

'In de lucht, heer.'

'Ach, klets toch geen onzin! Hoe ziet die vrouw eruit?'

'De ene keer kan ze een smerig wijf zijn dat hier in Newgate niet zou opvallen, een andere keer is ze een prachtige, huwbare jonge vrouw.'

'Hoe zag ze eruit toen jij haar ontmoette?'

'Eerlijk gezegd leek ze nogal op mijn moeder. Maar ik weet dat ze soms ook de gedaante aanneemt van een kat, haar huisgeest.'

Nu moest Shakespeare zo hard lachen dat de andere gevangenen zich omdraaiden om te zien wie er iets geestigs kon ontdekken in deze kerker. 'Een kat! Misschien heb je haar dan wel opgevreten, Glebe. Je blijft hier. Je komt pas vrij als die Moeder Davis – over wie ik grote twijfels heb – naar mij toe komt met een zinnig verhaal. Tot ziens dan maar. Ik zal een shilling bij de cipier achterlaten voor wat eten, hoewel dat meer is dan je eigenlijk verdient.'

29

Jane stond bij de deur toen Shakespeare thuiskwam in Seething Lane.

'Juffrouw Marvell kwam weer langs, heer. Ze wilde u dringend spreken.'

'Verder nog iets?'

'Ja, dit.' Jane gaf hem een verzegelde envelop. 'Gebracht door een boodschapper, een uurtje geleden.'

Shakespeare verbrak het zegel. Er zat een kort briefje in. 'Als u de waarheid wilt weten over bepaalde zaken, kom dan om drie uur. U wordt verwacht in de Bear Garden, bij de hoofdingang van de Baiting Pit. MD.'

MD. Moeder Davis. Shakespeare voelde zijn nekharen overeind komen. Hij moest erheen, natuurlijk, hoewel zijn intuïtie hem zei direct naar Dowgate te gaan om met Catherine Marvell te spreken. Maar dat moest wachten. Als die heks echt iets wist, was ze de sleutel tot de moord op lady Blanche en misschien – als zijn theorie klopte – tot de aanslag op sir Francis Drake. Alleen de moordenaar of iemand in zijn naaste omgeving had iets kunnen weten over de voorwerpen die in Blanche' lichaam waren gevonden.

'En nog iets, heer. Uw broer William was hier.'

Shakespeare keek fronsend. 'William?'

'Hij zit bij een toneelgroep, de Queen's Men. Ze zijn nu in Londen.'

'O. Goed, ik zal hem opzoeken als ik tijd heb.' De komst van zijn jongere broer was een afleiding die Shakespeare nu niet kon gebruiken.

Hij sprong op zijn paard, reed de brug over en sloeg rechts af na de Great Stone Gate, door de smalle straatjes met armoedige huizen in de wijk Stews Bank van Southwark. De gasten van een bescheiden bruiloftsfeest kwamen net uit de ingang van St. Saviour's toen hij voorbijreed, en hij nam zijn hoed af voor de mollige bruid. Het was prettig dat het normale leven ook doorging in deze onzekere tijden. Het herinnerde hem aan alles waar hij voor vocht in Walsinghams oorlog van geheimen. Heel even zag hij een beeld van Catherine Marvell in een zijden jurk van ivoor en lila, afgezet met goud en zwart, haar donkere haar golvend over haar schouders. Maar dat visioen verjoeg hij haastig weer toen hij verder reed. Zulke gedachten hoorden niet bij een werkdag.

De Bear Baiting Pit was gesloten en het park leek kaal en troosteloos, maar over een paar weken, aan het begin van de lente, zou die sombere sfeer plaatsmaken voor vrolijkheid als de geliefde beren – Harry Hunks, Bold Tarquin en de andere – elke woensdag en zondag zouden optreden. Dan stroomden de mensen toe en waren er kraampjes met noten, fruit en saffraankoeken, terwijl minstrelen zongen en speelden voor de muntjes die hun werden toegeworpen.

Bij het hek stond een vrouw, zoals het briefje had vermeld. Hoewel ze van hoofd tot voeten schuilging in een lange mantel, was ze een opvallende verschijning. Shakespeare vermoedde dat ze van Afrikaans bloed moest zijn, want ze had een donkere huid. Hij boog zich voorover uit zijn zadel. 'Ik neem aan, vrouwe, dat u niet Moeder Davis bent?'

Ze wierp hem een charmante glimlach toe. '*Mais non.* Mijn naam is Isabella Clermont, maar ik ben hier namens Moeder Davis. Wilt u met mij meekomen om haar te ontmoeten?' De vrouw had een zwoel, duidelijk Frans accent. Shakespeare boog instemmend, steeg af en nam zijn paard bij de teugels toen hij haar volgde, terug naar Long Southwark, door Bermondsey Street en van daar in noordelijke richting naar het labyrint van steegjes aan het water, stroomafwaarts van de brug.

Onderweg vroeg hij zich af wie Moeder Davis kon zijn. Hij probeerde zich te herinneren wat hij had gelezen in een opruiend blaadje, *Leicester's Commonwealth*, dat twee jaar geleden illegaal was verschenen. Het was een venijnige aanval op Leicester – Robert Dudley – die bekendstond als favoriete hoveling van de koningin en volgens sommigen ook haar geheime minnaar was.

Het pamflet was verboden, maar iedereen in Londen scheen het te hebben gelezen. De tekst beweerde dat hij de diensten van Moeder

Davis had ingeroepen om een liefdesdrank voor hem te maken zodat hij een jonge getrouwde vrouw zou kunnen verleiden, van wie algemeen werd aangenomen dat het de mooie lady Douglass Sheffield moest zijn. De ingrediënten van het drankje waren jonge huiszwaluwen, die Leicester zelf uit hun nest moest halen, en zijn eigen zaad, dat hij op verzoek van Moeder Davis had geproduceerd.

Vervolgens had Moeder Davis de vogels met zijn sperma en bepaalde kruiden tot een krachtig middel gedistilleerd, dat Leicester lady Douglass in een glas wijn had toegediend. Zodra het drankje effect kreeg, had ze zich gewillig aan hem gegeven. Volgens een van de geruchten zou haar toenmalige echtgenoot, John Sheffield, het stel in een hartstochtelijke omhelzing in het echtelijke bed hebben aangetroffen. Later zou lord Sheffield door Leicester zijn vergiftigd. Maar volgens de verhalen had Leicester de halve wereld met vergif uit de weg geruimd. Er werd ook beweerd dat Leicester en lady Douglass in het geheim zouden zijn getrouwd om de koningin geen aanval van jaloezie te bezorgen. Natuurlijk kwam ze er toch achter en kreeg ze een geweldige woedeuitbarsting. Vervolgens, net zo zeker als na de zomer de blaadjes vallen, kreeg Leicester genoeg van lady Douglass en hij stuurde haar met wrede onverschilligheid de laan uit. Ze haatte hem nu vanuit haar ballingschap in Parijs, met haar nieuwe echtgenoot, de Engelse ambassadeur sir Edward Stafford, die net zo'n hekel aan Leicester had als zijn vrouw. Maar het gewone volk had zich kostelijk vermaakt met het verhaal. Steeds als Leicester in een stoet door de stad reed, riepen leerjongens gierend van de lach: 'Jonge zwaluwen te koop. Haal hier uw jonge zwaluwen, heer!' Zulke pesterijen kon Leicester nog wel negeren, maar als hij andere edelen zag grinniken boven hun hermelijnen kraag, noteerde hij hun namen om ooit zijn gram te kunnen halen. Om wraak te kunnen nemen op iedereen die hem had bespot had hij echter wel een paar mensenlevens nodig.

Over Moeder Davis vermeldde het blaadje niet meer dan dat ze een beroemde toverkol was die aan de andere kant van de rivier woonde, tegenover St. Paul's. Shakespeare had er niet veel aandacht aan besteed. Hij geloofde niet dat Moeder Davis bestond of dat het verhaal over de huiszwaluwen ergens op gebaseerd was. Een krankzinnig idee dat het zaad van een man, vermengd met een distillaat van jonge vogeltjes, een vrouw voor hem kon laten vallen. En als daar maar een greintje waarheid in stak, zou dat indruisen tegen alles wat goed en christelijk was.

Een kwartier later stonden Shakespeare en de Française voor een oud gebouw met galerijen, dat ooit een pakhuis leek te zijn geweest. Achter Isabella, die de hele weg geen woord had gezegd, liep hij met zijn paard de keitjes van de binnenplaats op, waar een stalknecht de teugels overnam en het dier bij een trog vastbond.

Isabella maakte een gebaar met haar sierlijke hand. 'Kom mee alstublieft, monsieur.'

Ze ging hem voor door een zijdeur. Vanuit het gebouw klonk muziek en gelach. Ze beklommen een smalle trap naar de tweede verdieping, waar Isabella een deur opende en een kleine kamer binnenstapte met een loeiende open haard en een dozijn of meer flakkerende kaarsen. 'Alstublieft monsieur, wilt u hier wachten? Madame is een beetje vertraagd. Wilt u iets drinken?'

Shakespeare was geïrriteerd. Hij was liever heel ergens anders geweest – in Dowgate, bij Catherine Marvell, om precies te zijn. En hij wilde zeker niet wachten op die belachelijke Moeder Davis en haar heidense trucs. 'Ik wacht wel,' zei hij kortaf. 'En brengt u me een brandewijn, juffrouw.'

Ze knikte en vertrok, terwijl hij dicht bij de knetterende vlammen ging zitten en de omgeving in zich opnam. De wanden waren behangen met rijk gedecoreerde kleden. Boven de haard zag hij een serie kleine, ingelijste prenten, in twee rijen van acht. Hij stond op om wat beter te kunnen kijken en schrok. Het was niet voor het eerst dat hij afbeeldingen zag van copulerende mannen en vrouwen, maar dit was heel iets anders dan de lachwekkende rommel die voor een kroon of zo bij de venters rond St. Paul's kon worden gekocht. Dit waren originele pentekeningen, geen slechte houtgravures, en prachtig uitgevoerd, wat het erotische effect nog versterkte. Het was moeilijk om niet opgewonden te raken van zulke prikkelende beelden. Een beetje verlegen ging hij weer zitten.

De deur ging open en er kwam een vrouw binnen met een glas warme drank. Shakespeare staarde haar aan met grote ogen, stomverbaasd. Ze was slank, mooi en naakt. Hij kon zijn ogen niet losmaken van haar borsten. Ze bracht hem het glas. Als in trance pakte hij het aan en dronk ervan.

'Wilt u nog iets anders, heer?' vroeg ze, terwijl haar hand de zijne raakte.

'Nee,' zei hij. 'Dit is alles.'

'Weet u het zeker, heer?' Ze bracht zijn hand naar de zachte binnenkant van haar dijbeen. Het effect op Shakespeare was heftig, en hij deinsde terug. Maar opeens kwam alle opgekropte frustratie van de afgelopen dagen naar boven en stak hij een beetje schuldig zijn hand weer uit om haar aan te raken. Ze duwde zich naar hem toe. Het liefst zou hij elke centimeter van haar gladde huid hebben geliefkoosd.

Hij sloot zijn ogen om te genieten van het gevoel. Maar ten slotte trok hij zijn hand toch terug, hoeveel moeite het hem ook kostte. 'Nee. Ga nu maar.'

Ze aarzelde even en wilde opnieuw zijn hand pakken, maar toen hij niet reageerde, maakte ze een buiging en verliet de kamer. Hij dronk het glas brandewijn leeg. De drank was zo sterk dat ze hem de adem benam. Waar was hij in beland? Hij raakte in paniek. Het was een grote fout geweest om hier te komen, zeker in zijn eentje. Hij had Slide moeten meenemen.

Wat nu gedaan? Hij kon hier niet blijven wachten totdat Moeder Davis eindelijk verscheen. Dat zou vijf minuten kunnen duren, maar ook vijf uur. Hij zette het glas bij het vuur, dat nog feller leek te branden. Het was veel te heet in de kamer. Een zweetdruppel rolde van zijn voorhoofd langs zijn wang en in zijn kraag.

Shakespeare liep naar de deur, opende die eerst op een kier en toen helemaal. Hij zag een gang, verlicht door branders met dikke kaarsen. Voorzichtig stapte hij de kamer uit en liep de gang door. Aan het andere eind kwam hij bij een volgende, gesloten deur. Daarachter hoorde hij muziek en vreemde geluiden, gelach en gekreun.

De deur ging makkelijk open. Shakespeare bleef op de drempel staan, geconfronteerd met een tafereel dat afkomstig leek uit iemands liederlijke voorstelling van de hel. Negen jaar geleden, toen hij twintig was en een jonge advocaat, was hij naar Venetië en Verona gereisd en had daar talloze gravures en schilderijen gezien, gebaseerd op de duivelse visioenen van de grote dichter Dante Alighieri. Op zijn reizen, maar ook hier in Londen, was hij schilderijen van orgieën tegengekomen. Hij was geen knaap meer, maar nog nooit had hij zo'n losbandig tafereel in werkelijkheid meegemaakt. Tien of twaalf vrouwen van allerlei huidkleur, met blond of bruin haar, en allemaal naakt, lagen met elkaar verstrengeld op een bed dat groot genoeg was voor een koning. Het had rode gordijnen en beddengoed dat glansde als bloed in het schijnsel van het vuur. De sensuele geur van wierook zweefde hem tegemoet. De meisjes lagen te kronkelen als oververhitte slangen in mei, en gebruikten hun tong, vingers en voorwerpen als vervanging voor het mannelijk lid, in alle denkbare standjes. Ze kreunden en fluisterden obsceniteiten tegen elkaar, zich ogenschijnlijk niet bewust van zijn aanwezigheid. In een hoek zaten twee naakte vrouwen die een lier en een harp bespeelden. Geen enkele man kon hier onbewogen onder blijven. Maar terwijl Shakespeare daar stond, als verstijfd, besefte hij opeens dat dit alles speciaal voor hem werd opgevoerd.

Met een grote zelfoverwinning sloeg hij de deur weer dicht. Hij stond te beven en sloot zijn ogen, maar kon het visioen van dat bed met naakte lijven niet uit zijn gedachten verjagen. Haastig draaide hij zich om – en stuitte op de verleidelijke glimlach van Isabella Clermont.

'Dat was toch prettig om te zien, nee?'

'U doet wel een zwaar beroep op mijn tolerantie, juffrouw.'

Ze wendde verbazing voor. 'Dat spijt me, monsieur.'

'Ik zal u zeggen wat prettig is: deze hele tent sluiten en iedereen naar Bridewell sturen, uzelf en de vermaarde Moeder Davis incluis. En dan zal ik ervoor zorgen dat u elke dag uw rondjes in de tredmolen draait, tot u volledig bent genezen van deze liederlijke wellust.'

'Vergeef me, heer. De meeste mannen beleven hier plezier aan. Ze zien graag mooie vrouwen die genieten van elkaars lichaam. Misschien houdt u meer van jongens? Ook dat is te regelen.'

'Ik ga nu weg, maar ik zal terugkomen met de schout en zijn dienders.'

'Maar monsieur, Moeder Davis is er nu en zou graag met u spreken. Wilt u dat niet?'

'En hoe lang moet ik deze keer wachten?'

'Nee, nee. U kunt nu met me mee komen.' Isabella pakte zijn hand, maar hij trok zich los. Toch volgde hij haar, van de wachtkamer en de kamer met naakte vrouwen vandaan. Even later stapten ze een andere kamer binnen, waar een kleine, ronde vrouw met grijs haar in haar eentje bij het vuur zat. Ze was onopvallend gekleed en haar handen rustten zedig in haar schoot. Als dit Moeder Davis was, voldeed ze aan de beschrijving van Walstan Glebe: een moederlijk type.

'Monsieur, mag ik u voorstellen aan Moeder Davis?' Isabella stak haar hand uit, bij wijze van introductie.

'Heer Shakespeare, ik wilde u al heel lang ontmoeten,' zei Moeder Davis. 'Ik heb zo veel gehoord over u en uw geweldige werk voor de veiligheid van onze geliefde koningin en van Engeland, dat ons allemaal zo dierbaar is. Wilt u hier komen zitten?' En ze klopte op de kussens van de divan naast haar.

Shakespeare kwam dichterbij, maar ging niet zitten. 'Vrouwe,' zei hij formeel, 'ik heb geen idee wat voor huis u hier onderhoudt, maar ik zal mijn uiterste best doen het te sluiten. Ondertussen heb ik begrepen dat u informatie voor mij hebt over een afschuwelijk misdrijf. Ik eis dat u mij onmiddellijk vertelt wat u weet, anders zult u de harde hand van de wet voelen.'

'Ik zal mijn best doen,' kirde de vrouw op warme toon, 'maar ik ben maar een arme oude vrouw, dus ik weet niet hoe ik u kan helpen. Ga toch zitten, heer Shakespeare. Het is zo ongemakkelijk om te blijven staan.'

'Ik sta liever.' Hij wist dat hij kribbig klonk, maar dat was ook de bedoeling. De vrouw was een heks en hij wilde zich niet laten inpalmen. 'Wat kunt u me vertellen over de informatie die u Walstan Glebe hebt gegeven over de moord op lady Blanche Howard? Hoe kwam u aan die feiten?'

'Alles op zijn tijd, heer. We hebben veel te bespreken.'

'Helemaal niet. U hebt informatie voor mij. Dat is alles.'

De oude vrouw schudde haar hoofd. 'Ik ben bang dat ik uw ergernis heb opgewekt. Dat spijt me. Er bouwt zich iets bij u op, heer Shakespeare, wat tot een gevaarlijke explosie kan leiden als u het niet de vrije loop laat. Jammer dat u niet een van mijn meisjes wilde. Ze zijn zo mooi en lief, ik weet zeker dat een van hen u goed had kunnen doen. Maar drink in elk geval een glas met mij. Isabella, wil je de wijn brengen?'

Shakespeare ijsbeerde door de kamer, zich ervan bewust dat de oude vrouw al zijn bewegingen volgde. 'Krijg ik nog iets te horen?' vroeg hij. 'Of moet ik de papenjagers erbij halen?'

Isabella kwam terug met de wijn en een blad vol zoetigheid. Ze hield het Shakespeare voor, maar hij wuifde het weg.

Zijn geduld was op. 'Moeder Davis,' zei hij scherp, 'u hebt me hier laten komen. Als u iets te zeggen hebt, doe het dan nu.'

'Ik kan u dit vertellen, heer Shakespeare. Er is een complot en een tegencomplot. Iemand die in het ene complot zit, werkt dat weer tegen, samen met een ander. En de eerste zweert met de derde tegen de tweede samen. De man die u zoekt heeft mijn Isabella, die u hierheen heeft gebracht, ernstig mishandeld. De duivel en zijn knechten mogen hem halen, dus zal ik u zijn naam zeggen.'

'Laat horen dan, zonder uw raadseltjes, drankjes of verwerpelijke praktijken. Geef me de naam.'

Moeder Davis gaf een teken aan Isabella, die in haar handen klapte. Onmiddellijk verschenen er twee dienstmeisjes, die haar hielpen haar mooie blauwe jurk van satijn en zijde uit te trekken.

'Ik hoop dat u hier niet van schrikt, heer Shakespeare,' zei Moeder Davis met een scherpe blik in haar oude ogen, 'maar ik kan u verzekeren dat het noodzakelijk is.'

Toen Isabella naakt was en haar donkere huid goudbruin glansde in het schijnsel van de kaarsen en de haard, strekte ze haar armen in de vorm van een kruis.

Shakespeare keek, onwillekeurig toch betoverd. Zijn blik ging naar haar handen. Ondanks de donkere huid zag hij een dikke paarse striem om haar polsen, net als bij Blanche Howard. Hij keek Moeder Davis aan, die geruststellend glimlachte en even knikte naar Isabella, die zich omdraaide. In haar rug was een kruis gesneden. Het leek geen ernstige wond en het was moeilijk te zeggen hoe diep ze was geweest, maar aan de vorm kon hij niet twijfelen; hetzelfde crucifix dat in Blanche' dode lichaam was gekerfd.

'Genoeg!' zei Shakespeare tegen Isabella. 'Bedek jezelf.'

Moeder Davis gaf de meisjes opdracht Isabella weer in haar jurk te helpen. 'En, heer Shakespeare? Is dat niet iets om bij stil te staan?'

Shakespeares ongemakkelijke gevoel had plaatsgemaakt voor woede. 'Vrouwe, u hebt me nog steeds niet verteld wat ik weten wil. U hebt Walstan Glebe bepaalde informatie gegeven. Waar had u die vandaan? En wat was de naam van de man die Isabella dit heeft aangedaan?'

'Die informatie had ik van Isabella zelf. Isabella, laat heer Shakespeare de voorwerpen zien.'

Het meisje liep naar de schoorsteenmantel en pakte een zilveren crucifix en een stukje bot. Ze gaf ze aan Shakespeare, die ze in zijn handen ronddraaide. Maar de voorwerpen als zodanig hielpen hem niet verder. 'Waar komen ze vandaan?'

Moeder Davis glimlachte niet meer. Ze keek John Shakespeare strak aan. 'Uit haar lichaam, heer. Daar waren ze met grof geweld in gestoken door een man die zich Southwell noemde.'

'De jezuïet?'

'Wij nemen aan van wel, heer. Op dat moment hadden we nog nooit van hem gehoord, maar sindsdien weten we dat hij wordt gezocht door de minister en anderen. Daarom praten we nu met u. We dachten dat deze informatie belangrijk kon zijn voor de veiligheid van het land.'

'Maar wat is het verband met de moord op lady Blanche? U hebt Glebe over het crucifix en het botje verteld in verband met de moord op lady Blanche Howard.'

Moeder Davis glimlachte weer. 'Om een heel goede reden, heer Shakespeare, die ik u nog niet kan vertellen. Voordat u verder graaft, moet u eerst horen wat Isabella te vertellen heeft. Isabella...'

De Française was weer bijna aangekleed. De meisjes waren nog bezig met haakjes en baleinen. 'Twee dagen geleden kwam hij bij me, monsieur Shakespeare. Eerst vroeg hij me om hem te slaan. Dat is niet ongebruikelijk. Er zijn veel mannen in deze wereld – vooral in kerkelijke functies – die dat willen.' Ze haalde haar schouders op. 'Maar zolang ze betalen, zijn het mijn zaken niet en ben ik graag bereid aan hun wensen te voldoen. Southwell vroeg me om hem vast te binden, en daarna sloeg ik hem met de zweep. Niet te hard, natuurlijk, want ik wilde hem geen verwondingen toebrengen. Hij scheen ervan te genieten. Tenminste, ik dacht dat hij voldaan was. Maar toen ik hem losmaakte, greep hij me beet en bond me in zijn plaats vast, met strakke touwen om mijn polsen. Daarna ging hij gewelddadig tekeer, stak deze dingen in mijn lichaam en kerfde in mijn rug met zijn ponjaard. Ik was bang dat hij me zou vermoorden.'

'Maar dat deed hij niet. Waarom eigenlijk, want lady Blanche werd wel vermoord. Waarom liet hij jou gaan?'

'Dankzij mij,' zei Moeder Davis. 'Ik pas goed op mijn meiden, heer Shakespeare. Ik hoorde Isabella gillen en kwam binnen terwijl die schoft met zijn paapse streken bezig was. Toen ik om hulp riep, ging hij ervandoor en we hebben hem niet meer gezien.'

Shakespeare lachte, een vreemde, hoge, giechelende lach die nergens vandaan leek te komen. Hij vroeg zich af waarom. Een vrouw was bijna vermoord en hij stond hier te lachen. Maar bij die gedachte lachte hij nog harder. Hij sloeg een hand voor zijn mond en probeerde zich te concentreren. 'Kunt u die Southwell voor me beschrijven?'

Moeder Davis keek hem aan. 'We hebben hem allebei gezien. Hij was een knappe jongen,' zei ze. 'Half man, half meisje, met goudblond haar en bijna geen baard. Niet groot en niet klein. En hij sprak zorgvuldig, een beetje té zorgvuldig. Ik weet zeker dat we hem allebei zouden herkennen. Als u hem te pakken krijgt, zullen we hem voor u identificeren en tegen hem getuigen voor de rechtbank.'

'En u, juffrouw, hoe zou u de man beschrijven?' Shakespeares woorden klonken vreemd, kwetterend en licht. Hij kon toch beter gaan zitten. Zijn knieën knikten, alsof hij te veel zwaar bier had gedronken. Hij wankelde op zijn benen.

'Zoals Moeder Davis deed. Zijn ogen leken groen, maar dat weet je nooit zeker. Misschien was het een spiegeling van het licht. Voor een *religieux* vond ik hem vrij sterk. Ik kon me niet verzetten.'

Shakespeare giechelde toen hij zich naast Moeder Davis op de divan liet vallen. Hij boog zich naar voren, steunde zijn hoofd in zijn handen en sloot zijn ogen. Ze streelde zijn haar. 'Heer Shakespeare, wat scheelt eraan?'

'Ik… ik voel me niet zo goed. Ik ga maar even liggen.'

'Natuurlijk. Isabella, haal hulp en laat een bed gereedmaken. Nu.'

De kamer leek uit te dijen. Shakespeare voelde zich steeds kleiner worden, alsof hij kromp tot de omvang van een kat. Hij was zich er vaag van bewust dat zijn hersens niet meer werkten zoals het hoorde. Waar was hij? Wie waren deze mensen? Toen werd het donker en kon hij zich niets meer herinneren.

30

Hij werd wakker in een rood bed met bloedrode lakens. Zijn lichaam voelde slap en hij was te moe om zich te bewegen. Vaag besefte hij dat dit het bed was waarin de vrouwen van Moeder Davis hun liederlijke tableau van een orgie voor hem hadden opgevoerd. Nu was hij alleen. Hij moest hier weg, maar hij kon geen vin verroeren. Toen hij heel even zijn hoofd van de kussens tilde, zag hij dat hij toch niet alleen was. Isabella Clermont zat stilletjes op een houten stoel in een hoek van de kamer. Zijn hoofd viel weer terug.

'Monsieur, u bent wakker.'

Hij wilde antwoorden, maar dat ging niet. Zijn mond ging open en dicht als de bek van een vis, maar er kwam geen geluid uit. Verder voelde hij zich geweldig: blij en zonder zorgen. Hij luisterde naar zijn eigen ademhaling als het rustige kabbelen van de branding op de kust. Hij hoefde alleen zijn ogen weer te sluiten om weg te zweven.

'Ik zal Moeder Davis halen.'

Ja, dacht hij, haal moeder maar. Het beeld van zijn eigen moeder kwam hem voor ogen. Ze glimlachte engelachtig tegen hem en hij was weer een kleine jongen in hun mooie huis, op een zomerse dag, met bloemen rond de ramen en deuren.

Toen hij zijn ogen opsloeg, zat Moeder Davis aan zijn bed, met Isabella. 'Hoe voelt u zich nu, heer Shakespeare?'

Hij keek in haar ogen en het viel hem op dat die niet lachten. Wel haar mond, niet haar ogen. Daarachter lagen geheimen en duistere dingen waarvan hij liever niets wilde weten.

Ze hield een klein glazen buisje tussen de duim en wijsvinger van haar linkerhand. 'Ik heb uw sappen hier, heer Shakespeare. Isabella heeft ze bij u afgetapt. Ik denk dat die ontlading goed voor u was. Er had zich inderdaad iets bij u opgekropt, wat als een kanon explodeerde. Daardoor zult u zich veel beter voelen, dat weet ik zeker. Zulke dingen kunnen beter worden uitgeleefd dan ingehouden.'

Ondanks zijn nevelige toestand begreep Shakespeare toch dat ze een buisje met zijn zaad in haar hand hield. Waarom? Alsof ze zijn gedachten kon lezen, zei ze: 'Als betaling, heer Shakespeare. Er is altijd een prijs. Luister goed naar wat nu volgt, en vergeet het niet.'

Terwijl hij toekeek, niet in staat om te spreken of te communiceren, sloot Moeder Davis haar ogen. Haar stem werd hoog en etherisch. 'De paters zweren samen, spelen een ijdel spel, maar een man die "de Dood" heet nadert snel. Hoor wat ik zeg, John Shakespeare, of betaal de prijs, wees niet onwillig nu, maar wijs. Luister wat ik zeggen zal, want de prijs, in liefde, is Verval.'

Ze klopte hem op zijn hand. 'Zo. En wees nu verstandig. Ik heb uw zaad, zoals ik ook Leicesters zaad nog heb. Hij is voor altijd de mijne. Houd u aan de prijs. Walstan Glebe deed dat niet en ligt nu in Newgate te creperen van honger en dorst. In ruil hebt u de naam van uw moordenaar. U hoeft hem enkel nog te vinden. De sleutel ligt in uw handen. U kunt de deuren ontsluiten als u wilt, heer Shakespeare, zolang u de boodschapper maar niet verraadt. Doe nooit iets wat Moeder Davis zou kunnen schaden.'

Hij viel in slaap. Toen hij weer wakker werd, was de kamer koud en nog slechts verlicht door een enkele kaars, die bijna was opgebrand. Deze keer was hij alleen. Hij kon weer overeind komen, hoewel zijn hoofd nog pijnlijk bonsde. De verlammende vermoeidheid was verdwenen.

Hij was naakt. Zijn kleren lagen op de stoel waarop Isabella naar hem had zitten kijken. Terwijl hij zich aankleedde herinnerde hij zich dat ze zijn zaad hadden afgetapt. Hij luisterde of hij iets hoorde, maar het was stil. Ten slotte pakte hij de kaars op en liep naar de deur. Aan de muur hing een spiegel, waarin hij een glimp van zichzelf opving. Zijn adem stokte. Zijn rechterwenkbrauw was afgeschoren. Wat voor betovering had die heks Davis over hem uitgesproken?

Ook in de gang was het donker, afgezien van het schijnsel van zijn snel slinkende kaars. Het licht was net voldoende om hem naar de voorkamer te brengen waar hij had zitten wachten en de prenten van de copulerende stellen aan de muur had gezien. De kaars sputterde en ging uit. In de voorkamer was het vuur gedoofd tot gloeiende as, maar ook die gaf nog wat licht, genoeg om een andere half opgebrande kaars te vinden, die hij aanstak met de vonken. Hij liep de gang uit naar de kamer waar hij Moeder Davis had ontmoet. Daar was alles donker en verlaten. Hoe laat was het? Aan de haard te oordelen, had niemand meer hout op het vuur gegooid. Het zou wel vroeg in de avond zijn.

Opeens dacht hij aan Catherine. Ze had hem dringend willen spreken. Hij moest naar haar toe. Hij voelde zich schuldig toen er een vaag beeld bij hem opkwam van Isabella Clermont die schrijlings over hem heen zat, spelend met zijn gezwollen lid om zijn zaad te oogsten.

En nog altijd wist hij niet hoe Walstan Glebe aan zijn informatie over de verwondingen van lady Blanche Howard was gekomen.

Terug in Seething Lane voelde hij zich duizelig. Hij was langzaam de brug over gereden, bang om te vallen. Eenmaal thuis bracht hij zijn paard naar de stallen, waar een knecht de teugels overnam. Daarna wankelde hij onzeker naar zijn voordeur.

Een gedaante met een capuchon dook op uit de schaduw, en Shakespeares hand ging naar zijn zwaard. Maar met een zucht van opluchting stak hij het wapen weer terug in de schede. Het was Catherine. 'Juffrouw. Ik wilde net naar u toe komen.'

'Ik kon niet wachten. Ik heb niets meer van u gehoord over heer Woode. Ik maak me vreselijk ongerust.'

'Kom binnen.'

Jane pakte hun jassen aan en stond klaar om eten en drinken te halen. 'Wat is er met uw wenkbrauw gebeurd, heer?'

Shakespeare keek haar nors aan.

'Het spijt me, juffrouw,' zei hij toen Jane was vertrokken. 'Het lukte me niet om naar Dowgate te komen, maar u bent hier welkom.' Nu hij haar zag, gingen Shakespeares gedachten weer naar de gebeurtenissen in Southwark. Hij voelde zich verfomfaaid en vies. Het liefst zou hij een lampetkan hebben gehad met een doek om zich helemaal te wassen, van top tot teen. Hij was doodmoe, zijn hoofd bonsde en hij verlangde naar zijn bed.

Hij nam Catherine mee naar zijn kleine bibliotheek. Dat was zijn eigen plek, van hem alleen, waar hij kon nadenken en bidden als hij daar behoefte aan had. Zijn hoofd klaarde snel op en hij zag hoezeer Catherine van streek was. Haar haar was niet gekamd en ze had donkere wallen onder haar ogen. Toch was ze nog altijd mooi.

'We moeten mijn broodheer redden uit de klauwen van dat monster,' zei ze. 'Waar heeft Topcliffe hem naartoe gebracht? Leeft hij nog wel?'

Shakespeare had zich haar nooit zo voorgesteld. Ze was trots en vurig van karakter, maar nu smeekte ze hem bijna, al was het niet voor zichzelf.

'Juffrouw,' zei hij zorgzaam, 'ik weet waar Woode nu is, maar dat zal een schrale troost zijn. Hij zit opgesloten in Topcliffes eigen huis in Westminster. Daar schijnt een cel te zijn, met een pijnbank. Het is onmogelijk om hem daar weg te halen. We kunnen niets anders doen dan wachten tot hij wordt berecht voor welke aanklacht Topcliffe dan ook mag hebben bedacht. Dan pas kunnen we zijn advocaat vragen zijn best te doen. Heel ongelukkig allemaal, maar ik moet eerlijk tegen u zijn.'

Hij had half verwacht dat Catherine in tranen zou uitbarsten of zou flauwvallen, maar ze keek hem recht aan. 'Ik kan niet geloven dat alles verloren is. We moeten mijn broodheer daar vandaan zien te krijgen. Ik heb een voorstel. En een bekentenis. Ik zal u dingen vertellen, vertrouwend op uw christelijke goedheid, in mijn geloof – waarin ik hopelijk niet zal worden teleurgesteld – dat u een menselijk hart bezit.'

Hij trotseerde haar blik een moment en knikte toen. 'Ga zitten en vertel. Ik zal luisteren.'

Ze ging op de kussens van de divan zitten, waar hij zelf vaak zat te lezen. Ze had haar vuisten gebald, maar sprak ferm en duidelijk. 'Ik ben niet eerlijk tegenover u geweest, heer Shakespeare. Ik zei u dat ik niets wist over jezuïeten, maar dat was een leugen. De waarheid is dat ik wel degelijk twee van zulke priesters ken, van wie er één me grote zorgen baart. Ik vind het moeilijk dat te zeggen, want ik beschaam nu het vertrouwen dat in mij is gesteld. Toch lijkt het me beter voor iedereen dat hij wordt opgepakt. Ik ben bang dat hij in staat is tot afschuwelijke misdrijven, die eerder tweedracht dan harmonie zullen bewerkstelligen. En ik vrees dat hij de moordenaar van Blanche zou kunnen zijn.'

'Hebt u daar bewijzen voor?'

'Alleen indirect. En mijn intuïtie, die het meestal wel bij het rechte eind heeft. Ik stel u een overeenkomst voor. Ik zal u naar de andere priester brengen, voor wie ik volledig kan instaan. Hij is bereid met u te praten en kan u waarschijnlijk informatie geven die een eind zou kunnen maken aan deze ongelukkige gebeurtenissen. Mijn voorwaarde is dat u hem niet zult arresteren. Maar eerst moet u alles doen wat in uw macht ligt – en ik weet dat u grote invloed hebt – om heer Woode vrij te krijgen, zelfs als u zich daarvoor op uw knieën moet werpen voor de minister of een smeekschrift moet indienen bij de koningin. Mijn broodheer is een goede, onschuldige man, die dit niet verdient. Zijn leven en de toekomst van twee kleine kinderen staan op het spel.'

Shakespeare voelde zich nu weer helder genoeg. Hij was boos op Catherine vanwege haar leugens, maar had al vermoed dat ze wist waar de gezochte jezuïeten waren en zelfs had geholpen hen te verbergen. Dat ze hem nu een van die mannen aanbood in ruil voor het leven van haar werkgever, betekende dat ze grote twijfels had over die priester. En dat ze een diepe affectie voor Thomas Woode koesterde, besefte hij een beetje triest. Wat voor relatie hadden ze? Waren ze geleven? En zo niet, zou ze dat dan willen? Eén schandelijk moment kwam het bij Shakespeare op dat het zijn eigen belang beter diende als Woode zou sterven, zodat voor hem de weg vrijkwam om Catherine het hof te maken. Een beetje geschrokken herinnerde hij zich het oudtestamentische verhaal over David en Bathseba. Was hij, net als David, bereid een ander te offeren voor zijn eigen geluk? De woorden van Moeder Davis speelden weer door zijn hoofd: 'De prijs, in liefde, is Verval.' Hij huiverde.

'Ja,' zei hij. 'Ik zal mijn uiterste best doen om Thomas Woode uit Topcliffes handen te bevrijden. Maar als er een serieuze aanklacht tegen hem bestaat, kan ik hem niet beschermen tegen de wet. Als hij verraders heeft verborgen, moet hij daarvoor boeten.'

'Dat begrijp ik.'

'Maar vertel me eerst eens wat hij te maken heeft met het pamflet dat we bij het lichaam van lady Blanche hebben gevonden. Hij herkende iets in dat drukwerk.'

'Als u hem hebt bevrijd, heer Shakespeare, kunt u hem dat zelf vragen. Ik weet zeker dat hij eerlijk antwoord zal geven, want hij houdt
van mij en zal naar me luisteren. Zeg alleen maar tegen hem: "Ik
breng u troost, heer Woode."'

31

Walsingham voelde er weinig voor om Shakespeare het gerechtelijke bevel te geven waar hij om vroeg. Hij keek zijn belangrijkste inlichtingenofficier onderzoekend aan, maar leverde geen commentaar op de afgeschoren wenkbrauw; hij had belangrijker zaken aan zijn hoofd. 'Ik krijg het niet graag aan de stok met Topcliffe, John. Dit is niet het moment voor onderling gekrakeel. We moeten de vijand bestrijden, niet elkaar. Als Woode nuttige informatie heeft, weet Topcliffe die wel uit hem te krijgen.'

Shakespeare moest zijn zaak met vuur bepleiten. Het was heel belangrijk, hield hij vol, dat hij de man zelf te spreken kreeg want misschien bezat hij de sleutel tot de moord op lady Blanche en de huurmoordenaar die op Drake was afgestuurd. Hij zei niets over de bron van zijn inlichtingen of dat Southwell er een rol in speelde; hij wilde Catherine Marvell er niet bij betrekken. Wel zette hij zijn theorie uiteen over het verband tussen de twee misdrijven en zijn vaste geloof dat Thomas Woode hem dingen zou vertellen die de man voor Topcliffe verborgen zou houden.

Walsingham was niet overtuigd, maar boog voor Shakespeares vastberadenheid. 'Dit bevel geeft je alleen toestemming om met Woode te praten, niet om hem mee te nemen. Ga vandaag nog, dan zal ik zorgen dat Topcliffe je verwacht en zal meewerken. En wees beleefd, John.'

'Denkt u dat Topcliffe ook beleefd zal zijn tegen mij?'

Daar gaf Walsingham geen antwoord op.

Shakespeare reed door de kille straten met het rechterlijke bevel onder zijn wambuis gestoken. Het leek niet waarschijnlijk dat Topcliffe hem zou binnenlaten, maar hij moest het proberen.

Topcliffe stond hem al op te wachten en leek ongewoon goedgehu-meurd. 'Welkom, heer Shakespeare, welkom in mijn nederige stulpje.' Hij hield de zware eikenhouten deur voor hem open. 'Kan ik u iets in-schenken tegen de kilte van de dag? Een glas brandewijn, misschien?'

Shakespeare zou liever met de duivel borrelen dan met Topcliffe en bedankte. 'Ik kom voor Thomas Woode,' verklaarde hij kort en zakelijk.

'En ik breng u graag naar hem toe. Misschien wilt u een kijkje nemen in mijn cel? Het is een bijzonder stukje vakwerk. De Tower is er niets bij.'

'Is hij daar? Hebt u hem gemarteld?'

'Kom maar mee.'

Topcliffe ging hem voor door een korte gang, naar een deur met ijzeren banden en zwaar beslag, die er onwrikbaar uitzag. Toen hij de deur opende, zag Shakespeare een donkere kamer, alleen verlicht door een bovenraampje en een paar branders met kaarsen aan de muur. De ramen aan de straatkant waren dichtgespijkerd.

'Kom binnen, heer Shakespeare. Wees maar niet bang, ik zal u niet opvreten.'

'Ik zal je één ding zeggen, Topcliffe: wat ik ook voor je voel, het is geen angst.'

Topcliffe lachte, als een blaf. Shakespeare stapte naar binnen en keek om zich heen in het schemerdonker. De kamer werd gedomineerd door de pijnbank, een grotesk soort ledikant van drie meter bij een meter twintig, opgebouwd uit mooi, nieuw hout. Aan beide uiteinden zat een draailier met dikke koorden voor de polsen en de enkels.

'Splinternieuw, heer Shakespeare. Mooi, nietwaar? Ik heb hem he-lemaal uit eigen zak betaald,' zei Topcliffe. 'Eenentwintig pond en vijf-tien shilling. Hoeveel van uw geld hebt u in de verdediging van het land gestoken?'

In een hoek stond een vuurkorf met de as van een vorige dag. Aan de muur zat een staaf, bevestigd aan twee ijzeren ringen die stevig in de steen waren verankerd, vlak onder het plafond. Topcliffe volgde Shakespeares blik. 'En dát, heer Shakespeare, is mijn grote trots. Je hoeft alleen maar een stel boeien om hun polsen te doen met een me-talen punt die in het vlees priemt, en hen dan met hun handen aan die stang te hangen. Als ik haast heb, hang ik ze los, maar meestal neem ik er de tijd voor, zodat ze nog met hun rug tegen de muur leunen of met hun tenen de grond raken. Dan sterven ze niet zo snel. De pijn die zo'n eenvoudig mechaniek kan veroorzaken is machtig om te zien. Ze worden krankzinnig, Shakespeare, rijp voor het gesticht. De romp – de buik en de borst – heeft het meest te lijden: een verzengende pijn, erger dan een mens verdragen kan. Ze denken dat het bloed als zweet uit hun handen en vingers druipt, maar dat is niet zo. Ze kunnen nauwelijks praten als ze daar hangen, dus weet ik niet wanneer ze me willen vertellen wat ik horen wil. Maar zo nu en dan laat ik ze zakken om te zien of ze bereid zijn om te praten. Meestal is dat zo.'

'Ik ben hier om Thomas Woode te spreken, niet om naar de verdiensten van jouw onchristelijke instrumenten te luisteren.'

Topcliffe scheen voldaan over de indruk die zijn martelkamer had gemaakt. 'O ja, Woode. Een bange man, moet ik zeggen. Een echte prater. Hij heeft me alles verteld wat ik wilde weten, en nog meer. Ik ken zelfs de naam van de beste melkkoe van zijn tante Agnes. En natuurlijk vertelde hij de waarheid over die priesters in zijn huis. Hij heeft me alles gegeven: namen, data, signalementen en huidige verblijfplaats. Robert Southwell was erbij en bevond zich inderdaad in Tanahill House op het moment dat ik daar huiszoeking deed. Voldoende bewijs dat ik gelijk had om door te gaan met zoeken, voldoende bewijs dat lady Tanahill onder één hoedje speelt met de roomse antichrist en al zijn duivelse werken.'

'Ik heb een gerechtelijk bevel om met Thomas Woode te spreken.'

Topcliffe haalde een koud brandijzer uit de vuurkorf en sloeg er afwezig mee op zijn hand. 'Dat is niet meer nodig, Shakespeare. Hij heeft me alles al verteld, alsof ik zijn biechtvader was. Hij gaf zelfs toe dat hij hout van de Royal Docks had gestolen. Als dat geen strafbaar verraad is, weet ik het niet meer.'

'Iemand die wordt gemarteld, zegt alles wat je wilt. En breng me nu naar Woode, of anders mag je het de minister uitleggen.'

Topcliffe ontblootte verachtelijk zijn tanden en gooide het ijzer weer in de vuurkorf terug. 'Goed. Kom maar mee dan, deze kant op.'

De kamer had een zijdeur in de gemetselde muur. Topcliffe schoof de grendel terug en schopte de deur open. Er was geen licht, afgezien van de weerschijn van de toortsen in de martelkamer. Het duurde even voordat Shakespeares ogen aan het halfduister gewend waren, maar toen zag hij een berg, als een zak met bieten, in de verre hoek. Hij probeerde niet terug te deinzen voor de gebruikelijke stank van een gevangeniscel en stapte de met stro belegde ruimte binnen.

'Heer Woode?'

Geen antwoord. Hij hoorde de man ademen, pijnlijk en oppervlakkig.

'Heer Woode, ik ben het, John Shakespeare. Ik kom met u praten.' Shakespeare draaide zich om naar Topcliffe. 'Heb je drinken voor deze man?'

'Hij heeft water. Als hem dat niet bevalt, kan hij zijn eigen pis drinken.'

'Ik wil met hem spreken.'

'Doe dat dan.'

'Alleen.'

'Zoals je wilt.' Topcliffe stapte terug en wilde de deur dichtgooien, maar Shakespeare zette zijn voet ertussen.

'Ik heb licht nodig. En geef de man fatsoenlijk te eten en een kroes bier, anders zal ik de koningin in een brief laten weten hoe jij gevangenen verhoort in haar naam.'

'Je gaat je gang maar. Ze weet wat ik voor haar doe en dat vindt ze prachtig.'

'Klets toch geen onzin, man.'

'O, jawel, Shakespeare. Ik vertel haar erover als ik boven op haar lig en bij haar naar binnen stoot. Dat windt haar op, tot ze het uitschreeuwt van genot.' Topcliffe lachte, maar Shakespeare trapte er niet in. Hij wist dat hij een zwakke plek had gevonden en dat Topcliffes relatie met de koningin het enige punt was waarop hij kwetsbaar kon zijn. Elizabeth zou zich nooit te schande laten maken door een van haar huurlingen.

'Moet ik haar dat ook schrijven?'

'Wil je dat ik je kop insla met een ijzeren staaf? Wil je dat ik de minister vertel over je avontuurtjes? Wat is er met je wenkbrauw gebeurd, Shakespeare? Ha! Ik weet alles van je. Je bent net zo erg als die paapse schoften. Verdomme, ik zal je eten brengen, en een kaars. Misschien wil de gevangene ook een pasteitje van paling en lijster, met marsepein als toetje...'

[235]

Shakespeare liep rood aan. Hoe wist Topcliffe over Moeder Davis en Isabella Clermont? Had hij hem geschaduwd? Hadden zij het hem verteld? En zo ja, waarom?

Terwijl Topcliffe verdween om wat eten te laten brengen door een van zijn bedienden, haalde Shakespeare diep adem en liep naar de in-eengekrompen gedaante in de hoek. Hij droeg nog de kleren van een gentleman, maar ze waren besmeurd met het stof en vuil van deze smerige cel. Shakespeare sloeg een arm om de man heen.

'Heer Woode, kunt u spreken?'

Woodes ogen glansden in het schemerdonker. 'Ja, maar ik doe het niet.' Zijn stem rammelde als een zak bonen, maar was nog krachtig, meer dan een gefluister.

'Ik ben hier om u te helpen.'

'Weer zo'n truc van Walsingham, neem ik aan.'

'Catherine... juffrouw Marvell... zei me dat u onschuldig bent.'

'Wat maakt dat voor verschil? Mijn lichaam is al gebroken. Dat doen de Engelse wetten: ze breken onschuldige mensen tot ze dingen bekennen die ze nooit hebben gedaan. Ik praat niet met u, heer. En ook niet met dat beest, Topcliffe. Wat hij ook beweert, ik heb hem niets verteld.'

Hij liet zich weer tegen de muur zakken.

'U kunt me vertrouwen. In Jezus' naam... uw Christus en de mijne... zweer ik dat ik hier ben om u te helpen, niet om u kwaad te doen. Vertrouw me, alstublieft. Het is onze enige hoop...'

Topcliffes bediende, een forse knaap met gladgekamd haar en het begin van een pluizig baardje, bracht een pul bier, wat brood en een kandelaar. Hij schoof de kandelaar naar Shakespeare toe, spuwde plechtig in het bier en zette de pul zo hard op de grond dat een groot deel eruit klotste. Toen liet hij het brood vallen en gaf het een schop.

'Ik hoop dat je erin stikt,' zei de jongen, opzettelijk grof.

'Dank je, jongen. Ga nu maar.'

'Ja, ik vertrek uit dit stinkhol. En ik ben Nicholas Jones, niemands jongen.'

Shakespeare sloot de deur en liet Woode een flinke slok bier drinken. In het kaarslicht onderzocht hij de gevangene, die een kreet van pijn slaakte als hij werd aangeraakt, maar zich verder niet verzette. Woode kon zich nauwelijks bewegen. Zijn armen hingen slap langs zijn lichaam. Om zijn polsen waren sporen van boeien te zien, rode randen van gescheurde huid, maar dat waren de enige zichtbare gevolgen van de marteling. Zijn ogen bleven open, helder en alert.

'Hoe lang heeft hij u aan die muur gehangen?'

'Het leken wel uren. Een paar minuten, misschien. Ik weet het niet. Die muur is erger dan ik me ooit had kunnen voorstellen. Ik denk niet dat ik de volgende keer zal overleven.'

Shakespeare kwam wat dichterbij en zei zachtjes in Woodes oor: 'Ik breng u troost, heer Woode.' Toen schoof hij weer naar achteren. 'Catherine heeft met uw advocaat gesproken, Cornelius Bligh. Hij probeert een verklaring van habeas corpus te krijgen, maar Topcliffe doet alles om dat tegen te houden.'

Woode zuchtte zwaar. Die woorden – 'Ik breng u troost, heer Woode' – waren dezelfde die pater Cotton had gesproken toen ze elkaar voor het eerst ontmoetten. Er was er maar één die dat kon weten: Catherine. 'Het is al te laat. Ik kom niet meer levend uit dit zwarte hol.'

'Zeg dat niet. Probeer sterk te blijven.'

'Hij geeft niet op. En hij wil het niet tot een proces laten komen want hij heeft geen bewijs. Hij zal me hier nooit levend laten vertrekken. Mijn enige hoop is een snelle dood. Kunt u me die genade schenken?'

'Ik ga u niet doden, heer Woode. En het ligt ook niet in mijn macht u te bevrijden. Ik moest een gerechtelijk bevel regelen om u te kunnen zien. U bent in Topcliffes handen.'

'Maar u en hij zijn van één stam. Samen en met de steun van Walsingham, Leicester en Burghley, zullen jullie alle aanhangers van het oude geloof uitmoorden tot er niemand meer over is. Dan pas zullen jullie tevreden zijn.'

Shakespeare zette de pul nog eens aan diens lippen en Woode dronk gulzig.

'U ontkent het dus niet, heer Shakespeare. U komt hier als vriend, maar het is een valse vriendschap. Aan welke kant staat u?'

'De kant van de waarheid. Als u schuldig bent aan verraad, zal ik niets voor u doen en zult u als verrader worden terechtgesteld.'

'Ik ben geen verrader.'

'Maar u laat het er wel op aankomen. Dat verhaal over gestolen hout zal ik negeren, maar u gaat wel om met jezuïeten – opruiers en leugenaars, die verdeeldheid zaaien en zelfs niet terugdeinzen voor een koningsmoord. Maar genoeg hierover. We hebben niet veel tijd. Juffrouw Marvell vroeg me u te zeggen dat alles goed is met de kinderen en met haar. U hoeft zich over hen geen zorgen te maken. Ze hoopte dat u me zou helpen...'

Woode leek tien jaar ouder dan de vorige keer dat Shakespeare hem had gesproken. Zijn ogen glansden nog, maar ze stonden gelaten. 'Mijn kinderen. Wie zal er voor ze zorgen? Wilt ú zich ontfermen over Catherine en mijn kinderen, heer Shakespeare?'

'Hebt u geen familie, een broer of zus die het kan overnemen zolang u hier zit?'

Woode schudde langzaam zijn hoofd en zweeg.

'Ik zal me om hen bekommeren.'

'Zweer het bij Christus.'

'Ik zweer het in Gods naam.'

'Dan moet ik u helpen en op God rekenen dat u mijn vertrouwen niet zult beschamen.' Woodes zwakke stem werd nog zwakker. 'U liet me een papier zien met een gedrukte tekst...'

'Ja. En u herkende het.'

Woode trok een grimas om de pijn die door zijn hele lichaam schoot als hij probeerde zich te bewegen. 'Ik vrees dat ik een slechte leugenaar ben. Ik ken de pers waarop het was gedrukt, omdat die ooit van mij was. Ik had hem niet meer nodig, dus ik heb hem aan bepaalde priesters gegeven voor het publiceren van religieuze teksten. Geen opruiende of lasterlijke pamfletten, maar heel onschuldige, zuivere geschriften die bij elke boekhandelaar rond St. Paul's te vinden zijn.'

'Behalve het pamflet dat ik ontdekte. Dat was bepaald niet onschuldig, zuiver of zelfs maar religieus. Het was opruiende laster tegen Hare Majesteit en anderen. Ik heb het verbrand, zoals het verdiende.'

'Ik begrijp er niets van. Dat kan niet het werk zijn geweest van mijn oude vriend Ptolemeus.'

'Ptolemeus?'

'Een oude priester uit de tijd van koningin Mary. Hij leidt het leven van een bedelaar in een oude molen in het dorpje Rymesford aan de Theems, stroomopwaarts van Windsor. Hij maakt zijn eigen papier, daarom was het van zo slechte kwaliteit, en hij drukt wat teksten voor de paters die uit Frankrijk en Rome naar Engeland komen. Hij is een onschuldige, spirituele ziel, heer Shakespeare. Hij zou nooit opruiende artikelen laten drukken. Ik vraag u dringend hem geen kwaad te doen...'

Woodes rochelende stem werd nu snel zwakker en Shakespeare besefte dat het geen zin had om door te gaan. Hij raakte Woodes gezicht aan, een gebaar van de ene mens tot de andere. Toen hij de kaars optilde, zag hij dat de gevangene zijn ogen dicht had, met een van pijn verwrongen mond. Shakespeare stond op om te vertrekken uit deze hel. Voordat hij de deur opende, keek hij nog eens om naar het zielige restant van de ooit zo sterke man. 'Wat er ook gebeurt, heer Woode, ik beloof u dat juffrouw Marvell en de kinderen op mijn bescherming kunnen rekenen.'

Het antwoord van de ineengedoken gedaante was minder dan een gefluister, maar Shakespeare hoorde het luid en duidelijk toen hij naar buiten stapte: 'Ik weet het. U houdt van haar.'

Richard Topcliffe stapte bij het dunne gedeelte van de muur vandaan, waar hij het hele gesprek tussen Woode en Shakespeare had kunnen volgen. Hij stak een pijp met tabaksblad op en blies een paar wolken rijke, geurige rook uit. Toen lachte hij. Waar de pijnbank en de boeien geen resultaat hadden gehad, werden de open plekken wel ingevuld door de domheid van de mens.

32

Die avond bracht Catherine Marvell de kinderen, met zakken vol kleren en andere spullen. Toen Shakespeare haar had gezegd dat Woode het zo wilde, stemde ze meteen toe. Het huis in Seething Lane was niet groot, met maar één logeerkamer, die Catherine moest delen met Andrew en Grace. Jane was blij met de extra monden om te voeden en de kinderen vonden haar leuk. Catherine en Shakespeare dronken wijn en praatten die avond tot negen uur. Hij vertelde haar over zijn ontmoeting met Woode, waarbij hij haar de ergste details bespaarde. Toch wist hij dat ze de ernst van zijn situatie heel goed begreep.

'Is hij bang dat zijn kinderen wees zullen worden?'

Daar viel niets op te zeggen. 'We doen wat we kunnen. Dat is alles.'

'Morgen zal ik mijn kant van de afspraak nakomen.'

Shakespeare deed die nacht bijna geen oog dicht. Hij dacht voortdurend aan de vrouw met het donkere haar, die zo dichtbij sliep, in een kamer op nog geen tien meter van de zijne. Hij stelde zich haar warme lichaam voor, naakt onder haar nachthemd. Wat hij niet wist, was dat ook zij onrustig sliep.

Ze ontbeten in alle vroegte terwijl de kinderen rond de tafel renden, en lieten Andrew en Grace bij Jane achter.

'Waar gaan we heen?'

'Dat zult u snel genoeg zien. Nog één ding: kijk goed om u heen. Niemand mag ons volgen.'

Het was een koude, mistige ochtend. Nevelslierten dreven de stad in vanaf de rivier en soms leek het of ze in de wolken liepen toen ze in noordelijke richting vertrokken, door Seething Lane.

'Waar komt u vandaan, heer Shakespeare? U hebt niet de tongval van een Londenaar.'

'Uit Warwickshire. Een stadje dat Stratford heet. Ik ben daar weggegaan om rechten te studeren, tot ik de minister tegenkwam, die me rekruteerde.' Shakespeare lachte. 'Een leven als advocaat zou rustiger zijn geweest.'

'En eerzamer?'

'De verdediging van het land lijkt me eerzaam genoeg,' reageerde Shakespeare verontwaardigd. 'Ik zou me niets eerzamers kunnen voorstellen.'

'En toch werkt u nu samen met Topcliffe.'

'Topcliffe is een geval apart, een vlek op ons blazoen. We hebben dezelfde doelstellingen, maar we werken niet samen. Hij staat buiten de wet. Ik werk voor de minister, die verantwoording schuldig is aan de koningin en de Raad en binnen de wet opereert. Geen enkele regeringsvorm is volmaakt. Denk maar aan Rome en Madrid. Hoeveel Topcliffes werken daar niet voor die smerige inquisitie? Hoe vaak wordt daar niet gemarteld? Topcliffe heeft de kunst afgekeken van de Spanjaarden. Maar het feit dat een hond als Topcliffe ook tegen die krachten vecht, maakt de strijd voor Engeland niet minder de moeite waard.'

Vanuit Seething Lane sloegen ze af naar Hart Street. Ze zwegen een paar minuten en toen Catherine weer iets zei, leek het of de sluizen openbarstten. 'Nee, heer Shakespeare, u bent zelf de hond van de koningin. U verleent haar een aureool van eerzaamheid en fatsoen. U mag de vuiligheid van Burghley, Walsingham, Leicester en Topcliffe opruimen. Zij gedragen zich als roofdieren, scheuren mensen de ledematen van hun lijf en smijten die in ketels, als kippenbotjes, omdat die mensen God durven te aanbidden zoals hun geweten dat voorschrijft. En in al uw redelijkheid en onschuld wast u de handen schoon van mensen die dat soort dingen doen.'

Shakespeare bleef abrupt staan. 'Vindt u het wel verstandig om zo tegen me te praten terwijl u mijn hulp hebt gevraagd?'

Catherine stond ook stil. Ze had een hoogrode kleur. 'Neem me niet kwalijk als ik u heb beledigd, heer, maar ik kan me niet langer beheersen. Op dit moment is dat monster bezig het lichaam en de geest van een goed mens te vernietigen. Misschien heeft Topcliffe hem al gedood. Hoeveel van zijn gevangenen halen ooit het schavot? Een behandeling op de pijnbank kan iemands dood betekenen of hem onherstelbare schade toebrengen. Ik moet dit alles wel zeggen, omdat het de waarheid is. Ik weet dat u een goed mens bent, daarom ben ik ook naar u toe gekomen. Maar ik vind het verschrikkelijk als anderen, met kwade bedoelingen, gebruik of misbruik maken van die goedheid...'

Shakespeare hief een hand op, met de palm naar haar toe. 'Ik heb geen zin om dit nog langer aan te horen. Ik ben niemands hond. Ik dien mijn koningin en mijn land tegenover een onverzoenlijke vijand. En ik zal de eer van mijn vorstin verdedigen. Zij heeft duidelijk gemaakt dat ze geen beslag wil leggen op de ziel van mensen. Maar toch komen die jezuïeten hierheen om de regering te ondermijnen, niet alleen om troost te verschaffen aan hun gelovigen. Dat weet u maar al te goed, want u hebt het me zelf verteld.'

Heel even leek het of ze niet verder konden. Er was een muur van ijs en vuur tussen hen ontstaan waardoor ze elkaar niet meer konden bereiken. Toen knikte Catherine langzaam. 'Ik ben te ver gegaan, heer. Dat is onvergeeflijk. Ik had u willen zeggen hoe ik uw eerlijkheid en fatsoen waardeerde omdat u met heer Woode bent gaan praten. Neem het me niet kwalijk.'

Shakespeare voelde zich in zijn eer aangetast, maar hoe kon hij haar níét vergeven? 'Het spijt mij ook, niet om iets wat ik heb gedaan, maar omdat u en uw dierbaren op zo'n manier moeten lijden.'

'Wilt u me niet bij mijn voornaam noemen?'

'Het zal me een eer zijn. En misschien wilt u dan John zeggen?'

Ze liepen verder door de mist en sloegen rechts af naar Mark Lane. Catherine raakte Shakespeares arm aan. 'Laten we even blijven staan om te zien of we niet worden gevolgd.' Ze wachtten onder het balkon van een kleermaker en hielden de straat in de gaten. Toen ze zeker wisten dat niemand hen schaduwde, liepen ze weer verder, wat sneller nu, door het labyrint van straten naar het westen, in de richting van East Cheap. Ondanks het vroege uur was het in de straten rond de vleesmarkt al een drukte van belang. Hier hing de bloederige stank van de slachthuizen en klonk het geloei van de grote dieren die werden gekeeld om vers vlees voor de stad te leveren. Op straat lag een dikke laag vers zaagsel dat al het bloed moest opzuigen. 'Blijf dicht bij me,' zei Catherine. 'Nu moeten we snel zijn.'

Ze glipte een zijstraatje in, nauwelijks breed genoeg om doorheen te lopen zonder je schouders opzij te moeten draaien. Ze renden het steegje door, sloegen af naar een volgend straatje en bleven staan wachten naast een paar veehokken. Toen er niemand achter hen aan kwam, doken ze de doolhof van stegen in, waarboven de balkons van de huizen elkaar bijna raakten. Ten slotte, naast een vakwerkhuis, kwamen ze bij een gemetselde muur met een houten poort. Catherine keek nog eens naar links en rechts om te zien of er niemand in de buurt was en klopte toen op de poort, die snel van binnenuit werd geopend. Samen met Shakespeare stapte ze naar binnen. Ze kwamen uit in een kleine siertuin die door buxusstruiken was verdeeld in geometrische patronen. 's Zomers moesten hier kruiden bloeien met bedwelmende geuren als lavendel en tijm. Op Shakespeare maakte het de indruk van een klein labyrint waarin een egel zou kunnen verdwalen.

De poort ging weer dicht en Shakespeare stond oog in oog met een man die misschien een half hoofd kleiner was dan hij. De persoon had een magere gestalte die deed vermoeden dat hij wel een stevige maaltijd kon gebruiken, en een goudblonde, woeste baard die al weken niet leek bijgehouden. Zijn glanzende ogen waren grijsblauw. Shakespeare wist onmiddellijk dat dit Southwell moest zijn. Eén blik vertelde hem dat deze priester geen vrouwen had vermoord of als huurmoordenaar op Drake was afgestuurd.

'Heer Shakespeare,' zei Catherine, 'dit is de man over wie ik u vertelde. Ik zal u zijn naam niet noemen, om u niet in moeilijkheden te brengen.'

De mannen schudden elkaar de hand. 'Goedendag,' zei Shakespeare.

'En goedendag, heer Shakespeare. Ik neem aan dat u wel weet wie er voor u staat, maar laten we ons daar niet om bekommeren. We hebben een gemeenschappelijk doel: de vrijlating van Thomas Woode en de arrestatie van iemand die volgens mij niet vrij zou mogen rondlopen. Ga zitten.' De priester knikte naar een bankje aan de rand van de tuin.

Shakespeare vond het belangrijk om hun verhouding vanaf het eerste moment te preciseren. 'Pater, ik zal vandaag met u praten en u verder ongemoeid laten. Maar ik moet u wel zeggen dat de jacht op u hierna gewoon zal doorgaan en dat u, als u wordt opgepakt, volgens de wet zult worden berecht. Ik kan u daarbij niet helpen of mijn eigen plichten verzaken.'

'Dat begrijp ik, heer Shakespeare, en ik dank u voor uw tolerantie om mij in deze omstandigheden te ontmoeten. Mijn eigen leven is niet belangrijk. Gods wil geschiede, als in alles.'

Catherine stond een eindje verderop, met haar rug tegen de toogdeur van de poort. Ze keek naar de twee mannen, maar dit was niet langer haar zaak.

'Ik zal u niet meer informatie geven dan nodig is, heer Shakespeare, om de mensen die mij hebben geholpen niet in het ongeluk te storten. Ik kan u alleen zeggen dat er een lid van de Societas Jesu – als hij dat is – in Londen rondloopt wiens motieven ik niet vertrouw. Elke boom telt een paar rotte vruchten. In het begin probeerde ik nog mijn ogen te sluiten voor de mogelijkheid dat deze man zo'n wormstekige appel was. Maar nu kan ik de waarheid niet meer ontkennen. Ik heb lady Blanche Howard gekend. Ze was in de kudde opgenomen als een dierbare dochter van de Kerk. Maar deze andere priester, hoewel ik aarzel de titel "priester" in de mond te nemen, scheen zich aan haar op te dringen. Soms stelde hij te veel belang in haar, had ik de indruk. Ze was een knappe jonge vrouw, zowel uiterlijk als spiritueel. De manier waarop hij naar haar keek en haar aanraakte beviel me niet. Maar zij scheen zich niet bewust van de ongepaste situatie. In die tijd sprak ze erover dat ze naar het buitenland wilde reizen om in een klooster te gaan. Tot ze besefte dat ze verliefd was...'

'Op Robin Johnson, de lijfknecht van admiraal Howard?'

De priester knikte. 'Ik zou dit niet hebben bevestigd als ik niet wist dat hij u dit zelf had verteld. Hij is nu veilig in het buitenland en zal spoedig worden toegelaten tot een van de Engelse seminaries. Lady Blanche bracht steeds meer tijd met hem door en keerde zich van de priester af. Het leek wel alsof ze hem afstotelijk vond. Er was iets gebeurd wat haar niet beviel. Ik dacht er net zo over als zij. Hij leek naar Engeland gekomen voor iets heel anders dan het redden van zielen. De man kon heel innemend zijn, maar ook bedreigend.' Hij keek naar Catherine. 'Lady Blanche was niet de enige die bang voor hem was. Ook andere vrouwen in onze groep deinsden voor hem terug. Maar wat kon ik doen? Binnen de Societas Jesu leren wij te gehoorzamen. Het was mijn plicht hem te helpen.'

'Waardoor veranderde u van gedachten?'

'Door de moord op lady Blanche. Deze man verdween soms hele nachten zonder enige uitleg over waar hij was geweest. Het huis in Hog Lane waar het lichaam van lady Blanche werd gevonden was een schuiladres van ons, dat deze priester voor allerlei doeleinden gebruikte, hoewel mij nooit duidelijk was wat. We huurden het onder een andere naam, zodat we daar veilig waren. Ik had nooit kunnen voorzien dat er zoiets schandelijks zou gebeuren.'

'Waarom heeft hij haar vermoord, denkt u?'

'Ik denk dat hij bang was dat ze te veel wist. Waarschijnlijk had hij haar in vertrouwen genomen, en toen ze zich van hem terugtrok, vond hij het te gevaarlijk om haar in leven te laten.'

'En het drukwerk?'

'Daar weet ik niets van, maar ik lees de krantjes en ik zag dat een zekere Gilbert Cogg was vermoord in zijn huis in Cow Lane. Ik had van iemand de naam Cogg doorgekregen om die aan deze andere priester door te geven. Ik moet zeggen dat ik daar twijfels over had, grote twijfels, die inmiddels bevestigd zijn, want ik denk dat hij Cogg heeft vermoord, hoewel ik geen idee heb waarom.'

'En kunt u me de naam of het signalement van die priester geven?'

De priester lachte. 'Een naam zou u weinig helpen. Wij gebruiken niet onze echte namen, heer Shakespeare. Maar in mijn aanwezigheid noemde hij zich Herrick.'

'Heeft hij ooit de naam Van Leiden gebruikt?'

'Niet dat ik weet, maar dat zegt niet veel.'

'En hoe ziet hij eruit?'

'Hij is een Vlaming, een lange man van wel een meter tachtig of meer, gladgeschoren en met kort haar. Hij kleedde zich altijd eenvoudig, bijna als een presbyteriaan. En hij sprak vloeiend Engels, zij het met een accent uit de Lage Landen.'

'Dank u. Dat klinkt precies als de man naar wie ik op zoek ben. Waar kan ik hem vinden?'

'We hebben nog een onderduikadres, en ik vermoed dat hij daarheen is gegaan. Het is een kleine woning aan de westkant van Horsley Down, over de rivier. Het is een oud huis, nog uit de tijd van John of Gaunt, als ik me niet vergis. Het is al vervallen en zou gesloopt moeten worden, maar voor ons doel is het geschikt. Tot nu toe, tenminste. Het staat op enige afstand van de andere huizen, in een bosje aan de rand van de gemeenschappelijke grond. U kunt het makkelijk vinden.'

'En zou daar nog iemand anders zijn?'

'Nee. En dat is de laatste vraag die ik zal beantwoorden, heer Shakespeare. Maar ik wil u nog één ding zeggen. De laatste dag dat ik Herrick – zoals ik hem toen noemde – zag, zei hij iets wat mij koude rillingen bezorgde.'

'O ja?'

'Hij zei: "Uw zwakte, pater, is dat u wel bereid bent om voor God te sterven, maar niet om voor Hem te doden."'

33

De man staarde naar zichzelf in de kleine spiegel. Wat hij zag, beviel hem wel. Met geoefend gemak legde hij zijn hand om zijn baard en streek die een paar keer glad tot een keurige scherpe punt. Als hij nog twijfelde aan wat hem te doen stond, was dat aan zijn spiegelbeeld niet te zien. Hij leek net zo krachtig en zelfverzekerd als altijd.

Hij schikte zijn kraag en draaide de spiegel naar de muur – een oud bijgeloof van hem. Toen pakte hij zijn riem met de schede van het bed, gespte die om zijn middel en verliet de kamer.

Hij trok een bontmantel aan, zette zijn favoriete bevermuts op, en stapte de straat op. Hij had een ontmoeting met Herrick en dat voor-uitzicht maakte hem enigszins nerveus. Tot nu toe had hij de man ontweken en slechts contact gehouden via tussenpersonen van de Franse ambassade, maar nu de aanslag op Drakes leven was mislukt, had hij geen keus. Hij had de situatie steeds stevig in de hand gehou-den, via Cogg het vereiste wapen geregeld en Herrick informatie ge-stuurd over de plek waar Drake aan wal zou gaan, en vanaf welk schip. Zo'n kans zouden ze waarschijnlijk niet meer krijgen voor de vice-admiraal naar zee ging.

Drake had orders gekregen van de koningin en de vloot kon ieder moment het anker lichten. Het was de bedoeling dat Drake en zijn jonge vrouw, Elizabeth Sydenham, naar Dover zouden rijden om ver-volgens voor de wind langs het Kanaal naar Plymouth te varen. De schepen die nu in de Theems lagen – vier koninklijke galjoenen en een groep bewapende koopvaarders – zouden door anderen naar het westen worden gebracht. En daarna? Wie kon het zeggen? Waar-schijnlijk zouden ze op weg gaan naar Panama om Spaanse schepen te plunderen. Maar wat het plan ook was, de Spaanse koning en zijn ministers wilden Drake uit de weg ruimen. Hij moest worden gedood.

Dus zouden ze in actie moeten komen, en snel. Herrick en hij hadden hun plan al uitgestippeld, maar met verschillende motieven. Zijn motief kwam neer op de smerige lucht van talgkaarsen. Zijn familie had de ergste vernederingen en financiële problemen ondergaan vanwege conflicten met de kroon. Op het dieptepunt, toen zijn vader was onthoofd, hadden ze hun armzalige huisje moeten verlichten met de talg van schapenvet. Hij herinnerde zich nog de bittere tranen van zijn moeder toen ze de scherpe rook opsnoof terwijl ze ooit hun grote zaal met waskaarsen had verlicht. Als Drake stierf, zou hij de zeventigduizend dukaten opstrijken die koning Filips had uitgeloofd, genoeg om de rijkdom en de status van zijn familie te herstellen.

Hij gebruikte niet zijn echte naam maar hij was een Percy, een jongere, vergeten neef uit het trotse katholieke geslacht van de Percy's uit de grensstreek. De familie waaruit ooit de grote held Hotspur was voortgekomen had een zware klap gekregen door hun mislukte opstand in 1569. Een groot aantal van hen was opgehangen of onthoofd, onder wie de leider van de familie, Thomas Percy. Het verlies van landerijen, rijkdom en reputatie was vernietigend geweest. En daar bleef het niet bij. Sindsdien was de familie meedogenloos vervolgd. Henry, de achtste graaf, was nog geen twee jaar geleden in de Tower gestorven, beschuldigd van medeplichtigheid aan het Throckmorton-complot om Mary, de Schotse koningin, op de Engelse troon te brengen. Natuurlijk koesterde de familie een grote wrok. Maar toch was deze Percy niet uit het martelaarshout gesneden. Zo veel Percy's waren al gestorven voor de roomse zaak. Nu werd het tijd voor anderen – hun vijanden – om te sterven.

Het was niet eenvoudig geweest, al die jaren, om de schijn in stand te houden. De eerste tijd was het moeilijkst, toen hij had geleerd om te veinzen en een trouwe dienaar van de kroon te spelen in de strijd tegen de Spanjaarden. Maar dat bedrog was essentieel geweest voor zijn uiteindelijke doel. Ten slotte, door bemiddeling van Mendoza, de voormalige Spaanse ambassadeur in Londen en nu in Parijs, had hij koning Filips ervan overtuigd dat hij de opdracht zou kunnen uitvoeren voor de juiste prijs, zeventigduizend dukaten. Het enige wat hij nodig had was een professionele huurmoordenaar. Dan zou hij, de vergeten Percy, de juiste gelegenheid vinden om Drake te doden. Zelf moest hij schone handen houden, in elk geval totdat de armada was geland. Herrick zou zijn wapen zijn, een man die geschikt was voor het martelaarschap en de dood niet vreesde. Maar de eerste aanslag was een pijnlijke mislukking geworden dankzij de vervloekte boots-man die de kogel voor Drake had opgevangen.

Nu zouden Percy en Herrick elkaar eindelijk ontmoeten. Het risico was groot, want als hij met deze man werd gezien, stond dat gelijk aan hoogverraad, en Percy voelde weinig voor een pijnlijke dood.

Herrick wachtte aan een hoektafeltje in The Bull, waar hij in zijn eentje een bord met runderlap en karbonade verorberde alsof hij een week niet had gegeten. Percy hield hem een paar minuten in de gaten om zich ervan te vergewissen dat hij de juiste man voor zich had. Toen hij wist dat het geen valstrik was, stapte hij naar het tafeltje. Herrick bracht net een kroes water naar zijn lippen. Hij dronk nooit wijn, behalve bij de mis; dat was het bloed van Christus. Zoals de hostie Zijn lichaam werd op de tong van de avondmaalsganger, zo werd de wijn Zijn bloed. Iedere katholiek kende die waarheid, die door elke protestant werd ontkend.

'Je speelt met je leven door water te drinken,' zei Percy, bij wijze van begroeting. 'Drink toch bier.'

Herrick wierp hem een zure blik toe. 'Je landgenoten drinken te veel alcohol. Er is niets mis met het zuivere water dat God ons geeft.'

'Nou, als je het einde van de dag niet haalt, heb je dat aan jezelf te danken, Herrick – of hoe je je tegenwoordig ook noemt...'

'Hou het maar op Herrick.'

Percy knikte naar een van de diensters. 'Waardoor heb je hem gemist?' vroeg hij aan Herrick.

'Je weet wat er gebeurd is.'

Percy schudde zijn hoofd met bestudeerde minachting. 'Dat weet ik, ja. Je hebt een fout gemaakt, Herrick, en die moet worden hersteld.'

'Waar is Drake volgende week te vinden? Hoe kom ik bij hem in de buurt? Dat langeafstandswapen ben ik kwijt. Ik dacht dat ik het niet meer nodig zou hebben.'

'Het zal nu veel lastiger worden. Drake heeft zijn instructies gekregen. Eerst vaart hij naar Plymouth, in het westen, om zijn vloot te ver-

zamelen. Dat zal een dag kosten, langer niet. Hij heeft vier koninklijke oorlogsschepen, en nog minstens tien andere. Met het voordeel
van de verrassing kunnen ze heel wat schade aanrichten.'

Opeens werd Herrick kwaad. Hij sloeg zo hard met zijn vuisten op
de eiken tafel dat het bord met eten een sprongetje maakte. Die beweging veroorzaakte een scherpe pijn in zijn zij, waar de kogel hem
had geschampt. Hij trok een grimas. 'Dan moet jij je werk maar doen.
Jij zult toch wel in zijn buurt zijn? Doe dan eindelijk wat je al zo lang
hebt uitgesteld.'

De dienster kwam, een beetje geschrokken door hun nijdige toon,
hoewel ze geen idee had waar ze over praatten. Ze was een knap meis-
je, met borsten die weelderig uit haar laag uitgesneden jurk puilden.
Percy glimlachte tegen haar en streek zijn snor glad. 'Aha, meisje.
Breng me maar een pint van jullie zwaarste bier en een bord vlees.
Het beste wat je hebt, want mijn vriend hier betaalt.'

Toen ze vertrokken was, greep Herrick hem bij zijn pols. 'Hoor je
me?' fluisterde hij nadrukkelijk. 'Je zit er tot je nek in, of nog dieper.
Ik weet hoe je dit had bedacht, maar dat zal niet meer lukken. Ben jij
bij Drake als hij naar Plymouth vaart?'

Percy verzette zich, maar wist zich niet los te rukken uit Herricks
ijzeren greep.

'Hoor je me?'

'Ja! Ik hoor je. En ja, ik ben bij Drake. Maar ik ben de slijpsteen,
Herrick, ik maai niet zelf het koren. Ik slijp alleen de zeis die ervoor
nodig is.'

'Allemachtig man, dat is niet genoeg. Je bent er zelf bij. Gooi hem
overboord – of wat piraten ook doen om van iemand af te komen.'

Percy knikte langzaam en peinzend. 'Ik zal het proberen. Als ik de
kans krijg. Maar hij wordt nu zwaarder bewaakt dan ooit. Die zwarte
knecht, Diego, en een agent van Walsingham houden hem voortdurend in de gaten. Ik weet echt niet of het me lukt om bij hem te komen.'

'Je verzint maar wat.' Herricks greep werd nog krachtiger, tot hij opeens losliet, als door een adder gebeten. Zijn hand vloog dramatisch
naar achteren en bleef een moment in de lucht hangen.

Percy zuchtte. 'Als er een manier is, zal ik toeslaan. Voor mij is dit
net zo belangrijk als voor jou, Herrick. Meer nog. Mijn hele familie en
mijn leven hangen ervan af.'

Herrick keek smalend. 'Je bent een lafbek. Jij en jouw soort... Southwell, Cotton... hebben wel praatjes, maar doen helemaal niets. Dacht je dat God je op de dag des oordeels zal prijzen om je laffe intriges?'

'Ik ben geen geestelijke, Herrick, en niet van plan me ooit te laten wijden. Dus spaar me je oordeel. Martelaarschap is jouw terrein, niet het mijne. En ik ben niet gediend van je hovaardigheid. Ik zag hoe je naar die dienster keek en ik durf er tien mark onder te verwedden dat je haar graag zou uitkleden en neuken. Zal ik een schappelijk prijsje voor je regelen?'

Herrick schoof met zo veel kracht zijn bord van zich af dat het van de tafel gleed en tegen de grond kletterde. 'Dus jij denkt dat wij onze kans hebben gemist? Jij geeft het op? Nou Percy, ik niet. Als Drake naar Plymouth gaat, ga ik ook. Maar als je prijs stelt op je sterfelijke lichaam en je onsterfelijke ziel, dan zou ik ervoor zorgen dat mijn reis overbodig is. Als Drake het overleeft en de Spaanse vloot te grazen neemt, kom ik je persoonlijk vermoorden. Eerst gaan je ballen eraf en prop ik ze door je keel. Maar dat is nog maar het begin. Daarna wordt het pas écht onplezierig, dat beloof ik je.'

Shakespeare verzamelde een groep van twintig papenjagers en ging op weg naar Horsley Down.

Het was al donker toen ze het huis tot op een halve kilometer waren genaderd. Hij hield zijn grijze merrie in en stak zijn hand op als stopteken. De mannen stegen af en maakten hun paarden vast in een bosje. Er was geen maan, maar ze hadden hun pektoortsen. Shakespeare liet ze allemaal doven, op twee na.

Newall was er ook bij, smalend als altijd. Het viel niet te vermijden. Shakespeare had geen eigen troepen en Walsingham had erop gestaan dat Newall meeging. In een korte vergadering, nog geen twee uur geleden in Seething Lane, had hij opdracht gegeven tot de razzia en Shakespeare op de hoogte gebracht van Drakes volgende stap. 'Binnenkort zit hij veilig op zee. Dan zullen de Spanjaarden de kracht van zijn kanonnen voelen. Maar hou hem tot die tijd in leven, John. Hou hem in leven tot zijn vloot op zee is.'

Shakespeare wierp een kille blik naar Newall. Hij zou geen tegenwerking tolereren, al was Newall aanvoerder van de eenheid. 'Heer

[251]

Newall, u gaat met vier man naar de achterkant van het huis. En wees voorzichtig. De man is een huurmoordenaar en zal niet aarzelen om in de aanval te gaan met alles wat hij heeft. En hij is gewond. Net als een gewond dier dat niets meer te verliezen heeft, kan hij zich een weg naar buiten vechten.'

Newall bromde wat. Hij wist dat hij orders moest accepteren van deze bangebroek met zijn boekenwijsheid, hoezeer hij de man ook verachtte. Wat hem betrof hadden ze het huis gewoon in brand gestoken met iedereen erin; dat zou de kosten van een proces en een executie hebben bespaard.

Shakespeare wachtte zestig seconden terwijl Newall en zijn mannen door het struikgewas naar de achterkant van het huis slopen. Binnen brandde geen licht. Toen gaf hij de anderen bevel naar de voordeur op te rukken met de stormram. Toen ze in positie waren, zwaaide hij zijn zwaard omlaag als teken tot aanval. Met een machtige klap dreunde de zware eikenhouten stormram tegen de deur, die onmiddellijk versplinterde. De voorhoede stormde brullend naar binnen, terwijl de groep aan de achterkant hun toortsen aanstak en zich verspreidde om alle ramen te blokkeren. Shakespeare volgde de voorhoede en dook het lage gangetje in. Het leek een verwaarloosde oude boerderij, met aarden vloeren en ruwe muren, waar het pleisterwerk was afgebrokkeld van de betengeling.

'Naar boven! Geef hem niet de tijd zich te verbergen!'

De mannen aan de voorkant renden stampend en schreeuwend de wrakke trap op. Binnen een paar seconden hadden ze alle kamers verkend. Het huis was verlaten.

'Doorgaan,' beval Shakespeare de wachtmeester. 'Verspreiden. Eerst de kamers beneden. Kijk in alle kasten, alle hoeken en gaten. Breek de betimmering los en keer de bedden om. Als hij hier is, zullen we hem te pakken krijgen.'

Drie uur later was duidelijk dat ze Herrick hier niet zouden vinden. Maar in de slaapkamer ontdekten ze wel een bebloede lap die Herrick waarschijnlijk had gebruikt om de kogelwond van Boltfoots schot te verbinden. Belangrijker was echter een klein velletje opgerold linnen, dat half verscholen onder het bed lag. Shakespeare raapte het op en rolde het uit. Het was een slecht geschilderd maar goed herkenbaar portret van sir Francis Drake, een van de vele portretjes die in Enge-

[252]

land en de rest van Europa werden verkocht sinds de gedurfde wereldreis van de vice-admiraal. 'Dus Herrick is hier wel geweest,' mompelde hij, 'maar we zijn hem misgelopen. Here God, we zijn hem misgelopen!'

Shakespeare vertrok pas laat in de avond, vervloekte zijn pech en liet drie wachtposten achter.

Vanaf de overkant van de weg, in de schaduw, volgde Herrick een tijdje de drukte rond het huis. Nauwelijks een minuut na het begin van de razzia was hij thuisgekomen. Shakespeare wist niet hoe weinig het had gescheeld of hij had zijn prooi verschalkt.

Geruisloos sloop Herrick door de steegjes naar Southwark. Hij zou voor die avond een herberg zoeken en de volgende morgen een paard. Maar de vraag die hem bezighield was hoe de papenjagers het huis hadden gevonden. Waren zijn buren achterdochtig geworden, of had iemand anders hem verklikt? Zijn enige hoop was nog Drake te volgen voor die zijn vloot verzameld had en uit Plymouth was vertrokken. Hij moest nu toeslaan... de tijd drong.

Starling Day genoot van het leven. Ze had alles wat ze maar kon wensen: geld, een mooi nieuw huis, een zaak in het hartje van Southwark, het beste eten dat er te koop was en kleren die een dame aan het hof niet zouden misstaan. Maar achter al dat geluk gingen ook zorgen schuil, die ze deelde met Parsimony Field. Van een meisje dat ze uit de Bel Savage hadden meegenomen hoorden ze dat Richard Topcliffe naar hen op zoek was, en ze vreesden dat het slechts een kwestie van tijd zou zijn tot hij hen gevonden had.

Ze hadden hun namen veranderd. Starling heette nu Little Bird en Parsimony was Queenie. Hun zaak heette Queens en gold als een van de beste bordelen van Southwark. De prijzen lagen hoog, zoals paste bij de knappe jonge meiden en de gerieflijke kamers, maar de klanten stroomden toe. Er kwamen mannen met geld van over de rivier, maar ook buitenlanders met een vrouw in Frankrijk of nog verder, scheepsofficieren en zeelui die graag een jaar loon en buit overhadden voor een paar nachten genot.

Parsimony was in haar element. Ze kon haar passie voor het liefdesspel delen met wie ze maar wilde. Starling had inmiddels genoeg van

[253]

dat soort zaken en beperkte zich tot de ontvangst van de betere klanten, als gastvrouw.

Ze hadden zelfs hun eigen uitsmijter, Jack Butler, die op hen paste, en koks die zoetigheid en drankjes aan de gasten serveerden. Maar ze vielen te veel op. Iemand zou hen ooit herkennen en naar Topcliffe gaan.

'Misschien kunnen we beter naar Bristol of Norwich vertrekken,' zei Starling. Ze hadden er al eerder over gesproken, maar een besluit steeds uitgesteld. En hoe langer ze wachtten, hoe beter de zaak begon te lopen en hoe meer ze hier gewend raakten.

Vanavond deelde Starling de kaarten voor een groepje heren. Het huis won het meest, als gewoonlijk, maar dat kon de mannen blijkbaar niet schelen.

'Ik kom nog in The Clink als je zo doorgaat, Little Bird. Tot over mijn oren in de schulden!' zei de oudste zoon van een bisschop uit het noorden, die van plan leek zijn hele erfenis erdoorheen te jagen voordat hij nog maar iets geërfd had. Hij lachte.

'Geeft niet, Eddie. Ik zal een van mijn meiden wel vragen om je zo nu en dan een kom soep te brengen, met een behulpzame hand.'

'Het zal wel! Vooruit, Little Bird, delen!'

Parsimony was boven en niet gelukkig. Ze hield van neuken, zoals iedere gezonde meid en misschien wat meer dan de meeste meiden – maar dit beviel haar niet.

Ze stond met haar rug tegen de muur, slechts gekleed in een dun onderrokje, met een zweep in haar rechterhand, en keek neer op de man op het bed. Een vreemd type. Hij was Queens binnengekomen met een beurs vol geld, als een goudhaantje, en had een kamer en een meisje voor de nacht gevraagd. Eén blik op Parsimony en hij zei: 'Jij moet het worden. Je bevalt me wel.' Parsimony was in de stemming en de man zag er redelijk uit, dus had ze meteen toegestemd. Maar toen had hij gewild dat ze hem zou geselen, en met kracht, zodat het pijn deed. Vreemd genoeg was hij al gewond: een akelige, bloedende wond in zijn zij. Ze had aangeboden hem te verbinden, maar hij wilde geslagen worden, anders niet. Daarvoor stond ze nu klaar.

'Doe het. Schiet op!'

'Hoor eens, een paar lichte klappen vind ik niet erg, maar verder ga ik niet.'

'Wat kost het me?'

'Ik hoef uw geld niet, heer. Ik heb hier een fatsoenlijk bedrijf en ik wil niet met een lijk worden opgescheept.'

'Haal dan een andere meid, die wel bereid is.'

Parsimony haalde haar schouders op. Dit was lastig. 'Wacht maar even, schat.'

Ze liet hem op het bed achter en liep de trap af. Starling zou het wel weten. In sommige opzichten was zij de slimste van hen tweeën.

Parsimony pakte Starlings arm. 'Kan ik je even spreken, Little Bird?'

Ze liepen naar een privékamer. 'Ik heb een klant die wil dat ik hem bont en blauw sla, als een boeteling uit Bridewell. Hij heeft geld genoeg, dus het is zonde om hem weg te sturen.'

'Doe dan wat hij vraagt.'

'Ik heb er weinig zin in, Starling.'

'O, ik vind het niet erg om een vent te meppen. Ik hoef alleen maar mijn ogen dicht te doen en aan mijn man te denken.'

'Wil jij het dan doen?'

'Natuurlijk. Als jij de kaarttafel van me overneemt. Laat de zoon van de bisschop maar even winnen. Het is slecht voor de zaak om klanten helemaal kaal te plukken.'

34

Elke spier in zijn lichaam stond gespannen, strak als de pees van een boog. Hoe dicht was hij bij Herrick gekomen? De man was daar geweest, in het huis bij Horsley Down, en nog maar kortgeleden. Nu was hij verdwenen, ondergedoken in die bonte mensenzee van deze duivelse stad.

Shakespeare dronk zijn wijn bij de haard. De volgende morgen zou hij naar Windsor rijden om Ptolemeus te spreken, hoewel hij er niet veel van verwachtte. Wat voor zin had het nog? Hoe zou een oude, versleten priester hem kunnen helpen de moordenaar van lady Blanche Howard te vinden of een nieuwe moordaanslag op sir Francis Drake te verhinderen?

Het was maar goed dat Drake binnenkort over zee naar Plymouth zou vertrekken. Redelijk gesproken wist Shakespeare dat de vice-admiraal nu snel veilig zou zijn, maar toch was hij er niet gerust op. Er zat iets goed fout. Voor het eerst begon Shakespeare te vrezen dat hij deze strijd zou gaan verliezen.

Tot hij opeens een ingeving kreeg. Hij kende de identiteit van de man die was gestuurd om Drake te vermoorden. Hij wist zijn huidige naam niet, maar de moordenaar in Delft had niet in zijn eentje geopereerd, dus waarom nu dan wel? Wie was de andere man, zijn partner in het complot? Een kil voorgevoel maakte zich van hem meester. Hij dacht terug aan het verhaal over Balthasar Gerards, de schutter die een einde had gemaakt aan het leven van Willem de Zwijger. Gerards had weken, maanden nodig gehad om een vertrouwelijke positie te winnen binnen de huishouding van de prins. Zou Herricks medeplichtige hetzelfde doen in Engeland? De angst sloeg Shakespeare om het hart, met ijzige tentakels: '... een man die de Dood heet, nadert snel...'

'Je zit in gedachten, John.'

Catherine keek hem bezorgd aan. Net als hij had ze een glas rode wijn in haar hand. Ze zat op de divan, dicht bij zijn houten stoel. De kinderen lagen al in bed, en Jane ook. Zonder erbij na te denken stak hij een hand uit en raakte haar donkere haar aan.

Ze was opgebleven tot hij terugkwam van de razzia in Horsley Down, om nog even te praten. Het had heel natuurlijk geleken zoals ze de deur voor hem opendeed, bijna alsof ze meer voor hem was dan een gast onder zijn dak, die hij moest beschermen. Een verontrustend beeld van Moeder Davis en haar hoer, Isabella Clermont, zweefde Shakespeare voor ogen: het hoofd van de oudere vrouw was half vlees, half bot, terwijl ze Isabella aanspoorde, die naakt over hem heen zat en hem bereed als een paard uit de Apocalyps. Haastig verjoeg hij het visioen. Hij wilde niets te maken hebben met heksen en bezweringen. Dat waren geen zaken voor christenen, van welke overtuiging ook.

Catherine deinsde niet terug voor zijn toenadering, maar pakte zijn hand en drukte die tegen haar gezicht, dat warm was van de haard. Zijn vingers strengelden zich door de hare. Als vanzelf bogen ze zich naar elkaar toe en kusten elkaar. Shakespeare liet zich naast haar op de divan zakken. Met zijn rechterhand liefkoosde hij haar gezicht, terwijl de linker langs haar slanke lichaam gleed. Ze protesteerde niet, hoewel niemand haar ooit zo had aangeraakt.

Hun kussen werden steeds vuriger. Opeens hield hij haar in zijn armen en drukte haar hartstochtelijk tegen de divan. Ze duwde hem van zich af. 'Niet hier,' zei ze. 'De kinderen kunnen wakker worden. Jane kan binnenkomen.'

'Kom je naar mijn kamer?'

Ze glimlachte en drukte een snelle kus op zijn lippen. 'Ja.'

Toen ze opstonden, nam hij haar weer in zijn armen en kuste haar heftig, hard en teder tegelijk. Even bleven ze zo staan, met elkaar verstrengeld, nauwelijks in staat elkaar ook maar een seconde los te laten.

Ten slotte draaiden ze zich om en verdwenen zwijgend naar hun eigen kamers. Shakespeare stak kaarsen aan en bleef in zijn hemd en broek bij de toilettafel staan, aarzelend wat te doen. Zou ze echt komen, of zou hij hier achterblijven als een stervende man die een glas water kreeg aangereikt dat op het laatste moment werd weggegrist?

De deur ging open en ze stond voor hem. Haar huid had een gouden gloed in het kaarslicht en haar haar glansde als prachtig zwart satijn. Hij kwam naar haar toe en probeerde met onervaren vingers de baleinen en knoopjes van haar kleren los te maken. Lachend hielp ze hem, totdat haar ondergoed wegviel en ze naakt voor hem stond, zonder een spoor van schaamte.

Zijn verlangen naar haar was bijna onverdraaglijk. Ze stapte op hem toe en hielp hem zich uit te kleden. De nabijheid van haar naakte huid maakte hem hard als eikenhout. 'U schijnt met stomheid geslagen, heer,' fluisterde ze in zijn oor.

Hij kuste haar, lang en heftig, rukte toen de laatste kleren van zijn lijf, trok haar mee naar het bed en stootte in haar, haastig en ongeremd in zijn begeerte. Ze slaakte een kreet bij de pijn van haar scheurende maagdenvlies, en hij verstarde. 'Doorgaan,' mompelde ze. 'Niet stoppen, alsjeblieft.'

De planken van het oude houten ledikant kraakten onder hun bewegingen. Nooit eerder had hij het bed hiervoor gebruikt. Ze kuste de palm van zijn hand en hij liefkoosde haar tepel. Ze kusten elkaars mónd met lippen en tong, terwijl hij tussen haar benen bewoog als in zijn dromen. Ze voelde zich vervuld als nooit tevoren. Het schijnsel van de flakkerende kaarsen wierp schaduwen over het plafond en de muren van zijn eenvoudige kamer. Een tijdlang was er niets anders te horen dan hun eigen ademhaling en het kraken van het bed.

Hij richtte zich half op, zodat hij haar kon zien. Ze had haar ogen dicht, met de lange wimpers als halve maantjes eronder. Zijn handen gingen naar de binnenkant van haar dijen, de zachte huid die mannen aanlokt. Hij streelde haar en trok patronen over het zachte, donkere dons tot aan haar buik, waarna hij haar onder zijn handpalm geklemd hield en weer in haar bewoog. Terug, en opnieuw.

Zonder enig gevoel van schuld gaf ze zich over aan haar zinnelijkheid. Als dat zondig was, zou ze daar wel een andere keer over nadenken. Niet nu. Nu was ze verloren in het moment, op weg naar de extase waarover ze van vriendinnen had gehoord toen ze nog een meisje was en die ze zelf had geoefend in lange nachten van eenzaamheid.

Zijn bewegingen werden nog heftiger. Ze werkte onbeschaamd mee om zijn snellere stoten op te vangen. Ze waren nu zo verweven met elkaar, zo koortsig in hun hartstocht, dat plezier en pijn vervloeiden. Catherine spreidde haar dijen nog verder, totdat ze hem helemaal in zich trok en hem omvatte. Steeds dieper drong hij in haar.

Toen slaakte ze een kreet, terwijl hij kreunend en schokkend ineenzakte tegen haar borsten.

Zo lagen ze een tijdje, zonder te bewegen of iets te zeggen. Slaap was heel ver weg, want al gauw ontwaakte hun verlangen opnieuw, gelijktijdig, en begon het spel van voren af aan, maar langzamer nu, met meer tederheid. Instinctief vonden ze nieuwe posities op het smalle bed. In het kaarslicht zag hij de bloedspatten op de witte lakens en hij vroeg zich vaag af wat Jane daarvan zou denken als ze het beddengoed moest wassen. Natuurlijk zou ze het begrijpen, hoe kon het anders? Maar het kon hem niet schelen. Niet nu, in elk geval.

Starling Day en Parsimony Field praatten een hele tijd over de man boven. Toen Starling hem voor het eerst op het bed had zien liggen, had ze hem niet herkend. Hij lag op zijn buik, wachtend op haar of wie dan ook, om hem te geselen zoals hij had gevraagd. Dus sloeg ze hem, steeds harder, terwijl ze zich voorstelde dat hij haar man Edward was, die kreeg wat hij verdiende voor alle pijn die hij haar had bezorgd. 'Genoeg!' Hij draaide zich pijnlijk om en ging op de rand van het bed zitten. Maar zelfs toen zag ze enkel nog zijn achterhoofd.

Langzaam keek hij haar aan en boog elegant zijn hoofd. Geschrokken deinsde Starling twee stappen terug. Het was een gezicht dat in haar geheugen stond gegrift als een grafschrift op een steen, het gezicht van de man die zijn smalle dolk in de ogen van Gilbert Cogg had geboord, tot in diens hersens. Het geluid van zijn gekerm en de aanblik van de troep die uit de wond was gespoten spookten nog door haar dromen.

'Ik moet zo rood zijn geworden als zijn eigen kont na dat pak slaag toen ik zag wie hij was, Parsey. Maar hij begreep natuurlijk niet waarom. Hij wist niet dat iemand hem had gezien toen hij Cogg vermoordde.'

'Maar wat doen we nu?'

'Niets. Ik heb niet laten merken dat ik hem herkende, en hij gaf me twee pond in goud, alsof geld helemaal niets voor hem betekende.

Wat mij betreft laten we hem slapen, geven we hem te eten en zwaaien we hem uit alsof er niets gebeurd is.'

'We moeten hier toch wat wijzer van kunnen worden? Ik mocht Cogg wel. Hij paste goed op me.'

'Maar denk eens aan Topcliffe. Hij zit achter ons aan. Cogg en hij waren bevriend en hij denkt dat wij Cogg hebben vermoord en er met het geld vandoor zijn gegaan. Maak nou geen slapende honden wakker, Parsey.'

Parsimony dronk haar brandewijn op en smeerde een dikke laag boter op een snee brood van twee dagen oud. Ze had honger. Het was al laat, maar de nacht zou nog langer duren. Cogg verdiende gerechtigheid, maar belangrijker was dat deze informatie hen misschien tegen Topcliffe kon beschermen. Tenminste, als ze snel waren. De moordenaar zou over een paar uur vertrokken zijn. Het was een kans die ze niet mochten missen. 'Ik heb een idee, Little Bird,' zei ze met volle mond. 'Een oude vriend van me, Harry Slide, werkt wel eens voor Walsingham. Harry zal wel weten wat hij moet doen en hoe hij dit kan uitbuiten. Ik zal hem laten komen.'

'Ik weet het niet, Parsey.'

'Ik regel het meteen. We moeten hem vanavond nog spreken, want onze man zei dat hij morgenochtend wilde vertrekken. Ik weet waar Harry woont, dus ik kan Jack Butler naar hem toe sturen, op de merrie. Vertrouw me nou maar, Little Bird. Harry weet raad.'

Shakespeare sliep toen Catherine nog voor het ochtendgloren wegglipte en geruisloos terugliep naar de kamer die ze met de kinderen deelde. Voordat ze vertrok, kuste ze even zijn gezicht.

Toen ze voldaan waren van het vrijen, hadden ze nog een tijdje gepraat. Shakespeares jeugd in Warwickshire, de blauwe luchten, zijn dromen, zijn vrienden en zijn familie met al hun merkwaardige trekjes waren aan bod gekomen, net als Catherines vreemde accent, dat hij nooit eerder had gehoord. Hij plaagde haar een beetje en bauwde haar korte klinkers na, waarop ze hem met haar elleboog in zijn zij porde, wat harder dan ze had bedoeld. Hij reageerde door haar te kietelen, waardoor ze begon te kronkelen en ze weer in een vrijpartij belandden, hoewel ze daar nauwelijks nog energie voor hadden.

Catherine Marvell vertelde Shakespeare dat ze naar Londen was gekomen vanuit Yorkshire, waar haar vader James schoolmeester was. 'Thomas Woodes oudste zus, Agnes, was getrouwd met een edelman uit York. Zij stierf afgelopen november. Haar man kende mijn familie omdat mijn vader hun drie zoons had lesgegeven op de hogere school. Toen de vrouw van heer Woode aan de tering overleed, vroeg Agnes mij of ik naar Londen wilde om gouvernante te worden van Andrew en Grace. Ze wist dat ik rooms was. Dus heb ik op mijn achttiende de lange reis naar het zuiden gemaakt op een telganger, geëscorteerd door een van Agnes' knechten. Eerlijk gezegd was het wel een opluchting voor me. Mijn geboorteplaats werd me wat te benauwd. Londen leek me de wijde wereld.'

'En hoe denk je daar nu over?'

Ze lachte. 'Het heeft zijn voordelen, heer.' Ze vertelde over haar eerste ontmoeting met Thomas Woode en de kinderen. Het was in zo'n sombere sfeer geweest. Grace werd verzorgd door een min. 'De vrouw lachte wel heel lief als hij in de buurt was, maar ik vertrouwde haar niet. Op een dag betrapte ik haar toen ze de kleine meid sloeg, een peuter, nota bene! Toen ik heer Woode erover vertelde, ontsloeg hij haar. Maar de jongen was ook ongelukkig en zat de hele dag in een hoekje, treurend om zijn moeder. Heer Woode zelf was vreselijk zwartgallig en zat soms dagen achtereen eenzaam in zijn studeerkamer aan de plannen voor het huis te werken. Maar het bleven tekeningen, niets anders dan inkt op perkament. Ten slotte wist ik hem te overreden om daadwerkelijk met de bouw te beginnen. Het is een prachtige, moderne constructie, John, van het mooiste hout en metselwerk. Overdag heb je uitzicht op de metaalwerf en de rivier, tot aan de brug.'

Catherine zweeg een tijdje toen ze aan haar broodheer dacht en de martelingen die hij moest doorstaan. Ze zei niets over haar gevoelens voor Thomas Woode, die steeds dieper waren geworden toen ze bij hem woonde. Ze wilde Shakespeare niet jaloers maken. Ook zweeg ze over het besluit om de jezuïeten in hun huis op te nemen.

Zulke dingen hadden geen plaats in dit bed. Met geen woord spraken ze over Woodes lot, de dreigementen van Topcliffe, de dood van lady Blanche, het gevaar van een Spaanse invasie of de onthoofding van Mary Stuart. Met grote zorg meden ze ieder onderwerp waarover onenigheid kon ontstaan. Liever concentreerden ze zich op wat ze gemeen hadden.

Het was al ver na zonsopgang toen Shakespeare wakker werd. Hij was alleen en raakte in paniek toen hij haar hoofd niet op het kussen naast hem zag. Maar nog steeds rook hij haar aardse geur op de lakens en zag hij de veelzeggende bloedspatten van haar verloren maagdelijkheid.

Jane was al beneden om het ontbijt te maken, en de kinderen renden rond, maar van Catherine ontbrak elk spoor. Als Jane een vermoeden had over de gebeurtenissen van die nacht, liet ze daar niets van merken. Wel had ze nieuws. 'Harry Slide is nog langsgekomen, vannacht om een uur of vier. Hij maakte me wakker met zijn gebons op de deur. Het hield maar niet op, dus ging ik kijken wie het was.'

'Wat wilde hij?'

'Hij had een boodschap voor u. Hij had Starling en Parsimony gevonden, zei hij, en hij gaf me een adres in Southwark. Hij ging er meteen naartoe, en misschien zou hij later nog belangrijk nieuws voor u hebben.'

35

Shakespeare wachtte het ontbijt niet af. Hij gooide zijn berenmantel over zijn schouders en reed naar Southwark. De wind loeide over de rivier en deed zijn jas wapperen als een paar demonische vleugels. Hij hield zijn paard in onder een uithangbord dat woest heen en weer klapperde in de storm die door de smalle straat joeg. Het bord was nieuw, zwart-wit geschilderd, met een afbeelding van twee vrouwen met kroontjes en de naam 'Queens'. Een bordeel, maar met klasse, zo te zien. Shakespeare stapte af en klopte op de zware deur, die bijna onmiddellijk werd geopend door een man van een jaar of veertig. Hij was minstens een kop groter dan Shakespeare, die hij een norse, enigszins intimiderende blik toewierp.

Shakespeare draaide er niet omheen. 'Ik kom uit naam van de koningin. Waar is uw heer?'

'Ik heb geen heer.'

'Dan is dit uw eigen zaak? Wie bent u?'

'Ik ben Jack Butler, heer, maar niet de eigenaar van dit huis. Dat zijn voorlopig nog twee dames.'

'Breng me naar hen toe.'

Parsimony en Starling hadden geen oog dichtgedaan. Ze waren de hele nacht bezig geweest hun spullen in te pakken in alle tassen en kisten die ze maar konden vinden. De goudschat was grotendeels verdwenen, te goedkoop verkocht om de huur en de inrichting van het bordeel te kunnen betalen. Toen Shakespeare binnenkwam, zaten ze in de salon te ruziën. Ze hadden te veel gedronken en waren niet helemaal helder meer. Maar wat ze wel begrepen was dat ze vooral niets moesten zeggen en beter naar een van de grote steden, Bristol of Norwich, konden vertrekken met het restant van hun kapitaal.

Butler gooide de deur open en deed een stap terug om Shakespeare te laten voorgaan voordat hij hem volgde.

Parsimony keek giftig van Shakespeare naar Butler. 'En wie mag dat wel zijn, Jack? We willen geen bezoek. Gooi hem eruit.'

Butler trok brutaal een wenkbrauw op. 'Hij kan zelf zijn zegje wel doen.'

'Nog één zo'n opmerking en je bent je baan kwijt, Jack.'

'Steek je baan maar in je hoerenreet. Ik wil niks meer met jullie te maken hebben. Ik heb jullie wel gehoord, met je plannetjes. Bristol! Norwich! Stelletje stinkende sletten. Jullie zijn er gloeiend bij. De galg staat al klaar.'

Shakespeare deed een stap naar voren en de vrouwen deinsden terug. 'Ik ben John Shakespeare en ik word gestuurd door sir Francis Walsingham, uit naam van de koningin.'

'Wij hebben niets te zeggen,' snauwde Parsimony.

'Vraag maar wat er boven is gebeurd, heer Shakespeare,' zei Butler. 'Toen begonnen ze opeens plannen te maken om uit Southwark te vluchten.'

Shakespeare had geen idee wat Butler bedoelde. De twee vrouwen moesten Starling Day en Parsimony Field zijn, maar waar was Harry? 'U gaat nergens naartoe. Een van mijn mannen, Harry Slide, was hier. Waar is hij nu?'

Parsimony en Starling staarden elkaar aan met iets van paniek op hun gezicht. Ze sprongen tegelijk overeind en probeerden de deur te bereiken, maar struikelden door de drank. Shakespeare en Butler hielden hen gemakkelijk tegen.

'Ik moest Harry Slide gaan halen, heer,' zei Butler, 'maar deze twee venerische teven hebben hem overhoopgestoken, de arme kerel. Overal zat bloed. Ik wilde net de diender halen, toen u kwam. Een keurige heer, echt waar.'

'Harry... dood?' zei Shakespeare. 'Harry Slide?'

'Wij hebben hem niet vermoord!' riep Parsimony. 'Hij was een vriend. Daarom hadden we hem laten halen. Mijn keurig geklede Harry. Die flagellant heeft hem te grazen genomen, wij niet.'

'Welke flagellant?'

'De moordenaar van Gilbert Cogg. Nu heeft hij ook Harry in diens nek gestoken en is hem gesmeerd.'

'Waar is Harry? Breng me naar hem toe.'

Butler wees met zijn kin naar de trap. 'Boven, in een van de kamertjes. Ik zal het u wijzen.' Hij duwde Parsimony en Starling naar de trap, met Shakespeare op zijn hielen.

In de slaapkamer wachtte een gruwelijk tafereel. Haastig liet Shakespeare zich op een knie naast Slides lichaam zakken. De man was dood, geen twijfel mogelijk. En al minstens een uur of twee, want het lijk was koud.

Aan de rechterkant van zijn keel zat een snee van niet meer dan een duim breed. Het bloed was in golven naar buiten gespoten over een groot deel van de vloer voor het bed. Shakespeare raakte Slides gezicht aan en deinsde terug voor de kilte van zijn huid. Zijn ogen waren opengesperd in doodsangst, zijn mooie kleren besmeurd met bloed.

Shakespeare was verbijsterd. Hoe had Harry het zo ver laten komen? Hij vouwde zijn handen om voor Slides ziel te bidden, maar dat kon zijn pijn en woede niet wegnemen. Furieus draaide hij zich naar de vrouwen om. 'Wie had dit gedaan, zeiden jullie?'

Parsimony keek Starling aan. 'We kunnen hem beter alles vertellen.'

Starling knikte en Parsimony richtte zich tot Shakespeare. 'Maar u moet ons tegen Topcliffe beschermen. Hij zal niet naar rede willen luisteren. Straks hangen we te bungelen in Tyburn, zonder dat we zijn gehoord.'

'Ik kan niets beloven, maar als jullie me niet de waarheid vertellen, maakt dat het er niet beter op. Ondertussen…' – hij knikte naar Butler – '… kunt u zichzelf als mijn assistent beschouwen. Ga de diender halen en zorg dat het lichaam van Harry Slide naar de doodgraver wordt gebracht.' Hij draaide zich weer om naar de vrouwen. 'Wie zijn hier verder nog in huis?'

'Hoeren,' antwoordde Butler. 'Ze liggen te naaien of te slapen.'

'Het zijn beste meiden,' zei Starling. 'Ze weten hier niets van.'

'Goed. Vertel me maar wat er is gebeurd.'

Ze daalden de trap weer af. Jack Butler ging de diender halen, terwijl Starling haar verhaal deed.

'De moordenaar. Dat wil ik weten,' zei Shakespeare dringend.

Starling gaf een uitvoerig signalement van Herrick en vertelde hoe

[265]

hij een tas met een stuk gereedschap van Cogg had meegenomen nadat hij het lichaam in een vat had gepropt. En ze vertelde hem over zijn vleeswond – en de nieuwe striemen die zij hem zelf met de zweep had bezorgd. 'Zijn rug zat vol rode littekens. Hij moet zo'n rare godsdienstfanaat zijn. Hij had kort haar en een glad gezicht. Volgens mij kon hij geen baard laten staan, want hij had niet eens stoppels. En hij deed heel minachtend,' ging ze verder. 'Hij betaalde goed, maar hij keek naar me alsof ik een hondendrol was. Hij was lang en gespierd, lachte niet één keer en zei geen vriendelijk woord. Niet dat hij vloekte of schold, dat ook weer niet.'

'Droeg hij religieuze symbolen: een crucifix, een rozenkrans, dat soort dingen?'

'Als dat zo was, heb ik ze niet gezien.'

'En waar praatte hij over?'

Het begon Starling te vervelen. Langzaam werd ze weer nuchter. 'O, over van alles. En hij vroeg me dingen.'

'Zoals?'

'Waar ik vandaan kwam. Uit Strelley, zei ik, een mijndorp met allemaal kerels zoals mijn man. Hij vroeg me of ik Devonshire en Plymouth kende. Waarom zou ik Plymouth kennen, verdomme?'

'Ging hij daar misschien heen?'

'Wat denk je zelf? Jij bent de slimmerik hier. Hij vroeg ook van alles over postpaarden en zo.'

'En wat zei je tegen hem?'

'Dat ik niets van postpaarden wist. Waarom zou ik? Ik heb nog nooit op zo'n knol gezeten. Ik ben naar Londen komen lopen.'

Dus Herrick was op weg naar Plymouth. En hij had haast. Maar zou hij er te paard naartoe rijden of Drakes route volgen: te paard naar Dover en dan per schip? De route via Dover kon sneller zijn, maar dat hing van de wind af. Als het weer tegenzat, moest hij misschien wel dagen in Dover wachten. Shakespeare vermoedde dat hij de route over land zou nemen, die meer zekerheid gaf. Hoe dan ook, de wegen waren modderpoelen in deze tijd van het jaar. Toch besloot Shakespeare hem te volgen – een snelle rit over land. Hij moest onmiddellijk vertrekken; er was zelfs geen tijd meer om nog eerst naar huis te gaan. Herrick had een voorsprong van twee of drie uur, maar Shakespeare zou hem nog kunnen inhalen.

Jack Butler kwam terug met de diender, een grote sul met ogen als van een dode kabeljauw.

'Laat deze tent sluiten,' zei Shakespeare. 'De twee vrouwen worden vastgehouden totdat ik heb besloten wat er met hen moet gebeuren. Hou ze in The Clink, maar zeg tegen niemand dat ze daar zitten. Tegen niemand! Als dit uitlekt, mag je je melden bij minister Walsingham en zul je ervan lusten. En als je het lichaam van Harry Slide naar de doodgraver brengt, behandel je het met respect. Begrepen? En nu, heer Butler, haal een pen, inkt en papier, want ik moet een paar dringende berichten schrijven die u persoonlijk gaat bezorgen. Het eerste aan de minister in zijn huis in Seething Lane, het andere bij mijn eigen huis in dezelfde straat. En snel.'

36

Drake was in een uitgelaten stemming toen hij met zijn kleine groep in alle vroegte de boot van Greenwich Palace naar Gravesend nam. Tijdens een korte ontmoeting onder vier ogen in haar geheime kabinet had de koningin hem alle succes gewenst. Nu, met een zeemanskreet alsof hij het anker lichtte voor een reis naar Indië, zwaaide hij met zijn hoed en vuurde de roeiers aan als een ridder die zijn strijdros aanspoorde bij het steekspel.

In Gravesend stapten ze over op paarden en vertrokken in straf tempo over de druk bereisde weg naar het zuidoosten, door Kent, in de richting van Dover, de haven aan het Kanaal. Diego reed vooraan op zijn vos, gevolgd door de rest van het groepje dat bestond uit Drake, diens vrouw Elizabeth, die in amazonezit op een prachtige grijze telganger zat, haar kamenierster May Willow, kapitein Harper Stanley, met zijn snor trillend in de wind, twee van Drakes bedienden en de plaatsvervangend commissaris van Devon, sir William Courtenay, die terugkeerde naar Powderham Castle, waar hij woonde. De groep werd vergezeld door twee van Drakes meest vertrouwde zeesoldaten, mannen die bedreven waren met het radslot en het zwaard. De achterhoede werd gevormd door Boltfoot Cooper, met zijn caliver in de aanslag en zijn hand dicht bij het heft van zijn korte sabel.

Drake reed in het midden van de groep, met rechts zijn vrouw en links Courtenay, van wie hij wist dat hij rooms-katholiek was. 'En, heer?' vroeg Drake. 'Hebt u vandaag al uw zonden al gebiecht?'

Courtenay lachte vermoeid. Hij was gewend aan plagerijen over zijn geloof. 'Ik ben bang, sir Francis, dat de priester aan één zitting niet genoeg had om ze allemaal aan te horen. Ik heb een rooster van zeven weken: de eerste week wellust, dan gulzigheid, dan hebzucht, ledigheid, wraakzucht, afgunst en trots, in die volgorde.'

'En wat is het onderwerp deze week? Wellust?'

'Natuurlijk, sir Francis. Ik kon moeilijk op reis gaan zonder een stevige portie wellust voor frisse energie.' Courtenay was een opvallend knappe, fitte, sterke vent van midden dertig, met donker haar. Hoewel hij spotte met zijn zonden, stond hij bekend als een van de grootste rokkenjagers van het hof. Het verhaal ging dat hij al voor zijn veertiende twee dienstmeisjes zwanger had gemaakt en sindsdien meer bastaardkinderen in Devon had verwekt.

'Ha! Wat denkt u, m'lady? Zou sir William naar de hel of naar de hemel gaan?'

Elizabeth keek eens naar Courtenay en glimlachte lief en zedig met haar blozende gezichtje onder een modieuze Franse capuchon van zwart fluweel, die haar haar in model hield tegen de krachtige wind. 'Misschien naar de hel, en in elk geval naar Devon. Maar ik zou mijn geld niet op de hemel zetten.'

'Here God, sir William, ik moet mijn vrouw goed in het oog houden in uw gezelschap. Ik geloof dat u een warm plekje hebt in haar hart.'

'Inderdaad, sir Francis. Maar hoe houdt u me bij haar vandaan als u op zee zit? En vertel mij, landrot, ook eens hoe jullie dat volhouden, midden op zee, *sans* dames, *sans* hoertjes en *sans* plezier.'

Drakes gezicht betrok. Hij wierp een geërgerde blik van de een naar de ander. 'Er zijn nog andere pleziertjes, heer – katholieken aan het zwaard rijgen, bijvoorbeeld. Want met hun wreedheden verdienen ze dat al gauw. Waar staat wreedheid op uw lijstje van zonden, sir William? Of hoeft u dat niet te biechten van uw kerk? Misschien wordt het wel als een deugd beschouwd door de apostolische antichrist. Want u behoort zeker tot de wreedste religie ter wereld.'

Zo gingen de plagerijen, half serieus, nog een tijdje door. Zo nu en dan hield Drake zijn paard in om met kapitein Stanley over bevoorrading en marinestrategie te praten; daarna keek hij zwijgend toe hoe zijn vrouw een gesprek met Courtenay aanknoopte.

Boltfoots ogen gingen voortdurend heen en weer tussen Drake en het omringende platteland, speurend naar mogelijke gevaren. Deze weg stond bekend om struikrovers, hoewel hij zich niet kon voorstellen dat die zo'n goed bewapende groep zou durven aanvallen. Maar honger bracht mensen soms tot wanhoopsdaden.

Ze hadden al vroeg gegeten in Gravesend en hielden pas kort voor zes uur halt bij een pleisterplaats niet ver van Rochester. Boltfoot bleef bij sir Francis en lady Drake, terwijl de bedienden de paarden stalden. Kapitein Stanley en Diego bestelden het avondeten en wijn voor de hele groep in een privékamer.

Ze aten goed en Drake amuseerde het gezelschap met verhalen over zijn avonturen als kind, toen hij op nog geen vijf kilometer van deze herberg had gewoond. De familie was hierheen verhuisd vanuit Devon, zei hij, omdat zijn vader, een protestantse predikant, door koningin Mary met de brandstapel werd bedreigd. Ten slotte hadden de Drakes berooid hun toevlucht gezocht in een half verrot schip op een zandbank in de Medway. 'Ik moest oesters en bessen zoeken om in leven te blijven. En moet je me nu zien, rijk als een Arabische sjeik, met de hele wereld en haar zeeën aan mijn voeten! Alles dankzij diezelfde koning Filips, die het bed deelde met die moordzuchtige Mary.'

Boltfoot Cooper snoof. Evenmin als iemand anders in hun woonplaats Tavistock geloofde hij een woord van die religieuze vervolging van Drakes vader. Het verhaal ging dat Drakes vader Edmund in allerijl de benen had genomen nadat hij was beschuldigd van paardendiefstal en struikroverij.

'Last van je neus, Cooper? Kan iemand hem een zakdoek lenen?' Drake klapte in zijn handen en sloeg ermee op de tafel. 'En laten we nu drinken op de gezondheid en een lang leven voor onze soevereine vorstin Elizabeth. Lang leve de koningin!'

Ze aten en dronken te veel, zoals reizigers doen. Toen de diensters de laatste borden hadden afgeruimd en nog wat kannen wijn hadden gebracht, pakte Drake een boek dat naast hem op tafel lag. 'Schenk nog maar eens in, want ik zal jullie een stukje voorlezen, zoals ik ook mijn officieren aan boord heb voorgelezen in menige nacht op de grote Stille Oceaan – en nooit heeft een zee zo'n onterechte naam gekregen. Stil was ze bepaald niet, maar wel woest en diep. Wekenlang werden we door stormen geteisterd. Maar het stormt nu eenmaal op alle zeeën, en ik zou het niet anders willen. Spoedig zullen we uitvaren en dan kan ik weer het zilte schuim in mijn gezicht voelen, met zeshonderd ton Engels eikenhout en bulderende kanonnen onder mijn voeten.'

Hij tikte op het boek en vervolgde: 'Daarom lijkt het me passend om iets van Geoffrey Chaucer voor te lezen, "Het verhaal van de zeeman", want wij volgen dezelfde route als de pelgrims naar Canterbury, op weg naar zee. En voor het geval niet iedereen het begrijpt, zal ik het uitleggen, want onze geliefde Chaucer schreef een heel ander Engels dan wij tegenwoordig spreken. Ik draag dit verhaal op aan mijn dierbare echtgenote Elizabeth, voor haar genoegen en niets anders, want ik weet dat zij geen enkele gelijkenis vertoont met de ontrouwe vrouw uit Chaucers verhaal. Niemand hier aan tafel zal haar anders zien dan als mijn kuise levensgezellin.'

Drake wees met zijn goudblonde puntbaardje naar zijn vrouw.

Ze lachte hem onschuldig toe. 'Heer, ik begrijp niet waarom u me zo moet verdedigen. Al onze reisgenoten zijn overtuigd van mijn trouw en liefde als uw bruid.'

'Natuurlijk! Maar misschien herkent sir William Courtenay zichzelf in dit trieste verhaal over een overspelige vrouw en een sluwe monnik, die vriendschap voorwendt met haar echtgenoot om haar in bed te krijgen. Komt u dat bekend voor, sir William?'

Boltfoot Cooper luisterde niet. Zijn blik was strak gericht op het gezicht van sir William Courtenay, dat inmiddels was veranderd in een masker van woede.

'Maar genoeg!' ging Drake verder. 'Het is slechts een verhaal. Ik kan niet geloven dat een man een ander zo zou verraden, want dan zou hij zeker worden gecastreerd en door het hart gestoken voor zijn smerige verraad. Immers, zo zou iedere echtgenoot reageren, nietwaar, sir William? U bent toch ook getrouwd, meen ik?'

Courtenay aarzelde. Zijn blik ging even naar Elizabeth en toen weer naar Drake. 'Zo is het, sir Francis.' Er klonk geen spoor van humor in zijn stem.

'En u zou het niet tolereren als een andere man met uw vrouw het bed in dook, is het wel?'

Opeens kwam Courtenay overeind, met zijn zwaard al half uit de schede. 'Waar beschuldigt u me van?' Hij sprong naar voren en smeet de grote tafel omver, zodat de kannen en kroezen alle kanten op vlogen. 'Eerst beledigt u mijn geloof, heer, en nu mijzelf!'

Het was een geweldig tumult. De zeesoldaten reageerden te laat, maar Boltfoot en Diego hadden Courtenay al ingesloten. Boltfoot legde zijn korte sabel tegen Courtenays keel, Diego drukte de punt van zijn dolk onder de borstkas van de man, klaar om het wapen omhoog te stoten naar zijn hart. In paniek keek Courtenay om zich heen.

'Komt niemand mij dan te hulp terwijl ik zo schandelijk word belasterd?' Zijn blik ging naar Elizabeth Drake. 'Vrouwe, kunt u uw man niet tot de orde roepen? Hij beschuldigt ons van betrekkingen waar ik niets van weet.'

Elizabeth lachte luchtig. 'Ach, sir William, zo is hij nu eenmaal. Ik zou er niet op letten. Hij jaagt graag mensen op de kast. Dan gaan de lange dagen en nachten op zee wat sneller voorbij als de wind is weggevallen en de zeilen slap aan de masten hangen.'

Diego en Boltfoot pakten Courtenay bij zijn armen en drukten hem op zijn stoel terug.

'Meer wijn voor sir William Courtenay!' bulderde Drake. Hij was nog geen centimeter teruggedeinsd voor alle commotie en stak zijn brede borst vooruit als een haan in een hanengevecht. 'Allemachtig, laat die man wat kalmeren voordat hij ons allemaal iets aandoet.' Hij zocht in de zak van zijn wambuis en haalde een bundeltje van blauw fluweel tevoorschijn. 'Madame,' zei hij, terwijl hij het zwierig aan zijn vrouw voorhield, 'een halssnoer van goud, parels en robijnen, stuk voor stuk afkomstig van de grote continenten en uit wereldzeeën. Gun mij de eer dat u dit nederige geschenk aanvaardt als bewijs van mijn respect voor uw trouw, goedheid en liefde.'

Elizabeth sloeg quasiverbaasd haar hand voor haar mond, alsof ze al niet honderd van zulke snuisterijen van haar verliefde echtgenoot had ontvangen.

'Nou, dat is ook een manier om te voorkomen dat ze met een hitsige monnik het bed in duikt,' mompelde Diego in Boltfoots oor.

Boltfoot lachte grimmig, hoewel hij meer in andere zaken geïnteresseerd was. Hij had scherp opgelet wie van het gezelschap onmiddellijk voor Drake in de bres was gesprongen en wie niet.

Vanaf het eerste begin leek er geen zegen te rusten op Shakespeares rit naar het westen. De modderige wegen vertoonden kuilen en grote plassen, diep genoeg voor een man om in te verdrinken. Hij had nauwelijks vijftien kilometer door Surrey afgelegd toen zijn paard al kreupel raakte. Hij liet de merrie achter bij een boer, die hij een sixpence beloofde als hij haar goed zou verzorgen, en liep naar het volgende dorp om een nieuw paard te vinden. Hij droeg nog dezelfde kleren als die ochtend: zijn berenmantel, bontmuts, wambuis en pofbroek. Hij had geen bagage of zadeltassen bij zich, alleen een beurs met meer dan genoeg geld voor de reis. Terwijl hij in zijn eentje over de weg sjokte, wist hij dat hij kwetsbaar was voor struikrovers. Ook al zat hij onder de modder, toch droeg hij dure kleren. Met zo veel honger in het land zwierven overal bendes van dieven en vagebonden rond.

Het was twee uur lopen naar het dorp. Zijn laarzen waren niet bestand tegen al het water en zijn voeten werden nat. De wind huilde om zijn hoofd en zo nu en dan moest hij over omgevallen bomen klauteren. Tegen de tijd dat hij bij een klein riviertje kwam, even ten oosten van het dorp, was hij moe, hongerig, kortaangebonden en zich ervan bewust dat hij steeds meer tijd verloor op zijn prooi.

De pont was niet meer dan een stevig vlot van oude eikenhouten planken, dat met dikke touwen over de rivier werd getrokken tussen twee palen. Er was ruimte voor een flinke kar, vijf of zes paarden en wat vee. Op dit moment was er niemand dan Shakespeare en de veerman, die hem liet meedelen in zijn kalfspastei. Shakespeare werkte het eten tijdens de korte overtocht met smaak naar binnen. Hij had de hele dag nog niets gehad. Toen hij klaar was, bedankte hij de man en vroeg of er de afgelopen uren ook een eenzame ruiter de rivier was overgestoken.

'Jawel, heer. Vijf uur geleden kwam er een ruiter langs, een lange man met een gladgeschoren gezicht. Maar hij sprak nog geen drie woorden tegen me, dus meer kan ik niet over hem vertellen. Ik geloof dat hij van paard heeft gewisseld bij de stalhouderij van mijn broer Ben. Misschien weet hij iets meer. U kunt het hem vragen, heer.'

'Dat zal ik doen. Ik denk dat je de man hebt ontmoet die sir Francis Drake om zeep wil helpen. Ik heb geen moment te verliezen.'

37

Tegen de tijd dat Drake en zijn groep in Dover aankwamen, ging de wind eindelijk wat liggen. Aan de kade was het een drukte van belang. Schepen waren binnengekomen vanaf het Kanaal om te schuilen voor de storm – een woud van masten en verwaaid tuig, dat een prachtig kampvuur zou kunnen worden voor een Spanjaard met een tondeldoos.

Als Boltfoot al vermoeid was na de lange reis, liet hij daar niets van merken. Zijn ogen stonden even oplettend als altijd; een ervaren zeebonk viel nooit in slaap tijdens de wacht. De groep hield halt op de keitjes van de kade. Golven sloegen over het kiezelstrand beneden. In de verte zagen ze de schuimkoppen op het Kanaal naar Frankrijk. Geen enkel schip kon de oversteek wagen in dit weer.

Kapitein Stanley klopte zijn dampende paard op de flank en boog zich naar Drake toe. 'Zal ik een herberg zoeken, admiraal?' vroeg hij, in de hoop op een veren bed.

Drake keek hem aan alsof hij gek geworden was. 'Here God, nee! Ben je zo slap in de knieën dat je een bed in een taveerne wilt terwijl er genoeg scheepshutten en hangmatten beschikbaar zijn? Ga aan boord, man, en ruim de kapiteinshut leeg voor mijn dame. Zorg voor versiering en laat haar een goede maaltijd brengen, op mooie borden. Vanavond zal er muziek zijn bij het eten. Violen lijken me een goede keus.' Hij wierp een blik op sir William Courtenay, die met een nors gezicht twintig meter achter hem aan reed en hem de hele dag al haatdragend had aangestaard. 'Bent u een muziekliefhebber, sir William? Of is dat ook een doodzonde volgens uw geloof? Eet vanavond met ons mee, heer, dan kunt u achteraf uw zonde wel biechten aan de bisschop.'

'Ik zou nog liever van honger sterven dan weer aan jouw tafel te moeten zitten, Drake. Ik logeer vanavond in een herberg, zoals kapitein Stanley al voorstelde.'

Drake keek ontstemd. 'Aan boord van mijn schip, heer, ben ik koning naast God. Als u met mij mee reist en enig fatsoen in uw donder hebt, dan eet u vanavond bij ons. Anders mag u hier in Dover blijven wachten tot er een tinschip terugvaart naar de Stannaries.'

Courtenay zat in de val. 'U weet dat ik niet kan wachten. Als dit uw voorwaarden zijn, heb ik geen keus. Maar ooit zal ik het u betaald zetten. Ooit zal uw bezit het mijne zijn.'

Drake lachte luchtig. 'Als ik een bange bleekneus was en me iets van paapse dreigementen aantrok, sir William, had ik beter niet uit bed kunnen komen.'

Opeens trok Courtenay het hoofd van zijn paard zo scherp opzij dat het met een klap tegen Drakes rijdier sloeg. 'Ik ben een patriot, heer, trouw aan de kroon. Mijn geloof staat mijn liefde voor Engeland en de koningin niet in de weg!' brulde hij, met zijn gezicht vlak bij dat van Drake.

Boltfoot en Diego doken al naast de vice-admiraal op, maar Drake lachte. 'Aan wiens kant staat u als de invasie komt, sir William? Aan wiens kant staat u als de paus u beveelt in opstand te komen tegen onze koningin? Heeft hij haar niet geëxcommuniceerd en verklaard dat het geen zonde is – zelfs het werk van God – om haar te vermoorden? Naar wie zult u luisteren, naar uw paus of naar uw vorstin?'

'Val dood, Drake. Nu begrijp ik waarom er zo vaak muiterij is op uw schepen en maar zo weinig mannen bij u willen aanmonsteren.'

Richard Topcliffe waste zijn handen in een paardentrog aan de rand van de weg. Newall, de aanvoerder van de papenjagers, keek eerbiedig toe. De magistraat Richard Young stond onverschillig verderop, met zijn elleboog op de houten paal van een hekje dat de menigte op afstand moest houden.

De grote, luidruchtige mensenmassa verspreidde zich alweer, terug naar hun dagelijkse besognes, want de dans des doods waarvoor ze waren gekomen was voorbij. Het lichaam van de veroordeelde hing slap aan de galg van St. Giles, zachtjes deinend en draaiend in de wind.

'Een welbestede ochtend,' zei Topcliffe, terwijl hij zijn handen droogde aan het slagersschort dat hij van zijn heupen losmaakte. Hij droeg nooit een masker bij de executies, maar wel een schort tegen het braaksel, het bloed en de uitwerpselen van het slachtoffer. De beul had weinig te doen, want Topcliffe organiseerde alles als een toneel-regisseur. Hij martelde de veroordeelde om die zijn paapse ketterijen te laten herroepen en spijt te betuigen over zijn verraad. En als de man om een priester vroeg, riep Topcliffe naar het publiek: 'Is er een priester hier? Stap naar voren, dan word je ook opgeknoopt.' Lachend schopte hij dan de ladder onder de voeten van de veroordeelde weg en liet hem hangen, trappelend met zijn benen als een marionet, ter-wijl het koord hem smoorde. De menigte brulde van het lachen en Topcliffe boog.

'Weer een paapse priester minder om ons druk over te maken,' zei Topcliffe tegen Young. 'Lelijke vent, nietwaar? Zijn verdorven ziel was op zijn pokdalige smoel af te lezen. Opgeruimd staat netjes.' Hij bromde tevreden. 'Maar we zijn nog niet klaar, Dick. Die monsters van papisten vreten zich als maden in het lichaam van Engeland. We kunnen niet rusten. Vandaag moeten we er nog een oppakken. Ze woonde eerst in Dowgate, en nu in dat verderfelijke huis van John Shakespeare in Seething Lane. Een jonge duivelin, Catherine Marvell. Ze heeft het gezichtje van een engel, maar laat je niet bedotten. Ze is tot op het bot verrot door verloedering en zonde. Bezeten door de-monen. Een kwade geest heeft bezit van haar genomen en voedt haar elke nacht met de koude smurrie uit zijn lendenen. We moeten in-grijpen, Dick, om Engelands wil.'

'Seething Lane, Richard? Shakespeares huis? Is dat niet te dicht in de buurt van de minister?'

Topcliffe riep de *hangman*, die de dode al wilde lossnijden. 'Laat hem daar maar een weekje hangen, heer Picket. En speld een briefje op zijn borst.' Hij draaide zich om naar Young. 'Wat moet erop staan, Dick? Een waarschuwing?'

'"Wegens verraad en hulp aan buitenlandse vijanden"?' opperde Young.

'Heel goed. "Wegens verraad en hulp aan buitenlandse vijanden." Maar nu die duivelin. Je hebt gelijk wat Seething Lane betreft, Dick. We kunnen daar niet met een hele groep papenjagers binnenstormen.

Dat zou de minister niet waarderen. We moeten haar in alle stilte weghalen.'

'Maar hoe wil je dat doen? Als ze onder Shakespeares bescherming staat, zal hij zo veel stampij maken dat je haar nooit te pakken krijgt.'

Topcliffe maakte een grimas. Hij stak een hand in zijn broek en verschikte wat. 'Shakespeare zit achter een Vlaming aan om Drake te redden. Ze is nu alleen in huis, met de kinderen van een verrader. We brengen haar naar mijn gastenkamer in Westminster en de kinderen kunnen hun school afmaken in Bridewell. Als ze op de pijnbank ligt, zal ik haar aan Woode laten zien. Dat zal zijn tong wel losser maken. En jij gaat haar halen, Dick Young. Als magistraat van Londen heb je de wetten van Hare Majesteit aan je kant. Je bent een man van gezag, Dick, de aangewezen persoon.'

Terwijl ze stonden te praten, hield een goed geklede man hen vanuit het publiek in het oog. Zonder op te vallen had hij geprobeerd dichterbij te komen om te horen wat Topcliffe en Young bespraken. Hij was hiernaartoe gegaan om afscheid te nemen van de veroordeelde priester, Piggott; niet omdat hij de man graag mocht, maar omdat hij hetzelfde geloof had en deze dood niet verdiende. Cotton had de laatste gebeden uitgesproken, heel zacht, maar duidelijk gearticuleerd, zodat Piggott zijn lippen kon zien bewegen. Daarna had hij onder zijn mantel een kruis geslagen voor de ladder werd weggeschopt.

Hoewel hij vlak bij het hek stond dat het publiek moest tegenhouden, kon hij nog steeds niet verstaan wat Topcliffe en Young zeiden. Hij vervloekte zijn pech en verdween weer in de menigte. Toch voelde hij zich door de gebeurtenissen van die dag eerder gesterkt dan aangetast in zijn geloof. De executie van een medepriester deed zijn verlangen naar het martelaarschap nog feller branden in zijn hart. Hij wist met absolute zekerheid dat hij ooit zelf de man op het schavot zou zijn.

Shakespeare kon niet verder. De zon was allang achter de horizon gezakt en een dichte, winterse nevel was neergedaald over het troosteloze landschap van geploegde velden en dichte bossen. De weg was zo slecht dat hij niet eens meer wist of dit nog wel de route was naar Devon, in het westen.

Hij vatte weer moed toen hij een herberg ontdekte, al stelde die niet veel voor. Het was nauwelijks meer dan een boerderij. Een bordje met een witte hond zwaaide heen en weer boven de deur in het lage gebouw van riet en leem. Maar binnen scheen licht, met de belofte van warmte en talgkaarsen. Een stel geslepen zeisen en ploegscharen die tegen een schuurtje leunden vertelden hem dat de stamgasten op het land werkten.

Shakespeare was tot op het bot verkleumd. Bovendien had hij honger en dorst. Zijn lichaam schreeuwde om een pint Engels bier. Hij steeg af van de sterke zwarte merrie die de broer van de veerman hem had meegegeven, en bond haar vast aan een ijzeren ring in de muur.

Zeven of acht mannen staakten hun gesprek toen hij de lage ruimte binnenkwam. Hij knikte naar hen en liep naar de lange tapkast, terwijl ze hem aandachtig opnamen. Het maakte Shakespeare niet uit dat ze zo reageerden; dat was te verwachten. Hoe smerig hij ook was, hij droeg nog altijd dure kleren, van stoffen die deze boerenknechten nog nooit in hun leven hadden gezien. Dit was geen herberg langs een doorgaande route, maar een gewone dorpstaveerne.

De warmte van het knetterende vuur deed hem goed. Het verspreidde een heerlijke geur van brandend hout. En de waardin verwelkomde hem hartelijk. Shakespeare bestelde brood met vlees en een kleine kroes bier. Iets sterkers wilde hij niet, want hij moest de volgende morgen weer vroeg op. De waardin tapte een pint uit het vat dat naast hem stond. Shakespeare dronk die in een paar teugen leeg en zuchtte voldaan.

'Komt u van ver, heer?'

'Uit Londen.'

Shakespeare hield zijn kroes op om te worden bijgetapt. 'Hebt u een kamer voor de nacht en een stal en wat voer voor mijn paard dat buiten staat?'

'Ik zal mijn zoon vragen het paard te verzorgen, heer. We hebben geen kamer, maar ik zal een bed voor u gereedmaken in de opkamer.'

'Dank u. Maar eerst had ik nog een vraag. Is er hier vandaag nog een andere reiziger voorbijgekomen? Een lange man zonder baard?'

De waardin veegde met de stompe vingers en roze handpalmen van een boerenvrouw wat zaagsel van de grote eiken tapkast. 'Ja, zo iemand heb ik wel gezien. Hij heeft hier gegeten, maar is een uur of

drie geleden weer vertrokken. Ik heb hem gewaarschuwd dat er vanavond een dichte mist zou hangen, maar hij zei dat God hem zou beschermen omdat hij Gods werk deed. Kent u hem, heer?'

'Ja vrouw, ik ken hem en ik zou hem graag willen spreken.'

'Nou, vanavond zult u hem niet meer inhalen. En nu zal ik voor uw
eten zorgen, heer.'

Shakespeare was doodmoe. Het was een zware rit geweest en hij
had zadelpijn en kramp in zijn onderrug. Toch vroeg hij zich af of hij
niet moest doorrijden. Als Herrick zich niet liet weerhouden door
mist en duisternis, waarom hij dan wel? Maar nee, het was beter om
even te rusten en te herstellen. Misschien zou Herrick wel in de mist
verdwalen. Met een beetje geluk verdronk hij in een moeras of werd
hij vermoord door een dievenbende, zonder dat iemand ooit nog iets
van hem zou horen. Wat er vannacht ook gebeurde, in deze omstandigheden had Herrick minstens twee dagen nodig voor de reis, en dat
gaf Shakespeare nog tijd om zijn prooi in te halen. Herrick zou vroeg
of laat toch moeten slapen. Voor Shakespeare was het beter dat hij nu
sliep en morgen weer vroeg vertrok.

Hij at met smaak. Het rundvlees was lekker, dun gesneden met een
kruidige jus, gebakken rapen, erwten en een dikke snee roggebrood.
Na het eten vroeg hij naar zijn bed. Toen hij met de waardin de gelagkamer verliet, was hij zich bewust van de ogen die in zijn rug priem-
den, maar dat deed hem niets. Hij was zo moe dat hij ter plekke had
kunnen neervallen om tussen het zaagsel op de vloer te slapen.

Het was een simpele opkamer, zoals de vrouw al had gezegd, maar
er lag een strozak klaar, met ruige dekens. Hij vroeg of de waardin
hem voor het krieken wilde wekken en schoof toen, geheel aangekleed, onder de dekens. Binnen twee minuten was hij in slaap – zo
diep dat hij, toen een halfuur later de klink van de deur bewoog, helemaal niets hoorde en rustig verder sliep, dromend van de vrouw die
hij thuis had achtergelaten.

38

Om vier uur 's ochtends vertrok Drakes schip bij hoogtij. De storm was gaan liggen, maar er stond nog genoeg wind om hen snel naar het westen te brengen door de zeestraat die zich al gauw verbreedde.

Bij het eerste ochtendlicht tuurde Boltfoot door de kleine patrijspoort naast Drakes hut op het achterschip. Hij was de hele nacht opgebleven, met enkel het licht van een kaars en een jarenlange ervaring met wachtdiensten om hem wakker te houden. De kust van Sussex gleed nevelig en blauwgrijs aan stuurboord voorbij. De stevige bries veroorzaakte schuimkoppen op de antracietgrijze golven van het Kanaal. Het grote schip helde scherp en vloog bijna over het water, voortgejaagd door de wind in het volle zeil. Boltfoot schatte dat ze binnen een dag in Plymouth konden zijn.

Hij keek neer op Diego, die vlakbij op het dek te slapen lag. Ze hadden samen al heel wat avonturen beleefd en nu waren ze weer bij elkaar, terwijl Boltfoot had gezworen nooit meer naar zee te gaan. Hij lachte. Hij hield hier nu eenmaal van. Je kon nooit ontsnappen aan de zee en nooit loskomen van sir Francis Drake. Eenmaal in zijn ban bleef iedere zeeman de vice-admiraal eeuwig trouw. En Diego was een goede kameraad. Hij lachte graag om alles wat het leven op zijn pad bracht, en dat was nogal wat. Hij had veel verloren: zijn thuis, ergens in Afrika, zijn familie en vrienden, zijn vrijheid. Toch had hij zich aan dit merkwaardige nieuwe leven aangepast als een geboren Engelsman. In de verhalen over zijn verleden klonk nooit enige rancune door.

Kapitein Stanley verscheen, gekleed voor de dag. 'Cooper, ga maar ontbijten in de kombuis, dan neem ik de rest van je wacht over.'

'Ik eet wel als Diego wakker wordt.'

'Kom Cooper, je hebt je best gedaan. We zijn nu veilig op zee. Wat voor gevaar kan de vice-admiraal hier nog bedreigen?'

'Mijn orders zijn duidelijk, kapitein. Ik moet sir Francis permanent bewaken.'

'Zoals je wilt. Maar sir Francis zal niet blij zijn met zo'n kindermeisje. Hij zal je wel weer de huid volschelden.'

'Dat heeft hij al zo vaak gedaan, kapitein. Ik lig er niet wakker van.'

Stanley knikte kort. 'Dan wens ik je verder goeiemorgen, Cooper.' Hij draaide zich op zijn hakken om en verdween door de gang, de ladder op naar het halfdek.

Diego bewoog zich toen de deur van Drakes hut openging en Elizabeth haar hoofd door de kier stak. Ze was nog in nachtgewaad. 'Boltfoot, Diego,' vroeg ze met een lieve lach, 'wil een van jullie wat eten voor me halen? Ik heb honger van al die zeelucht. En voor mijn man, want hij zal zo wel wakker worden.'

'Natuurlijk, m'lady.'

In de hut liep Elizabeth weer terug naar haar smalle kooi. Haar man lag in een hangmat die tussen de voor- en achterwand was gespannen en rustig meedeinde met de bewegingen van het schip, dat door de golven sneed op weg naar het westen. Drake snurkte als iemand die tevreden was met zichzelf. Elizabeth kroop weer in haar warme bed en keek naar hem op. Hij was twee keer zo oud als zij. Hij had alle wereldzeeën bevaren en toch was er nog zo veel wat hij niet wist. Vooral van vrouwen had hij weinig verstand, en hij had ook geen kinderen, noch bij haar, noch bij zijn eerste vrouw Mary, die overleden was. Elizabeth begon te twijfelen of hij haar ooit zwanger zou maken. Ze luisterde naar het pijnlijke steunen van het Engelse hout. Soms vroeg ze zich af of het de vrouwen thuis waren die hem zo lang op zee hielden.

Richard Young, magistraat van Londen, klopte zachtjes op de deur van John Shakespeares vakwerkhuis in Seething Lane. Hij bonsde opzettelijk niet te hard, uit angst dat de bewoners zich zouden verbergen, wat niet de bedoeling was. Hij kon zich niet veroorloven het hele huis te slopen, zoals ze bij lady Tanahill hadden gedaan. Daarin was

Topcliffe veel te ver gegaan, tot woede van de koningin. Dat mocht niet nog een keer gebeuren, zeker niet met het huis van een van Walsinghams officieren.

Het was vroeg in de avond, kort na het invallen van de schemering. De straat was stil en donker. Zo had hij het gepland. Geen drukte. Gewoon de vrouw oppakken en meenemen, met de kinderen van Thomas Woode. De minister, in zijn grote huis dertig meter verderop, zou er niets van merken tot Topcliffe het verraad van de vrouw voor de rechter zou brengen.

Jane deed open. Ze was in haar nachthemd, klaar om naar bed te gaan. Het was een lange, zorgelijke dag geweest sinds ze vroeg in de ochtend door Harry Slide wakker was gemaakt. Later was er bericht gekomen van heer Shakespeare aan juffrouw Marvell dat hij naar het westen was vertrokken en niet wist wanneer hij terug zou zijn. Jane keek Young en zijn metgezel geschrokken aan. Iedereen in Londen kende Richard Young. Er werd beweerd dat Topcliffe al zijn wrede streken van Young had geleerd en zelf nog een paar andere had bedacht. De twee mannen waren duivelse instrumenten, afkomstig uit dezelfde duistere smederij.

Zonder op een uitnodiging te wachten, wrongen Young en zijn assistent zich langs haar heen en stapten de hal van het huis binnen. Daar keken ze om zich heen. 'Wie ben je?' vroeg Young. 'Catherine Marvell?'

Jane schudde haar hoofd. Ze stond te beven, maar kon er niets aan doen. 'Ik ben Jane Cawston, heer, de dienstmeid van heer Shakespeare.'

'Ik ben rechter Young en ik heb een gerechtelijk bevel. Breng me naar Catherine Marvell. Nu meteen, juffrouw Cawston.'

Jane kon niet helder denken. Het enige wat ze wist te antwoorden was: 'Dat gaat niet, heer.'

'Gaat niet? Wat bedoel je?' vroeg Young met stemverheffing. Jane hoopte vurig dat Catherine het vanuit haar kamer zou horen en zich ergens zou kunnen verbergen.

'Ze is er niet, heer. Ze was hier wel, maar ze is teruggegaan naar York, waar ze vandaan komt en waar haar familie woont.'

'U liegt, juffrouw.'

'Nee heer. Kijk maar rond, als u wilt.'

Young wierp een blik naar de agent die hem vergezelde, een kleine man met een dikke buik en een uitdrukkingsloos, onaangenaam gezicht. Toen keek hij weer naar Jane. 'En de kinderen?'

'Die slapen, heer. Ze zijn aan mijn zorgen toevertrouwd.'

'Haal ze dan. Ze gaan met ons mee. Ze vormen een gevaar voor het land en ze moeten worden opgesloten.'

Janes mond viel open van afgrijzen en ze bleef pal voor Young staan. Al haar angst was opeens verdwenen. Ze stond nog steeds te beven, maar nu van woede. 'Ze zijn vier en zes jaar oud! Ze vormen geen gevaar, voor wie dan ook, en u neemt ze niet mee.'

Young deed een stap naar voren en probeerde Jane opzij te duwen. 'Uit de weg, vrouw. Ik neem ze mee. Lord Burghley, de schatkistbewaarder zelf, heeft verklaard dat paaps gebroed moet worden meegenomen voor een goede opvoeding, buiten de invloed van die verderfelijke priesters.'

Jane was een gezonde en sterke meid dankzij haar lichamelijke werk, en ze wist Young de weg te versperren. Nu verhief ze ook haar stem. Ze had nooit moeite gehad zichzelf verstaanbaar te maken. Bovendien besefte ze nu dat ze zo veel mogelijk lawaai moest maken om Young bezig te houden en Catherine te waarschuwen. 'Dan zult u eerst mij moeten vermoorden. En wat zullen de minister en de koningin daarvan vinden? Of gaat u mij soms ook van verraad beschuldigen? Wilt u een jongen van zes ophangen en vierendelen voor hoogverraad? Laat me dat bevel zien!'

Geërgerd trok de magistraat zijn zwaard. Hij was een man van eind veertig, met een verweerd gezicht, getekend door wreedheid maar zonder de rauwe lichamelijke kracht van zijn makker Topcliffe: een tengere man met een kromme rug. Het was voor hem gemakkelijk om mannen – of vrouwen – te martelen als ze eenmaal in de boeien waren geslagen. Dit was een andere zaak. Hij was zich pijnlijk bewust van de noodzaak tot omzichtigheid bij deze arrestatie en het ontbrak hem aan Topcliffes zelfvertrouwen. Deze dienstmeid maakte het moeilijk, zo niet onmogelijk. Hij keek nog eens hulpzoekend naar de agent, maar die reageerde niet. De man zou bevelen opvolgen maar geen initiatieven nemen. Misschien voelde hij er weinig voor om huilende kinderen mee te sleuren.

'Juffrouw Cawston, u haalt nu de kinderen of ik kom terug met versterkingen om niet alleen de kinderen maar ook u mee te nemen. Ik

[*283*]

heb het gezag om u te arresteren én te veroordelen tot dwangarbeid in Bridewell. Daar kunt u op rekenen.'

'Neem me maar mee, heer, als u kunt. Maar niet de kinderen. Van mijn leven niet!'

Rechter Young verhief zich tot zijn volle lengte, mager als hij was. Jane zag dat hij beefde van woede, net als zij. Maar ze wist nu dat hij haar niet kon doden; niet hier, niet deze dag. Dit was een politieke zaak en hij was bang voor de gevolgen als de arrestatie niet soepel zou verlopen, bang wellicht voor heer Shakespeare of de minister.

Trillend van woede bleef hij staan. 'Verdomme!' riep hij uit. 'Daar zul je spijt van krijgen.'

'En ik zal ervoor zorgen dat de minister, onze buurman, weet waar u mee bezig bent, heer.' Terwijl ze het zei, besefte ze al dat het een loos dreigement was. Ze kon onmogelijk bij de minister langsgaan om hem dit te vertellen.

Young liep naar de deur, zwaaiend met zijn zwaard waarmee hij een scheur in een wandkleed maakte en een vaas tegen de grond sloeg. Op de drempel draaide hij zich nog eens om en keek Jane dreigend aan. Zonder een woord ramde hij zijn zwaard weer in de schede en verdween in de nacht, met de assistent in zijn kielzog.

Midden in de nacht schrok Shakespeare wakker met een angstig kloppend hart. Hij voelde dat hij niet alleen was. De nacht was donker en het gordijn was dicht. Hij had net zo goed blind kunnen zijn. Haastig sprong hij overeind van de matras en probeerde zich te oriënteren. Vaag herinnerde hij zich waar de deur was. Hij wankelde ernaartoe en duwde haar open. Licht sijpelde de kamer binnen vanaf een flakkerende kaarsenhouder aan de muur van de gang.

Hij keek om naar de opkamer. Niets. Alleen de matras waarop hij geslapen had, en een paar meubels, naar één kant geschoven om ruimte voor hem te maken. Huiverend sloeg hij zijn armen om zich heen. Hij liet de deur open, liep terug naar zijn bed en kroop weer onder de dekens. Voor alle zekerheid trok hij de ponjaard uit de schede aan zijn riem; het gaf hem een gevoel van veiligheid. Op de vloer naast de matras lag de gordel met zijn zwaard. Er klopte iets niet, of verbeeldde hij zich dat maar?

Hij had moeite de slaap weer te vatten in het flakkerende halfduister, hoewel zijn lichaam erom smeekte. Gedachten tolden door zijn hoofd, beelden van Catherine Marvell en Isabella Clermont. Hun gezichten versmolten tot één en de geur van lust zweefde om hem heen. Hij kon niet wachten om Catherine weer te zien en haar tegen zich aan te voelen op de lakens van zijn bed. Maar het incident met Moeder Davis en haar Franse hoer kon hij ook niet vergeten. Waarom hadden ze zijn wenkbrauw afgeschoren? Hoe kon je iemand betoveren met de korte, stugge haartjes van een wenkbrauw?

Hij moest toch in slaap zijn gevallen, want hij werd wakker door de hand van de waardin op zijn schouder.

'Heer Shakespeare, het is bijna ochtend. Wilt u ontbijt?'

Eén moment was Shakespeare in paniek. In zijn droom was hij terug geweest in Stratford, bij zijn moeder, die frambozentaart maakte, ver van dit alles vandaan. Maar toen herinnerde hij zich weer waar hij was. De waardin opende het gordijn en de ochtendschemer viel door de ruit. Hij stond op en strekte zijn armen boven zijn hoofd. 'Een beker warme melk, alstublieft. En zou u wat brood en vleeswaren voor me kunnen inpakken voor onderweg?'

Binnen tien minuten was Shakespeare klaar om af te rekenen en te vertrekken. Door de ramen zag hij nog steeds een dichte nevel, maar hij kon niet wachten tot de mist was opgetrokken. Herrick had al een flinke voorsprong. Hij wilde betalen, maar toen hij naar zijn riem tastte, was zijn beurs verdwenen. Dus daarom was hij die nacht wakker geschrokken. Een dief had zijn beurs losgesneden terwijl hij sliep. Al zijn geld was weg. Geschrokken keek hij de waardin aan.

Ze begreep het meteen. 'U bent beroofd.'

'Al mijn goud en zilver.'

Ze fronste haar voorhoofd; blijkbaar vond ze het net zo erg als hij. 'Weet u het zeker?'

'Tenzij mijn beurs is losgeraakt terwijl ik sliep. Dan moet ze nog tussen de dekens liggen.'

Ze liepen terug naar de opkamer om te zoeken, maar tevergeefs. 'Ik ben bang dat ik u niet kan betalen, vrouw,' zei Shakespeare ten slotte. Hoe redde hij zich hieruit? Zou ze hem iets anders vragen, in plaats van geld? Zijn mantel of zijn zwaard, misschien? Of zou ze de schout waarschuwen? Hij kon nu geen oponthoud gebruiken.

[285]

Maar de waardin had een kleur van schaamte. 'Heer, maakt u zich geen zorgen over de rekening. Dat zoiets onder mijn dak kon gebeuren...'

'Hebt u enig idee wie het kan hebben gedaan?'

'Ik woon hier alleen, met mijn zoon Jake, en ik durf op de heilige Bijbel te zweren dat hij het niet was. Hij is een goede jongen. Het moet een van mijn klanten zijn geweest. Zal ik de schout erbij halen?'

'Zo lang kan ik niet wachten. Ik heb haast. Maar als u me laat gaan, zal ik u zo spoedig mogelijk betalen, dat zweer ik. Ik kom terug en u krijgt uw geld.'

De waardin glimlachte en schudde haar hoofd. 'Geen sprake van, heer Shakespeare. Neem het eten en wat geld – zoveel als ik kan missen – en ga met God.'

39

Harper Stanley lag op bed, alleen in zijn hut, ten prooi aan twijfel. Herrick had hem in de steek gelaten. Als hij Drake wilde doden, zou hij het nu moeten doen, aan boord van dit schip, voordat ze in Plymouth aanlegden. Een tweede kans zou er misschien niet komen, want als de vloot uitvoer, zou hij zijn eigen commando krijgen, niet op Drakes vlaggenschip. Hier, op dit schip, kon hij nog toeslaan terwijl de vice-admiraal sliep. Maar eerst moest hij zich van Boltfoot Cooper en Diego ontdoen, tijdens de wacht. Een zwaard in het hart van de een, een mes in de hals van de ander. Dan kon hij Drakes hut binnensluipen om hem en diens vrouw de keel door te snijden. Hij kon zich geen scrupules veroorloven om een vrouw, ook al was ze mooi als Elizabeth. Zeventigduizend dukaten lonkten.

Maar was hij ertoe in staat? Als hij werd gepakt, zou dat het einde zijn van alles. Verdomme, waarom had Herricks schot zijn doel gemist? Mendoza, de Spaanse ambassadeur in Parijs, had Stanley verzekerd dat Herrick de beste was. Toch had hij gefaald.

Het was een koude nacht, maar Stanley baadde in het zweet. Zijn hut lag dicht bij die van Drake. Dat was belangrijk, omdat hij onder het bloed zou zitten en onmiddellijk als dader zou worden herkend als hij niet de gelegenheid had zich te wassen voor de moord werd ontdekt. Omdat er geen bloedvlekken op zijn kleren te zien mochten zijn, zou hij de aanslag naakt moeten plegen.

Hij beet op zijn tanden. Hij was niet zo ver gekomen om het nu op te geven. Zijn vader, zijn moeder en al die andere reddeloze leden van de familie Percy, levend of dood, smeekten om deze wraakactie, die hen weer op de kaart kon zetten. Haastig trok hij zijn kleren uit. Hij had al een emmer water klaarstaan om zich te wassen na de moord. Het was mogelijk. En het moest gebeuren. Natuurlijk had hij ook een zondebok nodig: een van de eerste matrozen die ter plekke zou zijn. Hij moest de man onmiddellijk doden, zodat die zijn onschuld niet meer zou kunnen bewijzen.

Het was nu middernacht. Op het hoofddek speurde de wacht de horizon af naar de lichten van andere schepen. Maar hierbeneden was bijna iedereen in slaap, in veel gevallen na een flinke hoeveelheid brandewijn. Het scenario lag klaar.

Naakt en harig als een aap stapte Stanley half gebukt de gang in. Verderop zag hij het zwarte, vertrouwde gezicht van Diego, verlicht door de kaarsen voor de deur van de kapiteinshut waar Drake en diens vrouw lagen te slapen. Diego was wakker en keek hem recht aan. Goed. Dat betekende dat Boltfoot sliep. Stanley grijnsde tegen hem, klopte met zijn linkerhand op zijn stevige buik en krabde aan zijn ballen, zoals iedere man die midden in de nacht uit zijn hut kwam. 'Even pissen,' mimede hij naar Diego terwijl hij naar hem toe kwam, zijn zwaard en dolk achter zijn dijbeen verborgen.

Diego zat gehurkt, zijn rug naar de deur van de hut. Met een brede grijns kwam hij overeind toen hij Stanley zag naderen. 'Kapitein Stanley,' zei hij zacht.

Stanley was nog maar drie stappen van zijn prooi verwijderd. Zijn hand klemde zich om het zwaard en de dolk. 'Hoe gaat het, Diego? Ik moest pissen, maar ik heb geen po.'

Diego lachte. Op dat moment bewoog Stanley zijn rechterelleboog naar achteren. Het blanke staal glinsterde in het kaarslicht. Diego sperde zijn ogen open en hief zijn armen op om zich te beschermen. Stanley dook naar voren en ramde de messcherpe wapens naar Diego's borst, gericht op zijn hart. Diego ontweek de manoeuvre zonder probleem, nog steeds met een grijns op zijn gezicht. Het zwaard boorde zich in het harde eikenhout van de deur en de dolk kletterde op de vloer. Diego greep Stanley bij diens nek, rukte diens hoofd naar voren en sneed hem de adem af toen hij hem met kracht tegen het heft van zijn eigen zwaard sloeg.

Boltfoot was al achter Stanley overeind gekomen, liet hem struikelen, smeet hem tegen de grond en sloeg een arm om hem heen. Het volgende moment stak hij zijn ponjaard in Stanleys vlezige onderbuik, zoals hij ooit het zeemonster had gedood aan de oever van de Theems. Maar dit ging gemakkelijker. Met het beest had hij nog enige verwantschap gevoeld; met deze verrader had hij helemaal niets gemeen. Hij zou geen traan laten om zijn dood.

Harper Stanley kreunde en slaakte een lange zucht. Boltfoot hield het mes op zijn plaats, diep in Stanleys lichaam, met de punt tot in diens hart, zoals Stanley hen allemaal had willen vermoorden.

'Nou, kapitein Stanley,' fluisterde Boltfoot hem in het oor, 'u hebt zich toch vergist. De zee was niet zo veilig dat de vice-admiraal geen bescherming meer nodig had.'

Stanley was al dood. Een straaltje bloed sijpelde uit de kleine wond in zijn buik, waar het mes nog steeds in zijn vlees stak. Boltfoot had niet eens zijn handen vuil hoeven te maken. Het was een simpele, schone steekwond.

'En nu, Boltfoot? Moeten we sir Francis wakker maken?'

'Ik denk niet dat de vice-admiraal zijn vrouw wil laten schrikken, Diego. We zullen kapitein Stanley een zeemansgraf bezorgen. De wereld zal denken dat hij zelfmoord heeft gepleegd. Dat komt vaker voor. In paniek overboord gestapt, uit angst voor de Spanjaarden. Voor zover het iemand interesseert, en dat lijkt me niet waarschijnlijk.'

Boltfoot trok zijn dolk uit het dode lichaam en veegde het bloed aan zijn zakdoek af. 'Kom Diego, opschieten. Pak jij zijn benen, dan neem ik zijn armen.'

De man was zwaar, maar de twee lijfwachten waren sterk genoeg en sleepten hem zonder moeite naar het dek. Met een doffe dreun liet Diego zijn kant van het lichaam op de planken vallen, voordat hij om zich heen keek. De wacht stond op veilige afstand. Diego gaf Boltfoot een teken en snel tilden ze het lijk over de reling van het achterdek. Een laatste zetje, en Stanley viel als een steen in de golven. De plons was nauwelijks te horen.

'Vissenvoer, Boltfoot.'

'Als hij niet in hun keel blijft steken, Diego. Zo'n verraderspastei zou ik niet gemakkelijk naar binnen krijgen.'

De mist was zo dicht dat John Shakespeare maar heel langzaam opschoot. Toch hield hij vol en zocht op de tast zijn weg, in de hoop dat hij goed zat. Alleen als de mist heel even optrok, kon hij zijn paard in draf laten overgaan. Zo nu en dan kwam hij een kar of een ruiter tegen, op weg naar Londen in het oosten, wat in elk geval bewees dat hij nog steeds op de juiste weg was. Maar niemand kon hem iets vertellen over een eenzame ruiter die beantwoordde aan Herricks signalement. Het spoor leek koud.

Afgaande op de mijlstenen die hij tegenkwam moest hij tegen de middag halverwege Plymouth zijn. Zijn rug deed pijn en zijn dijen waren geschaafd door het zadel, maar hij wilde geen pauze nemen. Eerst moest hij de verloren tijd inhalen. Op de een of andere manier dreigde de prooi hem als een spook of dwaallicht door de vingers te glippen.

Dus reed hij verder. Toen de avond viel, ging het niet meer. De weg was niet meer te onderscheiden. Hij kon beter uitrusten en zich opfrissen voor hij verder ging. In de schemering was hij een grote pleisterplaats tegengekomen en daar reed hij nu naar terug. De herberg was goed verlicht, een oase voor de vermoeide reiziger, en het geld dat de waardin van The White Dog hem had geleend was net genoeg voor één nacht.

Na een stevig avondmaal van gebraden gevogelte met groente sloot hij zich op in zijn kleine kamer op de eerste verdieping, zei zijn gebeden, sloot zijn ogen en sliep tot het ochtendgloren.

Toen hij zijn ogen opende, zag hij dat de mist was opgetrokken. Het was een heldere dag met witte schapenwolkjes. Tegen de avond moest hij in Plymouth kunnen zijn – nog op tijd als God het wilde.

Thomas Woode had zich neergelegd bij de dood. In de stille momenten tussen de martelingen verzoende hij zich met God en bad voor zijn kinderen.

Topcliffe was van hem niets wijzer geworden. Woode had nooit gedacht dat hij de kracht van een martelaar bezat, maar hij had de pijnbank en de ijzeren boeien toch weerstaan. En wat had hij hun kunnen vertellen? Dat hij een jezuïet die Cotton heette in zijn huis in Dowgate had opgenomen, samen met een andere priester, Herrick? Meer kon hij niet zeggen, want hij had geen idee waar ze nu waren. De martelingen waren zinloos, een vorm van wreedheid, anders niets. Als Topcliffe of zijn assistent Jones hem weer treiterde of met de dood bedreigde, verwelkomde hij dat vooruitzicht met een gelijkmoedigheid die aan vreugde grensde. Alles wat een eind aan de pijn kon maken zou welkom zijn.

Hij had altijd gedacht dat de pijnbank het ergste martelwerktuig was dat de mens ooit had uitgevonden, maar in werkelijkheid was het beter te verdragen dan de boeien waarmee hij aan de muur werd gehangen. Dat moest zoiets zijn als wat Christus te verduren had gehad, hoewel hij zichzelf berispte om zulke gedachten. Wie was hij om zijn eigen lijden te vergelijken met dat van Gods Zoon?

Hij zou hier sterven, maar dat maakte hem niet uit. Zijn enige angst gold Grace en Andrew. Hoe zouden zij zich redden zonder hem? In zijn testament stond dat ze aan de voogdij van Catherine Marvell moesten worden overgedragen, maar stel dat zijn erfenis besmet werd verklaard en aan de staat zou toevallen – aan figuren als Topcliffe? Alleen al daarom moest hij zwijgen en geen enkele bekentenis ondertekenen, hoe groot de pijn ook was.

De stank van zijn cel deerde hem niet meer. Onbeweeglijk lag hij in het smerige stro, niet in staat zich te verroeren. Hij kon zijn armen niet optillen om zich te voeden, dus at of dronk hij maar zelden. Ook zijn benen gehoorzaamden hem niet meer, waardoor hij zich moest ontlasten waar hij lag.

Op een keer verscheen Margaret, als in een droom. Hij wist niet of het buiten dag of nacht was, omdat er niets doordrong tot de kleine cel in Topcliffes huis des doods. Maar ze kwam bij hem, in het heldere schijnsel van een ragfijne nevel, zo licht als de vleugels van een eendagsvlieg. Ze doopte een doek in koel water en bette zijn voorhoofd. Toen kuste ze zijn mond, en hoewel er geen geluid over haar lippen kwam, scheen ze hem te zeggen dat hij moest volhouden omdat alles goed zou komen. Ga slapen, Thomas, slapen, en alles komt goed. We zullen nu spoedig samen zijn.

Topcliffe liep te ijsberen. Hij kwam net uit het geheime kabinet van de koningin en ze had hem nonchalant naar de jezuïeten gevraagd. 'Ik had gedacht dat ze al in de Tower zaten, heer Topcliffe, met name Southwell, de neef van lord Burghley. Een maand geleden, dat herinner ik me duidelijk, vertelde u me dat hij al bijna was opgepakt.'

De sleutel, wist hij, waren die vrouw, Catherine Marvell, en de kinderen van Woode. Als Woode zag dat ze met martelingen of de dood werden bedreigd, zou hij beginnen te kwebbelen als een huisvrouw voor de kerk op zondag. Woode was Southwells vertrouweling. Hij zou hem de weg wijzen naar dat paapse wespennest.

'Zeg me nog eens, Dick, geloof je echt dat ze er niet was en naar York was vertrokken?'

Richard Young zat op een vensterbank in Topcliffes kamer, die blauw stond van de rook van Topcliffes pijp met tabaksblad. 'Op dat moment was ik ervan overtuigd, maar nu weet ik het niet meer zo zeker. Misschien loog die meid.'

'Moeten we haar oppakken?'

'Op beschuldiging waarvan? Er is zelfs geen enkele zekerheid dat ze een paapse is. In haar parochie staat ze bekend als een trouw lid van onze kerk.'

Topcliffe zoog aan zijn pijp en beende weer heen en weer. De koningin had op half schertsende toon gesproken, maar het ging om de andere helft. De betekenis was duidelijk: ik ben ernstig teleurgesteld in uw laksheid in deze zaak, heer Topcliffe. Mijn geduld raakt op.

'Wordt het huis bewaakt?'

Young knikte. 'Ik heb mijn wachtmeester daar gelaten en een ander gestuurd als aflossing. Het is maar een klein huis, dat we makkelijk in de gaten kunnen houden – en doorzoeken, als dat nodig is. Zodra die Catherine Marvell naar buiten komt, wordt ze onmiddellijk opgepakt.'

'Goed.' Topcliffe moest die jezuïet vinden. Dus zou Thomas Woode eindelijk moeten praten. De aanblik van Catherine Marvell, uitgestrekt op de pijnbank, met een van angst vertrokken gezicht en krakende gewrichten, zou voldoende voor hem zijn om alles te vertellen wat hij wist. Dan zou hij doorslaan. 'Duizend doden voor de paus en zijn duivelse helpers, Dick! We moeten terug naar dat huis, met een hele groep. Nu meteen. Als die vrouw daar is, en dat weet ik bijna zeker, moeten we haar meenemen voor er alarm wordt geslagen en voordat Walsingham of wie dan ook tussenbeide kan komen. Dat is de enige manier. Zodra we haar in handen hebben, krijgt niemand haar meer vrij voor ze haar nut heeft bewezen. Dat beloof ik je. We moeten snel zijn, Dick, voor Shakespeare terugkomt. Walsingham zal woedend zijn, omdat we volgens hem een grens hebben overschreden door op zijn stoep te schijten. Maar ik heb liever ruzie met hem dan met de Gouden Maagd. Verzamel een groep papenjagers, de beste tien mensen. Nog voor de ochtend slaan we toe.'

40

Na Exeter veranderde het landschap snel. Al gauw reed Shakespeare over de kale heide. Overal zag hij moerassen en grimmige rotspartijen. Wilde paarden liepen hier vrij rond. Hij kwam langs een zigeunerkamp, waar een vuurtje brandde met een ketel erboven.

Hij wist nu zeker dat hij op de juiste weg was. Dit moest de zuidoostelijke rand van Dartmoor zijn, en het pad was makkelijk te volgen zonder bossen om in te verdwalen. Op het zuidelijkste punt van de heide werd de natuur weer wat lieflijker en hij daalde af naar een beboste vallei. Hij had de keus om rechtstreeks naar Plymouth te rijden of eerst naar Buckland Abbey, voor het geval de vice-admiraal daar meteen naartoe was gegaan.

Waar zou Drake het meest kwetsbaar zijn? Buckland Abbey had een grote permanente staf van bedienden die een vreemdeling onmiddellijk zouden herkennen, maar ze konden niet dag en nacht voor bescherming zorgen. Herrick zou van een afstand kunnen toekijken en de juiste tijd en plaats bepalen om toe te slaan.

Aan de andere kant zou Drake de meeste tijd doorbrengen in Plymouth. Daar had hij een huis in Looe Street, en was hij dicht bij de haven om toezicht te houden op de laatste bevoorrading en voorbereidingen van zijn oorlogsvloot. Als Drake binnen twee of drie dagen naar zee zou gaan, had Herrick geen tijd meer te verliezen. Shakespeare besloot eerst naar het oude landhuis te rijden en de bedienden te waarschuwen voor het gevaar. Dan kon hij daarna doorrijden naar Plymouth om zich bij Boltfoot aan te sluiten.

Een pastoor die langs de rivier wandelde wees hem de weg en hij reed naar het noordwesten, in de richting van Buckland Abbey, het mooie, oude huis dat Drake had gekocht van zijn mede-admiraal sir Richard Grenville met de rijke opbrengst van het Spaanse schip *Cacafuego*, dat hij op de Stille Oceaan had buitgemaakt. Elizabeth Drake was in haar werkkamer bezig een tapijt te weven, toen Shakespeare arriveerde, en ze liet hem onmiddellijk boven komen. Toen hij binnenstapte, was hij weer onder de indruk van haar bleke schoonheid, geaccentueerd door het licht dat schuin tussen de stenen spijlen van een hoog boograam viel.

Ze begroette hem met een glimlach. 'Heer Shakespeare, wat een verrassing u te zien. Maar wat hebt u in Devon te zoeken?'

Shakespeare was doodmoe en wist dat hij er verfomfaaid uitzag. Zijn kleren waren gescheurd en bemodderd als van een varkenshoeder. Zijn leren laarzen waren vuil en doorweekt. 'Lady Drake, ik ben op zoek naar sir Francis. Ik moet hem waarschuwen. De moordenaar die de Spanjaarden op hem af hebben gestuurd is hem hierheen gevolgd. Hij verkeert in groot gevaar,' verklaarde hij buiten adem, nog nahijgend van de lange, vermoeiende rit.

'We zullen een boodschapper naar hem toe sturen, maar ondertussen mag u geen dodelijke kou oplopen. Kom bij het vuur zitten en warm uzelf, heer. Hebt u een verschoning bij u? Zo niet, dan moeten we droge kleren voor u vinden.'

Shakespeare at en dronk snel, om nog voor het vallen van de avond in Plymouth te kunnen zijn. Terwijl hij het eten naar binnen werkte, vertelde Elizabeth hem over de dood van kapitein Harper Stanley op de bootreis vanaf Dover. 'Ze denken dat hij zelf overboord is gesprongen in een aanval van melancholie, heer Shakespeare. Niemand denkt dat het een ongeluk kan zijn. Wat een tragedie.'

Shakespeare was geschokt en verontrust door dat nieuws. Hij had Stanley graag gemogen en kon zich niet voorstellen dat de man zichzelf van het leven had beroofd. 'Heel triest, inderdaad, my lady. Ik kende hem goed.' Zou er misschien meer achter steken? Shakespeare moest dringend met Boltfoot spreken.

'Maar het leven gaat door, heer Shakespeare. Bij goed weer en een gunstige wind wil sir Francis morgen al uitvaren met het tij. Hij wil vertrekken voor de koningin van gedachten verandert – zoals ze altijd doet. Vanavond houdt de stad een banket te zijner ere, waar u zeker bij aanwezig moet zijn als u bent uitgerust.'

'Een banket? Vanavond?'

'Jazeker. Eten, muziek en dans. Verbaast u dat? De mannen gaan morgen naar zee om de strijd aan te binden met de Spanjaarden.'

De gedachte aan zo'n feest deed Shakespeare de angst om het hart slaan. Iedereen zou zomaar de zaal kunnen binnenkomen. In al die drukte liep Drake groot gevaar.

'Als ik vragen mag, my lady, wie zijn daarbij aanwezig?'

'Alle vooraanstaande families van Devon: de Grenvilles, alle Drakes… en dat zijn er nogal wat… de familie Hawkins, mijn eigen neven, de Sydenhams; en dan de Raleghs, de Carews, de Gilberts, sir William Courtenay en de zijnen. Verder de commandanten, eerste officieren en hogere officieren van de vloot, het stadsbestuur van Plymouth natuurlijk, de werf en de leveranciers.'

'En iedereen kent elkaar?'

'Absoluut. En we hebben nog een andere jonge gast, een charmante hugenoot uit La Rochelle, die ook meegaat. Hij brandt van verlangen om de Spaanse koning een lesje te leren.'

Shakespeare voelde een huivering over zijn rug lopen. 'Een hugenoot? Wie mag dat wel zijn, my lady?'

'Heer Shakespeare, ik weet dat u zich zorgen maakt over de veiligheid van mijn man, maar hij kan heel goed op zichzelf passen, zoals hij de afgelopen twintig jaar regelmatig heeft bewezen. De jongeman heet Pascal, Henri Pascal, en volgens mij is hij precies wat hij beweert te zijn: een gevluchte hugenoot uit Frankrijk, die wil vechten voor de protestantse zaak. Bovendien is hij zeeman, dus dat komt goed uit. Ik heb hem gevraagd vanavond naar het raadhuis te komen voor het banket, waar ik hem zal voorstellen aan sir Francis, zodat hij morgen aan boord kan gaan. Daar kunt u toch geen bezwaar tegen hebben. Hij had aanbevelingsbrieven bij zich van lord Howard van Effingham. Een betere introductie kan ik me niet indenken.'

'Mag ik die brieven zien?'

'Die heb ik helaas niet meer. Hij heeft ze meegenomen.'

'Hoe ziet hij eruit? Is hij lang? Gladgeschoren?'

Elizabeth Drake keek verbaasd. 'Ja, inderdaad.'

'En zijn tongval? Een zwaar Frans accent?'

'Nee, eigenlijk spreekt hij bijzonder goed Engels. Een beetje afgemeten misschien, maar meer ook niet.'

'My lady, ik moet onmiddellijk naar Plymouth toe. Ik vrees dat u de huurling hebt ontvangen die uw man wil vermoorden.'

Drake geloofde geen moment dat Harper Stanley zelfmoord had gepleegd. 'Vooruit Diego, de waarheid.'

De vice-admiraal zat met Diego en Boltfoot in zijn hut aan boord van de *Elizabeth Bonaventure*, die voor anker lag in de Plymouth Sound, een van de meest beschutte diepwaterhavens van Europa. In de verte lag Plymouth, een stad met lage zeemanswoningen en drukke werven, die met de dag leek te groeien door de steeds stoutmoediger avonturen van de Engelse vloot. Drake had overlegd met zijn commandanten en hen naar hun schepen teruggestuurd om voorbereidingen te treffen voor het vertrek naar het Iberisch schiereiland, de volgende dag. 'Heren, er mag geen uur verloren gaan,' zei hij. 'Er kan nu al een boodschapper onderweg zijn vanuit Greenwich Palace, met orders van de koningin om onze missie te herroepen. Hare Majesteit is in vijf dagen vier keer van mening veranderd. We moeten snel naar zee om te voorkomen dat het nog een keer gebeurt.'

Pas toen zijn vrouw veilig buiten gehoorsafstand was op Buckland Abbey, informeerde Drake naar de dood van Harper Stanley. Hij wilde Elizabeth niet nodeloos ongerust maken.

'Hij wilde u vermoorden, sir Francis. Ons allemaal, trouwens. Hij was naakt, zodat hij geen bloed op zijn kleren zou krijgen, maar we wisten dat hij zou komen.' Diego keek even naar Boltfoot, die naar voren stapte.

'Ik verdacht hem al een tijdje. Toen sir William Courtenay zijn zwaard trok om u aan te vallen, op weg naar Dover, zag ik iets in Stanleys ogen. Hij kwam u niet te hulp, maar het was meer dan dat. Hij keek alsof hij hoopte dat u het niet zou overleven, admiraal. Ik denk dat hij nooit geweest is wat hij leek.'

'Ik heb geen idee waarom hij me zou willen vermoorden. Ik heb hem steeds bevorderd en alle kans gegeven op roem en rijke buit. Was hij een papist, zou je denken? Misschien zullen we het nooit weten. Maar een goed zeeman was hij wel. Ik zou hem graag aan mijn zij hebben gehad op deze expeditie.' Drake keek Boltfoot doordringend aan. 'Maar we zullen wel een vervanger vinden. Denk je dat je het commando over een schip zou kunnen voeren, Cooper?'

'Misschien, sir Francis, maar ik laat me nog liever geselen.'

'Ha! Nog altijd een straathond? En ga niet overal roepen dat je mijn leven hebt gered. Als Harper Stanley mijn hut was binnengekomen met zijn zwaard, zou ik hem nog in mijn slaap hebben neergeslagen. Niemand krijgt Drake eronder, zeker niet zo'n ijdele pauw als Stanley. Goed, dan wil ik nu jouw mening, Diego. Kijk eens naar deze kaart.' Drake tikte drie keer met zijn vinger op de kusten van Portugal en Spanje. 'Hier, hier en hier zullen we de schepen van de antichrist aanvallen.'

Er werd op de deur van de hut geklopt en de eerste officier stak zijn hoofd naar binnen. Drake keek op, geërgerd door de interruptie.

'Heer John Shakespeare om u te spreken, admiraal,' zei de eerste officier.

Drake keek verbaasd naar de deur. 'Allemachtig, Shakespeare! Wat doe jij hier?'

Shakespeare boog en verhief zich weer tot zijn volle lengte, nog stijf van de rit. Hij was een hoofd groter dan Drake. 'Sir Francis, de moordenaar is u gevolgd naar Plymouth.'

Drake wierp een blik naar Diego en Boltfoot, draaide zich weer om naar Shakespeare en lachte. 'Je bent te laat, Shakespeare! Je eigen assistent, Boltfoot, en mijn vriend Diego hebben hem al uitgeschakeld. Hij ligt op de bodem van het Kanaal, waar de palingen het gat in zwemmen dat Boltfoot in zijn buik heeft gestoken.'

'Hebben jullie Herrick gedood? Maar hoe...?'

'Nee, ik heb het niet over Herrick, wie dat ook mag zijn. Ze hebben kapitein Harper Stanley gedood, heer Shakespeare. Hij wilde me besluipen, naakt, als een dief in de nacht. Diego en Cooper hebben me de moeite bespaard om hem te doden door hem zelf aan het mes te rijgen en overboord te gooien. De buitenwereld denkt dat hij zelfmoord heeft gepleegd. Vermakelijk, vindt u niet?'

Shakespeare was ontzet. 'Stanley wilde u vermoorden?'

'Geen twijfel mogelijk.'

'Dat is zorgwekkend nieuws, sir Francis, maar hij was niet de man die ik zocht. Er is nog een andere, veel gevaarlijker moordenaar, die door het Escorial is gestuurd vanwege de prijs op uw hoofd. De man kent geen angst of genade en heeft al een van mijn beste mensen, Harry Slide, uit de weg geruimd. Hij was het die u in Deptford onder schot heeft genomen. Dat kan Stanley nooit hebben gedaan, want hij was aan boord, niet aan de wal.'

'Dan hebben we dus te maken met twee verraders. Of "hadden", beter gezegd. Want nu is er nog maar één, en daar hoeven we niet bang voor te zijn omdat we morgen al uitvaren.'

Shakespeare zuchtte. 'En vanavond dan, sir Francis? Het banket? Ik weet dat Herrick daar zal zijn. Het lijkt me beter dat u zich niet laat zien.'

'Wat? Niet komen opdagen bij mijn eigen banket? U maakt een grapje, heer! De Spanjolen zouden me uitlachen en ik zou sterven van schaamte. Nee, laat die moordenaar maar komen, ik kan hem wel aan. Maar voor den duivel, heer, wat is er met uw wenkbrauw gebeurd? U ziet er hoogst merkwaardig uit.'

De spanning in Seething Lane was bijna tastbaar. Zodra het donker werd, sloot Jane de luiken, en ze spraken op fluistertoon uit angst dat er iemand aan de deur zou luisteren. Ze voelden zich belegerd.

De confrontatie met Richard Young had Jane tot op het bot geschokt. 'Ik ben niet in staat mijn werk te doen, Catherine, maar er moet kaas worden gemaakt, linnengoed versteld, ik moet broeken naaien, fruit inmaken...'

'Jane, stil nou even.'

'Was heer Shakespeare maar hier. Ik zal vannacht geen oog dichtdoen van ellende. Stel dat die magistraat weer terugkomt? Stel dat hij Topcliffe meebrengt?'

Catherine pakte Jane bij haar schouders en drukte haar op een bank bij de tafel. 'Natuurlijk komen ze terug, Jane, daarom moet je je beheersen. Laten we nadenken.'

Jane haalde diep adem, maar dat hielp niet. Ze maakte zich minder zorgen om zichzelf dan om Catherine en de kinderen. 'Jij, Grace en Andrew moeten weg.'

'Vanavond komen ze op volle sterkte terug, en ze zijn volkomen meedogenloos. Die mannen hebben al zo veel bloed aan hun handen, Jane, dat ze ons zonder aarzelen zullen vermoorden. Heer Woode is misschien al dood. Maar zelfs dat zal hen niet tegenhouden. Ze zijn wreed en hard. En hun wraakzucht zal niet bevredigd worden door Woodes dood. Ze zullen zijn kinderen meenemen en de dood in jagen in de tredmolens van Bridewell, als een waarschuwing aan anderen.'

'Hoe moeten jullie dan vluchten? Ik weet zeker dat we worden bewaakt. Er is hier geen geheime uitgang. Als je je laat zien, pakken ze je meteen op en is het afgelopen.'

'Maar we kunnen ook niet lijdzaam afwachten. Er is hier geen schuilplaats, zeg je?'

'Niets wat ze niet meteen zouden ontdekken.'

De twee vrouwen zaten in de kleine keuken. Jane had kaarsen zitten maken, en de elementen van haar werk, was en lonten, lagen nog op tafel. Een machteloze stilte daalde neer. De kinderen lagen boven te slapen, zich niet bewust van het lot dat hun wachtte.

'Ik kan misschien met de minister gaan praten.'

'Maar hoe zou hij reageren? Hij steunt Topcliffe toch altijd? Zou hij ons niet aan hem uitleveren?'

Ze hadden dit al eerder besproken. Catherine was ziek van angst. Dit had de gelukkigste tijd van haar leven moeten zijn, honingzoete dagen met de man van wie ze hield. Maar hij was er niet en ze had geen idee wanneer – en of – hij terug zou komen. In zijn bericht aan Jane had hij alleen gezegd dat hij onmiddellijk naar het westen moest en wel een paar dagen zou wegblijven. In het bericht had nog een haastig geschreven briefje gezeten, opgevouwen en geadresseerd aan Catherine. Het luidde: 'Was ik maar een dichter. Het enige wat ik kan zeggen is dat je mijn grote liefde bent. Hou je goed tot ik terug ben.' Ze had er kippenvel van gekregen en een heerlijk warm gevoel in haar borsten, voordat ze het papiertje weer had opgevouwen en onder haar lijfje gestoken.

Opeens keek Jane op, alsof haar iets inviel. 'Ik heb een idee.'

41

De raadzaal werd verlicht door duizend kaarsen.

Spoedig zouden de gasten arriveren en Shakespeare ijsbeerde door het vertrek. Hij had het hele gebouw grondig geïnspecteerd, alle ingangen, alle trappen, alle ramen waardoor een kogel of een kruisboogpijl kon worden geschoten. Samen met Boltfoot had hij alle bedienden, koks, de ceremoniemeester en de muzikanten opgezocht en ondervraagd, en geïnstrueerd om goed op te letten als ze iets vreemds ontdekten.

Hij had Drake achtergelaten onder de bescherming van Diego. De vice-admiraal zou natuurlijk als laatste binnenkomen. Boltfoot was vast vooruitgegaan, sjokkend door de koude, winderige straten bij de haven, met zijn zware linkervoet achter zijn gedrongen gestalte aan slepend. Nu stond hij bij de grote deur waar de gasten zouden binnenkomen in hun mooiste kleren. Shakespeare had hem nog eens uitgehoord over zijn confrontatie met Herrick na het schot vanaf het zoldertje boven de scheepswinkel in Deptford. Elke extra aanwijzing over de moordenaar en diens verschijning was welkom. 'Het belangrijkste, Boltfoot, is eigenlijk of je hem zou herkennen.'

'Dat weet ik niet, heer Shakespeare. Zo dicht ben ik niet bij hem in de buurt gekomen.'

'Maar je hebt toch wel een indruk? Gebruik je instinct, Boltfoot. Neem geen enkel risico. Kijk goed naar de gezichten van alle mannen. We weten van Herrick dat hij lang en gladgeschoren is. Besteed extra aandacht aan zulke mannen. Maar misschien heeft hij een valse baard aangeplakt of probeert hij zijn lengte te verbergen door krom te lopen. Als je aan iemand twijfelt, hoe klein hij ook is, neem je geen risico. Hou hem aan en fouilleer hem. Herrick zal zeker komen. Het is zijn laatste kans.'

Shakespeare had een pak geleend van de butler van Buckland Abbey. Zo kon hij zich onopvallend door de menigte bewegen. Als bediende zou hij geen aandacht trekken.

De zaal had een hoog plafond met mooi pleisterwerk en prachtige gebrandschilderde ramen, maar veel ruimte was er niet en het zou er snel vol zijn. Naarmate de avond vorderde en de rode wijn en kruidenwijn rijkelijk vloeiden, zou het steeds moeilijker worden om iedereen in de gaten te houden die binnenkwam of vertrok – wie er een wapen droeg en wie er op Drake af kwam. Een dolk of zelfs een radslotpistool kon dankzij die drukte gemakkelijk worden verborgen.

De eerste gasten arriveerden om zeven uur, net toen de naburige kerkklokken begonnen te luiden. Shakespeare haalde diep adem. 'Boltfoot, we weten dat hij zal komen en dat hij nergens bang voor is. Dat blijkt wel uit de brutale manier waarop hij Buckland Abbey is binnengestapt. Jammer dat lady Drake niet naast je bij de deur staat, want zij moet hem sneller herkennen dan wie ook. Ze heeft wijn met hem gedronken in haar eigen huis. Maar zij zal met haar gedachten en haar aandacht wel ergens anders zijn.'

Boltfoot leek niet onder de indruk. Hij was ervan overtuigd dat Drake onsterfelijk was; dat hij een pact met de duivel had gesloten. Hij had hem meegemaakt in vuurgevechten met de beste Spaanse soldaten. Hij had gezien hoe de vice-admiraal pijlen en speren ontweek van primitieve stammen overal ter wereld, en hoe hij midden op zee overeind bleef als anderen doodziek benedendeks lagen. Wat er ook gebeurde, altijd hield hij die uitstraling van onoverwinnelijkheid. Hij was onaantastbaar. Zou dan een huurmoordenaar, een gewone sterveling met een radslotpistool, gestuurd door Filips van Spanje, hem kunnen bedreigen? Boltfoot dacht van niet.

De gasten droegen schitterende kleren, afgezet met oogverblindende juwelen. Dit was niet het koninklijke hof, met zijn overvloed aan prachtig gesneden jurken, maar de accessoires waren kostbaar genoeg. Plymouth was een rijke stad, na Londen het belangrijkste centrum voor Engelands handel met de rest van de wereld. Hier woonden harde, zakelijke figuren als Hawkins, Drake en hun uitgebreide families – allemaal neven van elkaar – die Spaanse schatten plunderden, mannen en vrouwen van hun bed lichtten in West-Afrika om hen als slaven in Indië te verkopen, en specerijen, stoffen en juwelen uit alle uithoeken van de wereld haalden, die ze in de Europese hoofdsteden op de markt brachten. Hun rijkdom, hoe bedenkelijk ook bijeengebracht, glinsterde net zo bont als de nachthemel. Shakespeare betwijfelde of er hier maar één edelsteen was waar geen bloed aan kleefde.

De tafels, opgesteld in een grote U, waren gedekt met kaarsen en zilveren borden. De gasten dromden samen in het midden van de zaal, waar na de maaltijd het bal zou beginnen. In een hoek speelden de muzikanten liederen van het oude Engeland, die in Devon al honderden jaren van de ene generatie op de andere waren doorgegeven. Dit was niet het moment voor droevige ballades.

Drake en zijn vrouw arriveerden als laatsten, onder donderend applaus. De vice-admiraal droeg een saffraangeel wambuis met een reusachtige kraag van mooie kant en een mantel om zijn schouders. Hij boog met een zwierige beweging van zijn mantel, terwijl lady Drake, in haar mooiste blauwfluwelen jurk en goudgestikte mantel, met een bescheiden glimlach een reverence maakte. Ze werden vergezeld door Diego. Drake ontdekte Shakespeare, gekleed als butler. 'Breng me een beker brandewijn, beste man,' zei hij lachend. Daarna liep hij met zijn vrouw rustig naar hun plaatsen aan het hoofd van de grote tafel, terwijl hij naar links en rechts knikte, als dank voor de toejuichingen en het applaus. Met de lenigheid van een man half zo oud als zijn zesenveertig jaar sprong hij op de tafel, zette zijn brede borst vooruit en klapte in zijn handen.

Het werd stil. Met gespreide benen en zijn handen op zijn heupen stond Drake op de tafel als op het dek van een koninklijk galjoen waar de stevige noordwester door zijn grijzende rode haar blies. Zijn ogen glansden. Hij had zijn publiek, zijn mensen, waar hij hen wilde: in de palm van zijn hand.

'Welkom, welkom iedereen. Wij zijn hier om te eten, te drinken en te feesten, want morgen vertrekt onze vloot op weg naar de kaken van de Spanjool, om zijn kop van zijn romp te schieten en zijn hart uit zijn angstige borst te rukken. Laat Filips en Santa Cruz beven van angst, want ik zal ze vinden, jammerend in hun hol, en hun hoge schepen tot brandhout versplinteren. Maar laat me u eerst iets anders vertellen over de methoden van deze laffe koning. Hij heeft een Vlaming gestuurd om me te vermoorden, een eerloos man die liever in het geniep werkt, omdat hij een eerlijke strijd niet aandurft. Ik heb gehoord dat hij hier vanavond zou zijn. Nou, heer Vlaming, hier ben ik dan! Trek uw pistool om te richten en te vuren.' Drake sloeg zich met zijn hand tegen zijn borst. 'Hier zit mijn hart. Bij God, schiet het maar lek!'

Hij deed een stap naar achteren en keek de zaal rond. Het was nu doodstil. Alle ogen waren gericht op de vice-admiraal. Hij legde een hand achter zijn oor. 'Hoor ik daar nu het spannen van een haan? Kom maar dichterbij met uw pistool. We willen niet dat u weer mist, zoals u al eerder hebt gedaan.'

Een explosie verscheurde de stilte. De gasten doken als één man omlaag, in een instinctieve reactie op de knal van het schot. Alle ogen gingen langzaam naar de achterkant van de zaal, waar een man stond met een rokend radslotpistool in zijn hand. Drake stond nog altijd op de tafel, met zijn handen nog agressiever in zijn zij en zijn borst zo ver vooruit dat die uit zijn wambuis leek te barsten. Om zijn mond speelde een minachtende grijns.

Shakespeare wrong zich door de menigte in de richting van de schutter. Hij wilde zich al op de man werpen, toen hij opeens stokstijf bleef staan. De schutter grijnsde ook. Zijn rode haar en zijn schouders waren bedekt met wit pleisterwerk, dat naar beneden was gekomen toen hij een kogel in het plafond had gejaagd. Hij keek naar Drake, die nu luidkeels lachte.

'Het is mijn broertje Thomas, heer Shakespeare! Hij heeft op het plafond geschoten. Wilt u hem meenemen en opsluiten in de gevangenis van Plymouth?'

Shakespeare schudde geërgerd zijn hoofd. Inmiddels bulderde de hele zaal. Het gelach weergalmde tegen de muren.

Drake klapte weer in zijn handen. 'Neem het me niet kwalijk, heer Shakespeare. Het was een grap die ik niet kon weerstaan. Laten we nu de Heer dankzeggen voor deze spijzen.' Hij klom van de tafel en vroeg de bisschop om hun voor te gaan in gebed.

Het banket verliep verder rustig, hoewel het rumoer van gesprekken en vrolijkheid een volume bereikte als van een rij aambeelden waarop met kracht geslagen werd. Shakespeare bood aan om Drakes eten voor te proeven, maar daar wilde de vice-admiraal niet van horen. Erger nog, als de moordenaar in de buurt was geweest toen Thomas Drake zijn pistool afvuurde, had hij in alle verwarring gemakkelijk de zaal kunnen binnenglippen. Alle plannen om de bezoekers kritisch te bekijken en te fouilleren waren in rook opgegaan.

Toen de stemming steeg, werden er zwaarden getrokken en schijngevechten geleverd langs de tafels in het midden. Dronken gasten schopten eten, bestek en kaarsen door de zaal als een stelletje piraten. Drake klapte zo nu en dan in zijn handen als hij het tijd vond voor nog een verhaal. Op een gegeven moment vroeg hij om stilte en gebeden voor zijn neef John, een zeekapitein net als hij, die eerst door inboorlingen en vervolgens door de Spanjaarden bij de Río de la Plata gevangen was genomen. 'Terwijl wij hier zitten te eten en te drinken, kwijnt hij weg in een Spaanse kerker in Peru. Als hij me nu kon horen, zou hij zeggen: "Volhouden, John. Blijf trouw aan het geloof en spuug op hun heiligen en relikwieën!"'

Het bal begon, met wilde volta's en gaillardes. Voor deze feestgangers niet de rustige elegance van de pavane. De mannen gooiden hun dames hoog de lucht in en lieten ze soms ook op de vloer vallen, waar ze hulpeloos en dronken bleven liggen.

Shakespeare was ontzet.

Diego kwam naar hem toe en sloeg hem op zijn schouder. 'Je moet sir Francis zijn geintje maar vergeven, John. Hij stond erop.'

'Diego, Drake mag geintjes maken, maar de moordenaar, die Vlaming, zal zich vanavond zeker laten zien. Misschien wacht hij buiten in de schaduwen; of hij is al binnen. Geloof me, hij is hierheen gereden omdat het zijn laatste kans is. En hij is niet bang voor zijn eigen leven.'

Een dronken stel botste tegen Shakespeare op. De man droeg de ambtsketen van de burgemeester en had zijn hand om een van de borsten van de vrouw geklemd, met zijn lippen tegen haar hals gedrukt. Zelf had ze haar hand in zijn kruis. Shakespeare verloor zijn evenwicht, maar Diego hield hem overeind.

Shakespeare duwde het amoureuze stel van zich af, en ze wankelden verder in hun merkwaardige parodie van een dans. 'De minister zou hier niet blij mee zijn.'

'Nee, maar hij staat ook niet op het dek van een oorlogsschip op weg naar de kanonnen van de vijand,' antwoordde Diego. 'Ze genieten van het leven zolang het nog kan, John. Morgen varen we uit. Dit kan de laatste keer zijn dat je ons ziet.'

Het banket was veranderd in een gooi- en smijtfestijn. Prachtig opgemaakt eten werd over de tafels gesmeten, het bier werd gewoon uit de kan gedronken, zodat het langs de kin van de mannen en vrouwen droop, tot op hun dure kleren. Shakespeare keek wanhopig toe. Het enige wat hij kon doen was dicht bij Drake blijven en de zaal in de gaten houden, terwijl Diego en Boltfoot op de deuren letten. Maar er liepen voortdurend mensen in en uit.

Drake was in een verhitte discussie gewikkeld met de jonge Richard Hawkins, de zoon van zijn oude vriend John. Hij draaide zich om. 'Heer Shakespeare! U kijkt vanavond wel erg somber. Vindt u ook niet, my lady?' vroeg hij aan zijn vrouw.

'Ik zou zeggen, sir Francis, dat u blij mag zijn dat heer Shakespeare zo goed over u waakt. U bent hem betere manieren verschuldigd, heer!'

'Ha! Zo worden mij de oren gewassen. Liever nog voel ik de snede van een Spaanse hellebaard dan de scherpte van een vrouwentong.'

Iemand riep: 'Brand!'

Het was een woord waarbij ook de dapperste mannen de schrik om het hart sloeg. Zelfs degenen die vanwege de wijn nauwelijks meer aanspreekbaar waren, bleven doodstil staan.

'Brand! Er is brand!' riep nu een ander.

Een gebrul van angst steeg op en de gasten stortten zich in de richting van de grote deuren voor in de zaal.

Shakespeare aarzelde geen moment. Hij greep Drake bij diens arm en drukte zijn andere hand tegen de rug van Drakes vrouw. 'Kom mee. Ik weet een betere uitweg. Die brand moet zijn aangestoken door de moordenaar. En in de verwarring zal hij proberen...'

Een steekvlam verslond een van de roodgouden Franse wandkleden aan de zijmuur. Het vuur sloeg over naar de gordijnen en van daar naar de balken van het plafond. Zwarte rook walmde door de benauwde, kleine zaal. De menigte die op weg was naar de deuren, raakte in paniek. Mannen en vrouwen, hoestend en schreeuwend, liepen elkaar onder de voet.

Drake rukte zich van Shakespeare los, greep een zilveren dienblad van de tafel en sloeg er hard mee op het tafelblad. 'Luister!' brulde hij. 'Luister! Heren, ga opzij en laat de dames eerst vertrekken. Als we rustig blijven, komt iedereen veilig naar buiten.'

Opeens kwam er een eind aan de ongeorganiseerde vlucht naar de uitgang. Zelfs degenen die het dichtst bij het vuur stonden gehoorzaamden sir Francis Drake. De meesten stapten opzij, en wie dat niet deed werd door anderen naar achteren getrokken. Haastig verlieten de vrouwen de zaal.

Het vuur greep snel om zich heen. Koks en diensters renden naar binnen met emmers water, maar Shakespeare besefte dat het weinig zin had. Deze brand leek niet zo makkelijk te blussen. Boltfoot en Diego doken uit de menigte op en voegden zich bij Shakespeare en de Drakes.

'We moeten hier weg, sir Francis.'

'Heer Shakespeare, wij zijn in uw handen. Wijs ons die geheime uitgang.'

Ze gingen op weg. Opeens zag Shakespeare dat de route die hij in zijn hoofd had, via de keukens, door het vuur werd versperd. Hij draaide zich om naar de westkant, waar de raadskamer van het stadsbestuur zich bevond. Ook daar zou een deur moeten zijn. De rook werd dichter; overal hoorden ze mensen hoesten en hijgen. Zodra ze de raadskamer hadden bereikt, trok Shakespeare de deur achter zich dicht om de vlammen en de ergste rook tegen te houden. Heel even bleven ze staan om op adem te komen. De portretten van vooraanstaande burgers van Plymouth keken op hen neer vanaf de muren.

'Hoe gaat het, my lady?' vroeg Drake aan zijn vrouw, terwijl hij teder haar arm pakte.

'Heel opwindend allemaal, sir Francis. Ik begin te begrijpen waarom mannen zo graag oorlog voeren.'

'Zo mag ik het horen. Wat zullen wij dappere zonen krijgen!'

'En dochters, heer.'

Shakespeare opende de deur naar de wachtkamer en stapte naar binnen, voor Drake en zijn vrouw. Aan de andere kant zag hij de zijdeur van het gebouw, waar een groepje mannen stond – bedienden en stalknechten. 'Is de weg daar vrij?' riep Shakespeare.

'Jawel heer,' kwam het antwoord. 'Kom maar. We zijn bezig een keten van emmers te vormen.'

Als ik de huurmoordenaar was, dacht Shakespeare, zou ik hier toeslaan. Dit is de plek waar hij Drake kon verwachten, de ideale plek voor een aanslag. Hij trok zijn zwaard en gaf Drake een teken om hetzelfde te doen. 'Kom, admiraal. En wees voorzichtig. Hij moet hier in de buurt zijn. Boltfoot, hou je caliver in de aanslag.'

Drake liep rustig door, zonder zich veel aan te trekken van Shakespeares waarschuwing. 'Naar huis, lady Drake, en naar bed. Ik heb genoeg van die flauwekul van Walsingham. Hij is een goede vriend, maar zijn kinderjuffen heb ik niet nodig.'

Ze stapten de straat in. Shakespeare zag de vlammen naar de hemel likken. Een grote menigte had zich voor het raadhuis verzameld en staarde met grote ogen naar de uitslaande brand. Het leek wel of de hele stad uit bed was gekomen om het spektakel te zien of te helpen met de emmers. Drake lette er niet op. 'Je zult een nog veel groter vuurwerk zien als ik Filips' galjoenen in de fik heb geschoten,' verklaarde hij tegen niemand in het bijzonder, terwijl hij door de kille nacht marcheerde.

De wandeling naar Looe Street, waar Drake zijn huis had, duurde niet langer dan vijf minuten. Twee brallende matrozen, die te veel brandewijn hadden gedronken op hun laatste avond aan de wal, floten hen na en riepen: 'Kom maar hier, liefje. Wat moet je met die sukkels? Kom mee, dan zullen we je kutje met honing vullen!' Toen herkenden ze hun vice-admiraal en doken haastig een zijstraat in.

'Ik ken die stem,' zei Drake. 'Dat is de bootsman van de *Dreadnought*. Ik zal hem morgen laten geselen wegens liederlijke taal!'

42

Drakes huis in Looe Street, boven aan een steile helling, was opvallend bescheiden vergeleken met zijn indrukwekkende herenhuizen en landgoederen in andere delen van Devon en Londen. Het was hoog en opgetrokken uit steen om de stormen vanuit zee te kunnen weerstaan. Boven de benedenverdieping staken de hogere etages trapsgewijs de smalle straat in. De belangrijkste overweging voor de vice-admiraal was het gemak, zo dicht bij de monding van de Plym en de havens, waar hij zo veel tijd doorbracht met toezicht op de reparaties en bevoorrading van zijn schepen.

Drake bleef staan bij de trap naar zijn huis. 'Nou, heer Shakespeare, u hebt ons veilig thuisgebracht. U kunt de minister zeggen dat u uw werk trouw en gewetensvol hebt gedaan. Ik wens u goedenacht, heer.' Hij wilde de voordeur al openen, toen Shakespeare voor hem ging staan. 'Mag ik weten, my lady,' vroeg hij aan Elizabeth, 'of u die hugenoot, Pascal, ook over dit huis hebt verteld?'

Elizabeth Drake keek een beetje overdonderd. 'Dat... zou kunnen. Misschien heb ik het genoemd. Ik kan het me niet herinneren.'

Shakespeare opende de grendel van de deur. 'Ik ga wel eerst, sir Francis, als u het goedvindt. Boltfoot, kom mee.'

Opeens was Drakes geduld op. Nijdig schoof hij Shakespeare opzij. 'Niemand geeft mij orders, behalve de koningin. Uit de weg, Shakespeare. Kom, my lady, we gaan naar binnen.' En hij hield de deur open voor zijn vrouw. Ze aarzelde, maar ze kende de stemmingen van haar man te goed om op dit moment tegen hem in te gaan. Met een lieve glimlach naar Shakespeare mimede ze 'dank u wel', en ze stapte naar binnen.

Drake volgde en zag tot zijn verbazing dat de hal donker en verlaten was.

'Ik denk dat de bedienden naar de brand zijn gaan kijken, sir Francis,' zei Elizabeth. 'Misschien kunnen we onze vrienden vragen even licht voor ons te maken?'

'Here God, wat voor personeel is het dat zijn post verlaat voor zo'n kampvuurtje, madame? U moet de huishouding toch beter in het gareel krijgen voor ik van deze reis terugkom.'

Shakespeare en Boltfoot begrepen Elizabeths hint. Boltfoot haalde een tondeldoos tevoorschijn en begon de kaarsen aan te steken. Shakespeare liep wat verder het huis in. Hij was ervan overtuigd geweest dat Herrick zou toeslaan bij het banket. En nu? Als Henri Pascal inderdaad een hugenoot was die toevallig bij Buckland Abbey was opgedoken, waarom was hij dan niet naar het banket gekomen om zich aan Drake voor te stellen?

De klap viel toen Shakespeare de slaapkamer van de Drakes op de eerste verdieping binnenging. Het was een klap tegen zijn achterhoofd, vanuit het duister, zo hard dat hij onderuit ging. Hij zakte half in elkaar en raakte met zijn hoofd het voeteneinde van het bed. Het scheelde niet veel of hij had het bewustzijn verloren, maar hij verzette zich en sloeg wild om zich heen, nog steeds met zijn zwaard in de hand. Vaag hoorde hij het geluid van iemand die kreunde of een kreet van pijn slaakte. Zo snel mogelijk rolde hij opzij, vlak voor hij de trilling voelde van een zwaar wapen dat zich boorde in de vloerplanken waarop hij net nog had gelegen.

Shakespeare schoof wat verder van zijn aanvaller vandaan en klauwde naar de andere kant van het grote eiken bed. In het halfdonker was het flakkerende lichtje van een kaars te zien, en iemand onderdrukte een kreet. Elizabeth was de kamer binnengekomen. In het schemerige licht kon Shakespeare een gezicht onderscheiden: Herrick. Het moest Herrick zijn. Vol afgrijzen zag hij hoe de man Elizabeth vastgreep, zijn gespierde arm om haar nek sloeg en haar meesleurde naar de hoek van de kamer. De kaars viel uit haar hand en het was weer donker in de kamer.

Shakespeare sprong overeind. Zijn hoofd voelde aan alsof er een kruitvat in zijn schedel was ontploft, en bloed sijpelde in zijn kraag. Maar hij had zijn zwaard nog, zijn vuist stevig om het heft geklemd.

Weer verscheen er een lichtje in de deuropening: Drake. 'Wat is er aan de hand?' Toen zag hij zijn vrouw. Haar nek was naar achteren gewrongen en een smalle dolk werd tegen haar hals gedrukt. De punt sneed in haar vlees en bloed druppelde op haar fluwelen jurk. 'My lady?'

Shakespeare dook naast Drake op.

'Wegwezen,' zei Herrick rustig tegen Shakespeare. Hij stond maar anderhalve meter van Drake vandaan. 'Eruit, anders is ze er geweest. Jij niet, Drake, jij blijft hier. Maar die andere vent verdwijnt, anders zul je uit de keel van deze vrouw een fontein van bloed zien spatten die groot genoeg is om al je galjoenen te laten zinken.'

Drake knikte naar Shakespeare. 'Ga maar, heer Shakespeare.'

Shakespeare verroerde geen vin. 'Ik ga nergens heen. Ik heb orders u te beschermen.'

Met een bliksemsnelle beweging smeet Herrick Elizabeth de kamer door en sprong met zijn dolk op Drake af, sterk als een stier in de arena. Terwijl hij het wapen naar voren en omlaag stootte, siste hij: 'Zo sterven alle ketters!'

Drake deinsde niet terug. Herricks dolk sneed door vlees en raakte een bot, maar het was Shakespeares linkeronderarm die hij had geraakt, niet Drakes hart. Shakespeares andere arm daalde neer achter Herricks nek, het gevest van zijn zwaard trof Herricks achterhoofd en smeet hem tegen de vloer, vlak voor Drakes voeten. Bliksemsnel plantte Shakespeare zijn voet in Herricks nek. Met zijn ongedeerde rechterarm bracht hij zijn zwaard omhoog, besmeurd met zijn eigen bloed, en hield het klaar om het de huurmoordenaar in zijn rug te stoten.

'Nee, heer Shakespeare,' zei Drake. 'Laten we dat genoegen aan de beul laten.'

De schepen van Drakes vloot voeren uit met het tij. Zelf was hij aan boord van de *Elizabeth Bonaventure,* die werd vergezeld door nog drie koninklijke galjoenen – de *Golden Lion,* de *Dreadnought* en de *Rainbow* – en twintig andere schepen van verschillende klassen. Ze werden bemand door drieduizend matrozen en soldaten, zwaarbewapend en blakend van strijdlust, en ze beschikten over een hele batterij kanonnen met tonnen aan ammunitie. Voordat hij het anker lichtte, bromde Drake nog een nors bedankje aan Shakespeare voor zijn 'ijver' en schreef een laatste bericht aan Walsingham, dat hij Shakespeare meegaf: 'De wind drijft ons naar zee. De zeilen zijn gehesen. Mogen wij leven in de vreze Gods, opdat de vijand zal kunnen zeggen dat God waarlijk aan de kant van Hare Majesteit strijdt, zowel thuis als in den vreemde.'

De missie had een nieuw belang gekregen. De laatste inlichtingen van Walsinghams netwerk wezen erop dat de Spaanse admiraal, Santa Cruz, zijn armada gereed wilde hebben om in het voorjaar of de vroege zomer uit te varen. Drakes taak was de vijand in zijn havens te vernietigen en de Spaanse zilvervloot vanuit de West te onderscheppen en te veroveren.

Shakespeare stond op de kade met Elizabeth Drake, Boltfoot en duizenden burgers, die juichten en hun mutsen in de lucht gooiden toen de trotse wimpels van de vloot zich strekten in de fikse bries.

Lady Drake raakte Shakespeares gezicht even aan. 'Ik weet zeker dat mijn man u niet voldoende heeft bedankt, heer Shakespeare, maar u hebt mijn oprechte dankbaarheid. U hebt ons gisteravond het leven gered.'

Hij had er lang over nagedacht. Ondanks zijn vermoeidheid had hij nauwelijks een oog dichtgedaan vanwege zijn hevig kloppende hart en de pijn in zijn gewonde arm. Hij had Herrick kunnen doden toen die hulpeloos op de grond lag met Shakespeares laars in zijn nek. Zoals ieder kind had hij wel eens gewonde vogels afgemaakt of met pijl en boog op eekhoorns gejaagd vanwege hun rode vacht, maar nog nooit had hij een mens gedood. Hij vroeg zich af of hij het zou kunnen. Dat wist hij nu.

Zijn linkerarm zat zwaar in het verband en werd ondersteund door een mitella. De wond deed pijn maar was schoon en zou waarschijnlijk wel weer helen. Een arts had kruidenzalf gebruikt om koudvuur te voorkomen en hem gezegd dat hij brandewijn moest drinken om het bloedverlies te compenseren. De terugrit naar Londen zou ongemakkelijk zijn, maar niet onmogelijk.

Herrick was geboeid afgevoerd in een handkar om voor de magistraten te verschijnen. Daarna mocht hij zijn lot overdenken in de gevangenis van Plymouth tot aan zijn proces, over twee of drie dagen. De executie zou niet lang op zich laten wachten. Shakespeare vond dat de zaak het best plaatselijk kon worden afgehandeld. De minister had geen behoefte aan nog een paapse martelaar die door de straten zou worden gereden, zo kort na de onthoofding van Mary Stuart. Bovendien konden de slagers in Plymouth Herrick net zo efficiënt vierendelen en darmen uit lijven snijden als de beulen in Londen.

Shakespeare had nog een paar uur bij hem gezeten om hem te verhoren, maar het leverde niet veel op – geen bekentenis, geen ontkenning. Pas toen Shakespeare over de moord op lady Blanche Howard begon, verbrak Herrick het stilzwijgen. Hij lachte vreugdeloos. 'U denkt toch niet dat ík dat was, heer Shakespeare? Zoek in uw eigen kring... uw eigen kring.'

Shakespeare drong aan, maar het enige wat Herrick wilde zeggen was: 'Mijn lot staat vast. Waarom zou ik de schaarse adem die me nog rest verspillen aan een gesprek met u?' Toen keerde hij zijn ondervrager de rug toe en sleepte zijn zware boeien in een wat comfortabeler positie. Heel even overwoog Shakespeare om de man te martelen. Dat zou de minister zeker toestaan. Maar folteren stuitte hem en de meeste Engelsen tegen de borst.

Toen Drake met zijn vloot was vertrokken, begonnen Shakespeare en Boltfoot aan de terugreis naar Londen. Onderweg hielden ze halt bij The White Dog, om de waardin terug te betalen die Shakespeare had geholpen toen zijn beurs gestolen was. Drake had Shakespeare geld meegegeven. 'Het is een lening, heer Shakespeare, zodat u thuis kunt komen. Geen geschenk.' Boltfoot had erbij staan grinniken.

De dagen werden langer. Binnen niet meer dan achtenveertig uur had de mist plaatsgemaakt voor de lentezon en heldere, frisse nachten. De hele weg dacht Shakespeare aan Catherine. Elke kilometer die ze aflegden bracht hem dichter bij haar. Hij klampte zich vast aan die ene nacht die ze samen hadden beleefd en bad tot God dat het voor haar net zo veel had betekend als voor hem. Natuurlijk zou hij haar ten huwelijk vragen. Maar toch knaagde er een vage angst. Walsingham zou niet blij zijn met het feit dat een van zijn hoogste officieren met een rooms-katholiek wilde trouwen. Misschien zou hij Shakespeare zelfs ontslaan. Dat moest dan maar. Zijn liefde voor Catherine was belangrijker.

De ruiters vorderden goed en Shakespeare besloot een kleine omweg naar de Theems te maken bij Windsor, waar hij de weg vroeg naar het dorpje Rymesford.

Hij vond de monnik over wie Thomas Woode hem had verteld in de restanten van een van de droogkamers van de oude molen. Het was een bouwval van rottend hout, die eruitzag alsof hij elk moment in de rivier kon storten om door de stroming te worden meegenomen. Honderden vogels hadden hun nesten gebouwd in de balken en spanten en maakten een ongelooflijke herrie. De oude monnik was er nauwelijks beter aan toe dan het gebouw. Zijn huid leek op vergeeld perkament en zijn ogen waren holle kassen zonder licht. Zijn oude pij, die hij misschien al droeg sinds de ontbinding van de kloosters, vijftig jaar geleden, hing in rafels van zijn magere schouders en zat met een pluizig touw om zijn middel gebonden.

'Bent u Ptolemeus?'

De blinde monnik deinsde voor de stem terug als een geslagen hond.

Een vel papier wapperde weg in de wind die door de gaten loeide waar ooit ramen hadden gezeten en dwarrelde langs de oude man. Shakespeare raapte het op. Het was onbedrukt, maar van dezelfde kwaliteit als het papier dat hij rond het verminkte lichaam van lady Blanche Howard had gevonden in Hog Lane, Shoreditch.

'Ptolemeus, ik kom je geen kwaad doen. Ik wil alleen maar met je praten.'

De lange baard van de oude man was grijs en vlekkerig, net als zijn haar. Hij was ernstig vervuild. Hij zat op zijn hurken op de vloer van de centrale ruimte naast een versleten, weggegooide molensteen en een houten bord met wat kruimels.

'Boltfoot, geef hem iets te eten.'

Boltfoot hinkte terug naar zijn paard dat buiten de molen stond vastgebonden, en haalde wat brood en vlees uit de zadeltassen. Hij kwam ermee terug en tikte de blinde monnik op zijn schouder. 'Hier,' zei hij, wat minder nors dan gewoonlijk. 'Eten. Neem het maar.'

De monnik stak zijn armen uit de plooien van zijn pij en hield ze tegen elkaar als een dienblad. Hij had geen handen meer. Ze waren bij de polsen afgehakt, niet lang geleden, want de littekens waren nog vers. Boltfoot legde het eten op de stompjes. 'Ik zal bier halen,' zei hij.

'Wat is er met je gebeurd, Ptolemeus?'

'De wet, heer. De wet.' Zijn stem klonk oud, maar nog verrassend ferm.

'Wat voor vergrijp had je dan gepleegd?'

'Laster, opruiing, illegaal drukwerk en de vervaardiging van papier. Wat maakt het uit? Mijn leven is voorbij. Het enige wat me rest is het geluid van de vogels en het schamele eten dat de dorpelingen me brengen. In elk geval veroordelen zij me niet. Ik zal me graag aan Gods oordeel onderwerpen.'

'Klopt het dat jij dit papier hebt gemaakt?'

'Ik kan het niet zien, heer. Mijn ogen zijn uitgestoken. Maar als u het hier hebt gevonden, zal het wel mijn werk zijn – een inferieur product, zoals iedereen die er verstand van heeft u zal vertellen. Dat komt door het water hier, weet u. Te modderig. En de slechte kwaliteit van de lompen. De voddenrapers weten precies wat het waard is, heer.' Hij lachte droog.

Shakespeare zweeg een moment en wierp een blik door de ravage om zich heen. Deze man zat hier nog steeds, als het stille hart van een storm. Als je alles kwijt bent en niets meer kunt verliezen behalve je leven, waar zou je dan bang voor zijn? Ptolemeus at wat van het eten dat Boltfoot hem had gebracht. Met kromme schouders klemde hij zijn stompjes om het brood en het vlees en bracht het naar zijn mond. De pijn van de amputatie was duidelijk nog niet verdwenen, want zijn lichaam verstijfde bij elke beweging en zijn gezicht vertrok in een grimas.

Een groot deel van de instrumenten voor het papiermaken waren nog hier. De hoofdas van de molen was via hefbomen met hamers verbonden om de natte lompen tot pulp te slaan. Er lagen houten ramen met een fijnmazige zeef om het water te laten weglekken zodat er een dun laagje pulp overbleef dat, eenmaal droog, het ruwe papier vormde. En er was een pers om het water uit de vellen te persen. Maar geen drukpers. Waar was die gebleven?

'Thomas Woode zei me dat hij je een oude pers had gegeven om roomse teksten voor priesters van het seminarie te kunnen drukken. Waar is die nu?'

'Verdwenen, tegelijk met mijn handen, heer.'

'Woode zei ook dat je nooit iets opruiends zou drukken.'

'Dat is waar. Dat dacht ik, tenminste, maar niet iedereen zag dat zo. Ze vonden dat ik illegaal drukwerk maakte. De rechtbank heeft bepaald dat je een speciale vergunning nodig hebt om iets te mogen drukken.'

'Maar wie heeft je dit aangedaan? De magistraat?'

Boltfoot zette de oude man een kroes bier aan de lippen. Hij dronk dorstig en veegde zijn mond af aan zijn vuile mouw. 'Dat smaakt goed. Dank u, heer. Nee, het was niet de magistraat, maar iemand van wie u misschien wel hebt gehoord. Hij heet Topcliffe en hij moet wel de vleesgeworden duivel zijn.'

'Topcliffe?'

'Hij heeft mijn huisgenoot, broeder Humphrey, vermoord. Topcliffe heeft hem voor mijn ogen aan stukken gehakt en zijn resten in de rivier gegooid. Daarna heeft hij mij de ogen uitgestoken en ten slotte mijn handen afgehakt. Hij bond mijn armen samen op een houtblok en sloeg mijn handen eraf met één slag van een bijl. Toen liet hij me liggen om dood te bloeden, maar God heeft mij in Zijn genade nog wat langer laten leven.'

Shakespeare keek Boltfoot aan en zag in diens ogen zijn eigen afschuw weerspiegeld. Boltfoot raakte niet gauw van streek, maar de kille wreedheid van het verhaal van de oude man had hem geschokt.

'U zwijgt, heer? Bent u verbaasd over het werk van deze duivel?'

'Nee… niet verbaasd, nee.'

'Een huisvrouw uit Rymesford heeft mijn wonden verzorgd en mij eten gebracht. Ze helpt me nog steeds, en zo zijn er ook anderen. Zo gemakkelijk kunnen Burghley en zijn soort ons geloof niet uitroeien, weet u.'

Shakespeare legde een hand op de schouder van de monnik. Ptolemeus kromp nu niet ineen. 'We zullen wat geld voor je achterlaten,' zei Shakespeare, 'maar je moet ons wel vertellen wat er met je drukpers is gebeurd.'

'Geld? Heel vriendelijk van u, heer. De drukpers is ook door Topcliffe meegenomen. Hij kon die nog nuttig gebruiken, zei hij. Ik hoorde hem lachen toen hij de pers in mijn wagen legde en ermee verdween.'

43

John Shakespeare en Boltfoot Cooper reden een tijdje in stilte. Ze
waren het grote kasteel van Windsor gepasseerd en naderden Londen. De dorpen die de stad voorzagen van groente, vlees, hout en ijzer
werden talrijker en welvarender. Londen scheen Shakespeare het
middelpunt van een groot wiel, met de wegen als de spaken langs een
toenemend aantal gehuchten en stadjes. Voorbij haast elke bocht verhief zich weer een volgende kerktoren tegen de horizon.

Ook het karakter van de akkers en velden veranderde. Ze waren
hier beter verzorgd en omheind dan die hij op zijn tocht naar het westen was tegengekomen. Ze reden door een deel van Surrey, waar
Shakespeare zijn grijze merrie ophaalde, die op weg naar Plymouth
kreupel was geworden. Ze was weer hersteld en goedgeluimd, en
Shakespeare betaalde de boer die haar had verzorgd een halve kroon
voor de moeite. Het leek hem eerlijker dan de sixpence die hij had
beloofd.

Het stilzwijgen tussen Shakespeare en Boltfoot was een aanwijzing
voor hun gedachten. Ze wisten allebei wat de ander door het hoofd
ging. Ten slotte was het Shakespeare die de ban verbrak. 'Het kan
maar één ding betekenen, Boltfoot,' zei hij.

Boltfoot knikte.

'Het kan alleen betekenen dat Topcliffe zelf dat pamflet in Hog
Lane heeft gedrukt. Maar waarom?'

'Als rechtvaardiging, heer. Om te bewijzen dat de katholieken verraders zijn.'

'Zou hij echt zo ver gaan?' Maar Shakespeare wist het antwoord al.
Niets ging Topcliffe te ver in zijn missie om alle rooms-katholieke

priesters en aanhangers van het oude geloof uit te roeien. Een man die in zijn eigen huis een martelkamer met een pijnbank had inge- richt was zeker in staat om krantjes te drukken als rechtvaardiging voor nog meer arrestaties. 'Ja,' vervolgde Shakespeare, 'dat is heel goed mogelijk. De tekst was niets anders dan een slechte kopie van Leicesters *Commonwealth*. Het pamflet had geen enkele zin en diende maar één doel. Het was een afleidingsmanoeuvre.'

Ze reden weer een tijd in stilte voor Shakespeare zich naar Bolt- foot omdraaide. 'En dat leidt tot een andere, onontkoombare con- clusie...'

'Dat hij lady Blanche heeft vermoord.'

Shakespeare kromp ineen bij het horen van die woorden, maar her- haalde ze toen wat zachter bij zichzelf: 'Topcliffe heeft lady Blanche Howard vermoord.'

Boltfoot gromde wat, als een dier op een boerenerf.

'Maar waarom?' vroeg Shakespeare. 'Waarom zou hij een Howard hebben vermoord, met alle mogelijke complicaties? Ze was wel naar het katholieke geloof overgelopen, maar zelfs Hare Majesteit zou de moord op haar nicht nooit hebben getolereerd.'

'Ik denk dat het een vergissing was, heer, en dat hij vervolgens heeft geprobeerd zijn sporen uit te wissen. Waarschijnlijk heeft hij haar ge- marteld om informatie los te krijgen, en heeft ze dat niet overleefd. De snijwonden in haar hals en buik zijn later toegebracht, zoals de relikwie en het crucifix ook pas na haar dood in haar lichaam zijn gepropt.'

Shakespeare schudde zijn hoofd. 'Een vergissing was het niet. Hij moest haar doden. Hij wist dat hij haar niet in leven kon laten na- dat hij haar had gemarteld. Als hij haar had vrijgelaten, zouden de Howards zich op hem hebben gewroken. Hij was van het begin af aan van plan haar te vermoorden en de schuld op de katholieken af te schuiven door haar lichaam te bezoedelen met die relikwie en het crucifix, om het voor te stellen als een liederlijk paaps ritueel. Dat klopt ook met de conclusies van de lijkschouwer. Hij zei dat ze al drie dagen dood was en ergens anders was vermoord. De wonden die do- delijk waren, hadden niet genoeg bloed op de vindplaats achtergela- ten, zei hij.'

En die striemen om haar polsen, dacht Shakespeare. Die konden net zo goed door boeien zijn veroorzaakt als door een touw. Hij had soortgelijke striemen bij Thomas Woode gezien nadat die aan Topcliffes muur was opgehangen. Maar wat had Topcliffe van lady Blanche Howard willen weten?

Het antwoord was duidelijk. Het ging om dezelfde informatie die hij nu aan Woode probeerde te ontfutselen: de verblijfplaats van Robert Southwell. Hij moest iets hebben gehoord over een connectie tussen haar en de jezuïeten. Misschien had een bediende in het huis van Howard van Effingham daar iets over gezegd, of een tipgever binnen het katholieke netwerk. Het was een obsessie voor Topcliffe om die jezuïtische priester te vinden. Hij wilde Southwell in handen krijgen, wie hij daarvoor ook moest vernietigen of vermoorden. Shakespeare gaf zijn paard de sporen. Hij had Catherine al te lang alleen gelaten.

In het donker, een uur voor zonsopgang, kwamen Topcliffe, Young, Newall en tien van hun meest geharde mannen naar Shakespeares huis in Seething Lane.

In een straat verderop lieten ze hun paarden achter en ze slopen toen geruisloos naar het oude huis, zodat niemand Walsingham kon waarschuwen. Er mocht geen alarm worden geslagen. Deze operatie moest nauwgezet en in stilte worden uitgevoerd. Als de minister 's ochtends vroeg of laat wakker werd, mocht hij geen idee hebben van wat zich had afgespeeld in Shakespeares huis, even verderop in de straat.

Ze wilden snel toeslaan, de deur forceren met een enkele klap van de stormram en zich vervolgens verspreiden zonder te schreeuwen of kabaal te maken. Elk lid van de groep moest één kamer van het huis binnenstormen om te voorkomen dat er iemand zou ontsnappen. Topcliffe keek om zich heen. De straat was verlaten. 'Waar is je wachtpost, Dick? Wie houdt het huis in de gaten?' fluisterde hij hees en nadrukkelijk.

Young wierp een blik door de straat. 'Die luie donder moet naar huis zijn gegaan. Ik zal een hartig woordje met hem spreken.'

'Here God, Dick, je moet hem laten geselen. Kom mee.'

Zes mannen grepen de zware boomstam vast, lieten hem naar achteren zwaaien en ramden hem in één keer tegen de deur, halverwege, vlak bij het slot, dat meteen opensprong.

Topcliffe ging als eerste naar binnen, op de hielen gevolgd door Young. Toen bleven ze als aan de grond genageld staan en staarden met open mond naar het tafereel voor hun ogen.

De hal werd verlicht door fakkels en kaarsen. In het schijnsel zagen ze een groep van ongeveer twintig mannen. Sommige stonden, leunend op een zwaard of met een boog in hun handen. Andere lagen met hun rug tegen de muren. Eén of twee rookten een pijp. Ze droegen militaire kleren, dikke leren wambuizen, net als de papenjagers, en ze begroetten Topcliffe en Young met een blik waaruit onverschilligheid en minachting sprak.

Het was een lugubere aanblik in het flakkerende licht. Het leek wel of twee pelotons elkaar hier troffen, allebei gewapend en klaar voor de strijd, hoewel het legertje dat al aanwezig was nauwelijks de moeite nam om overeind te komen voor het gevecht.

Eindelijk vond Topcliffe zijn stem terug. 'Wie zijn jullie?' bulderde hij.

Een van de mannen kwam overeind en slenterde op hem toe tot hij met zijn gezicht vlak bij dat van Topcliffe stond. Hij was een jonge man, begin twintig, met een korte, keurig verzorgde baard en donker haar, dat boven zijn oren naar achteren was gekamd. 'Dat kan ik ú beter vragen. Wie bent u, en wat doet u in het huis van mijn broer?'

'U bent Shakespeares broer?' sputterde Topcliffe. 'Wat hebt u hier te zoeken? Ik had u niet verwacht!'

'Mijn vrienden en ik hebben hier onderdak gevonden dankzij de gastvrijheid van mijn broer. Wij zijn vanuit Warwickshire overgeplaatst om met de Londense milities te oefenen. Binnenkort worden we in Tilbury gelegerd voor de verdediging van het land – niet dat het jou iets aangaat. Maar wat moet jij hier? Volgens mij is dit huisvredebreuk en heb je de deur van mijn broer vernield. Kwamen jullie inbreken? Dan zal ik ervoor zorgen dat jullie worden opgeknoopt. Mijn broer is een hoge officier van sir Francis Walsingham, bedenk dat wel.'

Een adertje klopte op Topcliffes voorhoofd. Hij staarde de jongeman aan met onverholen woede voor hij zich omdraaide naar Richard Young, die er ook niets van begreep. 'Allemachtig, Dick! Waarom heeft jouw man ons hier niets over verteld?'

Young liep rood aan en spreidde zijn handen in stomme verbazing. 'Ik weet het niet. Misschien was hij bang voor deze soldaten.'

Topcliffes blik gleed door de hal. De andere partij was in de meerderheid, bijna twee tegen één. Hij had weinig kans tegen zo'n groep zwaarbewapende en goed getrainde militairen. Dit moest een streek van Shakespeare zijn, een manier om hem een hak te zetten. 'Ik weet niet hoe het zit maar ik beloof je, Shakespeare... jou en je broer... dat ik terug zal komen. Hier krijgen jullie spijt van. Jullie zullen de woede van God en Hare Majesteit leren kennen. En ik zal krijgen wat me toekomt!'

Shakespeares broer was een onverzettelijke man met heldere ogen en een breed voorhoofd, wat kleiner maar krachtiger gebouwd dan John. Een lachje speelde om zijn mond. 'Ik denk, heer, dat u zichzelf overschat door God en onze roemrijke vorstin aan te roepen. Het lijkt me beter dat u terugkruipt in uw smerige hol en die andere wormen meeneemt voordat we jullie allemaal verpletteren.'

Bijna verloor Topcliffe zijn beheersing. Hij haalde uit om de arrogante kwast op zijn gezicht te slaan, maar bedacht zich. Inwendig kokend van woede draaide hij zich op zijn hakken om en liep naar de gapende deuropening. 'Kom mee, Dick,' zei hij. 'Laten we jouw zogenaamde wachtpost tussen de bezwete dijen van zijn vrouw vandaan plukken en hem een pak slaag geven dat hem zal heugen.'

Een van Shakespeares mannen kwam overeind en sleurde een angstige gedaante bij zijn nek omhoog. Hij gaf de man een schop onder zijn kont, waardoor die voor Topcliffes voeten terechtkwam. 'Is dit je wachtpost? Neem hem maar mee.'

44

Bij hun terugkeer in Londen reed Shakespeare met Boltfoot rechtstreeks naar Seething Lane, maar niet naar huis. In plaats daarvan
meldde hij zich onmiddellijk bij Walsinghams kantoor om verslag uit
te brengen over de twee mislukte aanslagen op Drakes leven en, uiteindelijk, het geslaagde vertrek van de vice-admiraal naar de Spaanse
kustwateren.

Walsinghams sombere gezicht klaarde een beetje op. Hij knikte
herhaaldelijk. 'Dat is mooi. Dus alles gaat goed met hem en hij is de-
finitief uitgevaren met de vloot?'

'Ja, heer minister. Alles is in orde.'

Walsingham grinnikte. 'Weet je, ze heeft hem nog een boodschapper achterna gestuurd, met orders om de missie af te breken. Maar je
weet zeker dat hij die niet meer tijdig heeft ontvangen?'

'Als dat zo is, heeft hij zich er niets van aangetrokken. En hij had
nog een brief voor u.'

Walsingham sneed zorgvuldig het zegel los en las het korte be-
richtje, voordat hij de brief weer dichtvouwde en op tafel legde. 'Heel
goed, John. Dit is precies wat ik wilde. Goddank is die boodschapper
van de koningin te laat gekomen. Je hebt uitstekend werk verricht,
samen met Boltfoot Cooper.'

Shakespeare gunde zich een moment om van die prijzende woorden te genieten. Lang duurde het niet.

'Maar in andere opzichten gaat het je minder goed. Er is een klacht
tegen je ingediend, met enkele ernstige beschuldigingen.' De minister
keek zijn hoogste inlichtingenofficier kritisch aan.

Shakespeare voelde het bloed naar zijn wangen stijgen. Beelden spookten door zijn hoofd, eerst van Moeder Davis en Isabella Clermont, toen van Catherine Marvell.

'Beschuldigingen van ontucht, John, en van hekserij. Er zou zelfs een officiële aanklacht tegen je worden ingediend.'

Shakespeare keek fronsend, alsof hij er niets van begreep. 'Wat voor beschuldigingen, heer? En van wie zijn ze afkomstig?'

'Weet je dat echt niet?'

'De enige die ik kan bedenken is Topcliffe.'

Walsingham knikte ernstig. Hij liep naar het raam en keek uit over de straat. Verderop kon hij nog net Shakespeares bescheiden woning zien. Het was er nu rustig, maar hij had geruchten gehoord over een opstootje daar. Hij draaide zich weer om naar Shakespeare. 'Topcliffe, natuurlijk. Ik had je gewaarschuwd, John, om je persoonlijke vete buiten het algemeen belang te houden. Ik had je zelfs een gerechtelijk bevel meegegeven om een getuige te kunnen ondervragen bij Topcliffe thuis, nietwaar?'

'Dat is zo.'

'En heeft hij dat toegestaan?'

'Jawel. Ik had de indruk dat hij me met groot genoegen zijn folterwerktuigen liet zien. Hij scheen er trots op te zijn dat hij Thomas Woode volledig had gebroken, hoewel de man door geen enkele rechtbank schuldig is bevonden aan wat dan ook.'

Walsingham ging nooit tekeer. Dat was niet nodig. Zijn fluistertoon was dreigender dan het grommen van een beer of het sissen van een wilde kat. 'John, dit is niet het moment voor dat soort discussies. We hebben belangrijker zaken aan ons hoofd. Topcliffe beschuldigt jou ervan dat je bij de toverkol en hoerenmadam Moeder Davis bent geweest en je gezichtshaar en zaad aan haar hebt afgestaan voor het bereiden van een liefdesdrank om een jonge vrouw te verleiden, een zekere Catherine Marvell, bekend als een verstokt papiste. Dat zijn ernstige beschuldigingen en Topcliffe zegt dat hij de ingrediënten heeft die voor de drank zouden zijn gebruikt.' Zijn blik ging naar Shakespeares voorhoofd met de ontbrekende wenkbrauw. 'Als dit allemaal niet waar is, hoe verklaar je dan dat je een wenkbrauw bent kwijtgeraakt en dat het haar van die wenkbrauw via Moeder Davis in bezit is gekomen van Topcliffe? Dat het zaad van jou is kan niemand bewijzen, maar vanwege die wenkbrauw zou een rechtbank de rest ook accepteren als bewijs. En je kent de straf op hekserij. Zoals het boek Exodus ons leert: "Ge zult een heks niet in leven laten..."'

Shakespeare was een moment sprakeloos. Toen explodeerde hij als een pan die te lang op het vuur had gestaan. 'Dit is krankzinnig, heer! Het is Topcliffe zelf die hierachter zit. Ik heb inderdaad met Moeder Davis gesproken, maar als onderdeel van mijn onderzoek. Onder druk had Walstan Glebe, de krantenuitgever, me verteld dat Moeder Davis de bijzonderheden van de moord kende en contact met me zou opnemen. Dat deed ze, dus ben ik naar haar toe gegaan. Ik werd erheen gebracht door een Franse hoer. Ze heeft me iets te drinken gegeven wat blijkbaar een heksenmiddel bevatte, want voor ik het wist werd ik op liederlijke wijze misbruikt, zonder dat ik me kon bewegen. Mijn armen en benen waren verlamd, alsof ik dollekervel had gedronken. Moeder Davis liet me een flesje zien dat volgens haar mijn zaad bevatte en zei dat ik nu van haar was en nooit meer van haar los zou komen. Ik raakte bewusteloos en toen ik wakker werd, kon ik mijn armen en benen weer bewegen. Het huis was donker en verlaten. Ik merkte dat mijn wenkbrauw was afgeschoren, maar ik kon me niet herinneren wanneer. Dat is alles wat ik weet. Behalve dit: Topcliffe wist ervan, want hij pochte erover in zijn huis in Westminster. Ik vermoed dat hij met Moeder Davis onder één hoedje speelt, heer minister. Sterker nog, dat weet ik zeker. Die hele toestand was bedoeld om mij in de val te lokken. De Franse hoer beweerde dat ze door Southwell was aangevallen, maar dat kan niet zo zijn. Haar verwondingen waren maar heel oppervlakkig. Het hoorde allemaal bij Topcliffes plan om zijn eigen huid te redden en de jezuïet de schuld te geven.'

Walsingham had Shakespeare doordringend aangekeken terwijl hij luisterde. Nu zuchtte hij. 'Niet zo mooi, John. Je bent heel dom geweest, hoe nobel je motieven ook waren. Maar ik moet toegeven dat het zo'n belachelijk verhaal is dat het wel zal kloppen.'

'Er is nog meer,' zei Shakespeare. 'Veel meer. De dader die we zoeken, de moordenaar van lady Blanche Howard, is niemand anders dan Topcliffe zelf.'

Walsingham liet zich met een klap op zijn hakken vallen. 'Heeft Topcliffe lady Blanche vermoord?'

'Geen twijfel mogelijk, heer.'

Walsingham schudde zijn hoofd. 'John, zulke dingen kun je niet zomaar beweren. Wees voorzichtig, heel voorzichtig. Je hebt hem al tot je vijand gemaakt. Ik zal proberen die aanklacht tegen jou van tafel te krijgen, maar als je nu zelf met wilde beschuldigingen komt, zal hij je zeker een proces aandoen wegens hekserij en ontucht. En ik kan je moeilijk verdedigen, want hij zal met getuigen komen en je voor rechter Young brengen, neem dat maar van mij aan.'

'Dus ik moet worden veroordeeld op de getuigenis van hoeren en moordenaars, terwijl een meedogenloze moordenaar vrij rond kan lopen? Is dat gerechtigheid? Is dat het Engeland waarvoor u vecht, sir Francis?' Terwijl hij het zei, besefte Shakespeare al dat hij een fout maakte. Walsinghams trouw aan koningin en vaderland stond buiten kijf. Hij kon hem niet ongestraft op zo'n manier beledigen.

Toch schopte Walsingham hem niet de deur uit. Hij werd zelfs niet kwaad. In plaats daarvan schelde hij om een bediende. Op wat mildere toon zei hij: 'Breng wat brandewijn.' Toen de bediende met een buiging was vertrokken, wees Walsingham Shakespeare een plaats aan de tafel en ging zelf ook zitten. 'Kom, John,' zei hij. 'Je bent moe en oververhit na die lange reis en je hebt je land en je koningin al een grote dienst bewezen. Ik zal maar vergeten wat je net zei en naar je verhaal luisteren. Als je bewijzen hebt tegen Topcliffe, wil ik die horen. Op één voorwaarde: dat je daarna rustig luistert naar wat ik te zeggen heb.'

Shakespeare vertelde Walsingham alles, over het crucifix en de relikwie die in het lichaam van lady Blanche waren gevonden en waar Walstan Glebe naar had verwezen in zijn krantje, *The London Informer*; over zijn bezoek aan het huis van Moeder Davis en haar hoeren, compleet met alle onsmakelijke details; over de blinde monnik Ptolemeus en zijn drukpers, die door Topcliffe was meegenomen; en over de zekerheid dat het opruiende pamflet dat in het uitgebrande huis in Hog Lane was gevonden op diezelfde pers was gedrukt, met papier uit de molen van Rymesford. 'En dan is er nog het motief, heer minister. Het is een obsessie voor Topcliffe, grenzend aan bezetenheid, om de jezuïet Robert Southwell in handen te krijgen. Hij is tot alles bereid om hem te vinden en ter dood te laten brengen. Volgens mij dacht hij dat lady Blanche, als pas bekeerde katholiek, wist waar de priester zich bevond. En Topcliffe kent maar één manier om informatie van mensen los te krijgen: door hen te martelen. Maar hij is te ver gegaan en zij heeft het niet overleefd. Dus moest hij een dwaalspoor leggen. Als u nog twijfelt, heer, praat dan met de lijkschouwer. Alles wat ik u heb verteld klopt met de conclusies van Joshua Peace.'

Stilte. Walsingham streek zich over zijn donkere baard. Zijn gezicht stond gespannen, als van een jachthond met de geur van wild in zijn neus. Ten slotte zei hij: 'John, luister nu ook naar mij. Jij hebt je zegje gedaan, maar als bewijs is dat niet voldoende. Richard Topcliffe staat in de gunst bij de koningin. Hij houdt toezicht op de verhoren in de Tower. Hij staat zelfs zo hoog aangeschreven dat hij een cel in zijn eigen huis mocht bouwen, compleet met pijnbank, goedgekeurd door de Geheime Raad. Hij is lid van het parlement voor Old Sarum en vecht op zijn eigen manier voor de Engelse belangen. Dat zijn de feiten. Jij hebt niets anders dan de verklaring van een blinde, verminkte monnik en je eigen veronderstellingen. Dat stelt niets voor.'

'Maar...'

'Luister, zei ik. Je hebt geen bewijzen, John, en daarmee lijkt de zaak afgedaan. Maar je hebt de afgelopen dagen ongelooflijk goed werk verricht voor Engeland en voor mij. Je hebt Drake het leven gered, zodat hij nu met zijn vloot de Spanjaarden kan aanpakken. Ik zal de smerige roddels over jou en die paapse dame, Catherine Marvell, maar negeren, want natuurlijk ben je niet zo dom om je met zo iemand in te laten. Daarom geef ik je wat ruimte. Je mag naar Topcliffe gaan met de informatie die je nu hebt, om je eigen toekomst zeker te stellen. Sommige mensen zouden dat chantage noemen, ik zie het meer als handel. Als hij niet alle aanklachten tegen jou intrekt, zul jij Howard van Effingham benaderen met je veronderstellingen. Zeg dat tegen Topcliffe. Dan kan hij erover nadenken. Hij weet ook dat Howard met jouw beschuldigingen onmiddellijk naar de koningin zou stappen, en dat is wel het laatste wat hij wil.'

'Waarom kan ik niet meteen naar Howard gaan?'

Walsingham verhief zijn stem, niet erg maar duidelijk genoeg voor wie hem kende. 'Omdat je dan in Tyburn zou worden opgeknoopt, John, en Topcliffe zich met een bebloede kop op zijn landgoed zou terugtrekken. Daar hebben wij allebei niets aan. Ik heb je nodig, John – maar Topcliffe ook.'

Thuis liep John Shakespeare zijn broer tegen het lijf. Verbaasd keek hij om zich heen. 'William! Wat doe jij hier? En wie zijn al deze heren?'

'De acteurs van Queen's Men. Ik heb me bij hen aangesloten omdat ze iemand tekortkwamen. We spelen binnenkort in het theater van Shoreditch, maar we hebben nu al een mooie voorstelling gegeven.'

'Kun je wat duidelijker zijn?' Shakespeare was met zijn gedachten nog bij het gesprek met Walsingham en de vraag hoe het nu verder moest.

'We hebben voor soldaat gespeeld, John. En zo zien we er toch ook uit?'

'Ja, zeker.' Shakespeare lachte bleek en met zijn goede arm omhelsde hij eindelijk zijn broer. Toen deed hij een stap achteruit en keek hem onderzoekend aan. Ze hadden elkaar twee jaar niet gezien.

William klapte in zijn handen. Alsof ze daarop hadden gewacht, kwamen Jane en Catherine de trap af, elk met een van Thomas Woodes kinderen aan de hand. Jane en de kinderen glimlachten, maar Catherine niet.

'Topcliffe wilde ze weghalen, John,' zei zijn broer. 'Toen is Jane zogenaamd naar de markt gegaan en heeft mij gesproken in het theater. Ik ben met haar teruggegaan, met mijn kameraden, verkleed als soldaten. Die nacht forceerde Topcliffe de deur van jouw huis om Catherine en de kinderen weg te halen, maar hij stuitte op ons. We hadden net gerepeteerd voor een stuk met veel gevechtsscènes, dus konden we de kostuums en wapens meenemen als rekwisieten. Gelukkig hoefden we ze niet te gebruiken, want die zwaarden zijn zo bot als schapentanden. Als Topcliffe zou hebben geweten dat we acteurs waren, had hij zich niet zo makkelijk laten wegsturen. Maar nu hebben we hem met groot plezier de deur uit gejaagd. Helaas zitten we nu in geldnood, want het stuk had al opgevoerd moeten zijn.'

Shakespeare luisterde niet echt. Hij had alleen oog voor Catherine en liep langzaam naar haar toe, als in een droom. Hij wilde haar in zijn armen nemen, maar was zich te veel bewust van de mensen om zich heen. Catherine liet de hand van de kleine Grace los en pakte de zijne. Ze zag de mitella om zijn gewonde arm, maar zei niets. Ze was bleek en strak, door de spanning en de zorgen.

'Catherine, ik heb zo naar je verlangd.'

'En ik naar jou, John. Maar ik denk steeds aan Thomas Woode. Wat zou er van hem geworden zijn?'

Thomas Woode was het doelwit van Topcliffes schandelijke overval. Maar hoe kon Shakespeare hem te hulp komen nu hij zo veel over hem wist – dat hij een drukpers had geleverd aan die ondergedoken priester en de jezuïeten had verborgen? Het waren genoeg harde feiten om hem twee keer tot de strop te veroordelen en misschien moest Shakespeare zelfs tegen hem getuigen. Dat zou hij nooit doen want dan zou hij ook Catherine moeten verraden. Maar er was nog een reden. Woode had al genoeg geleden na alles wat hij in Topcliffes martelkamer had doorstaan. 'Ik ga vandaag nog naar Topcliffe. Ik zal doen wat ik kan.' Terwijl hij het zei, wist hij dat hij haar misschien valse hoop gaf. De kans was groot dat Woode al dood zou zijn. Shakespeare deed een stap naar haar toe, maar ze deinsde terug. Dit was niet het moment, noch het juiste gezelschap.

Zijn broer stoorde hem in zijn sombere overpeinzingen. 'We gaan ervandoor, John. We moeten een stuk spelen voor betálend publiek. Maar eerst heb ik nog iets met je te bespreken.'

'En dat is?'

'We missen vier leden van ons gezelschap. Ze waren vooruitgereisd naar Londen om het theater gereed te maken voor onze komst. We hebben navraag gedaan en het bleek dat ze door jou zijn opgepakt toen ze in een schuur lagen te slapen.'

Shakespeare keek verbaasd. Hij kon zich geen toneelspelers herinneren. 'Wie waren dat dan?'

'Jij dacht dat het luie zwervers waren en je hebt ze naar Bridewell gestuurd. Blijkbaar waren ze vlak bij een beruchte moord geweest en beschouwde jij hen als mogelijke getuigen. Maar nu zijn ze verdwenen.'

Opeens schaamde Shakespeare zich. 'Allemachtig! Natuurlijk herinner ik me dat. Maar ze zijn door Topcliffes mannen meegenomen. Ik heb geprobeerd ze terug te vinden, maar tevergeefs. Ik had geen idee dat ze toneelspelers waren.'

'Maakt dat dan verschil in dit mooie Engeland, John? Word je hier niet door de wet beschermd als je maar een gewone bedelaar bent?

Heb je als toneelspeler meer rechten dan als vagebond, en wordt een edelman door een jury beter behandeld dan de zoon van een handschoenmaker?'

'Het spijt me, William. Ik zal doen wat ik kan.'

45

Het gesprek begon al slecht. Ze stonden tegenover elkaar voor het grimmige portaal van Topcliffes huis in Westminster: Shakespeare en Boltfoot nog buiten, Topcliffe en zijn bediende Jones in de deuropening, als twee buldoggen die hun territorium bewaakten.

'De minister zei me dat ik je kon verwachten, Shakespeare,' gromde Topcliffe. 'Hoe is het met je katholieke hoer? Weet ze dat je je kwakje hebt gedeponeerd bij de betoverende mademoiselle Clermont? Het is mijn plicht haar dat te zeggen, zou ik denken.'

Shakespeares hand ging naar zijn zwaard, maar Boltfoot, met zijn caliver losjes in zijn armen, hield hem tegen.

'Ha, Cooper! Daar red je het leven van je heer niet mee. Hij is aan mijn genade overgeleverd en ik zal ervoor zorgen dat hij nog voor het einde van de week wordt opgeknoopt.'

'Nee, Topcliffe,' zei Shakespeare, 'jij bent degene die aan de galg zal bungelen. Ik weet wat je hebt gedaan en ik heb getuigen. Je hebt lady Blanche Howard gemarteld omdat je dacht dat ze je naar Robert Southwell kon brengen, de jezuïet. Jij hebt haar vermoord.'

Nicholas Jones, de bediende, grinnikte.

Topcliffe haalde uit en raakte Jones vol in zijn gezicht. De jongen wankelde naar achteren; bloed spoot uit zijn neus. 'Kop dicht, Nick.' Jones veegde met een vuile mouw over zijn gezicht om het bloeden te stelpen. Hij leek ineen te krimpen als een geslagen hond.

'Ik heb alle bewijzen die ik nodig heb, Topcliffe,' zei Shakespeare. 'Alleen jij kunt die pamfletten hebben gedrukt die in Hog Lane zijn gevonden, omdat jij de pers in je bezit had.'

'Dat is geen bewijs! Wie luistert er nou naar een dode monnik?'

'Ptolemeus is nog springlevend.'

Topcliffe lachte en sloeg nu een arm om Jones' schouder. 'O ja? Wat denk jij, Nicholas?'

Jones grinnikte moeizaam en sproeide wat bloed uit zijn neus. Dramatisch streek hij met een vinger langs zijn hals, tot aan zijn oor. 'Hij schreeuwde als een varken. Ik had nooit gedacht dat zo'n paapse duivel nog zo veel bloed in zijn lijf had, heer.' Weer veegde hij met zijn mouw wat bloed uit zijn neus.

Shakespeare werd overmand door een geweldig schuldgevoel. Hij had de oude monnik niet aan zo'n lot moeten blootstellen. Maar hoe had hij kunnen weten dat Topcliffe terug zou komen? En wat had hij kunnen uitrichten, in deze omstandigheden? Zijn enige troost was dat Ptolemeus duidelijk naar de dood had verlangd. Het trieste was alleen de manier waarop hij was gestorven. 'Ik heb genoeg bewijzen, ook zonder Ptolemeus. En ik zal ze overleggen aan iemand die wil luisteren: Howard van Effingham.'

De grijns bevroor op Topcliffes lippen. Hij tilde zijn hand op, alsof hij een argument wilde onderstrepen, maar stond opeens met zijn mond vol tanden. Shakespeare zag dat zijn woorden doel hadden getroffen. Topcliffe besefte dat zo'n stap zijn leven niet alleen moeilijk zou maken, maar zelfs onmogelijk. De koningin mocht dan veinzen dat ze niet wist wat hij in haar naam allemaal uitvrat, ze kon haar neef, Charles Howard, niet negeren. Zeker niet in verband met de dood van lady Blanche.

'O, nu zeg je niets, Topcliffe? Wie is er nu aan wiens genade overgeleverd?'

'Ik zou je ter plekke kunnen doden.'

'Je kunt het proberen, maar ik denk niet dat het je lukt. Cooper kan goed met een sabel en een caliver overweg.'

Topcliffe keek hem minachtend aan. Smalend zei hij: 'Jouw probleem, Shakespeare, is dat je nog zo jong bent. Jij hebt niet de stank van brandend protestants vlees in je neus. Jij was er nog niet in de jaren vijftig, toen Bloody Mary en haar Spaanse troepen onschuldige Engelse mannen en vrouwen op de brandstapel brachten in naam van de antichrist. Wreedheid is het enige wat ze kennen, het enige waar ze respect voor hebben. Dus als zij je een oog uitsteken, steek je hen twee ogen uit, en bij hun moeder, en bij hun kind.'

'Dus jij gedraagt je beter?'

'Het is Gods wil, Shakespeare. Dat is alles. De wil van God en Hare Majesteit. Maar genoeg. Wat wil je? Waarom ben je hier?'

Wat Shakespeare wilde en wat de minister accepteerde waren twee heel verschillende dingen. Hij wilde dat Topcliffe zou worden opgepakt – opgeknoopt of in elk geval levenslang opgeborgen, zodat hij niemand meer kwaad kon doen. Maar hij moest met minder genoegen nemen. Hij kon de woorden bijna niet zijn strot uit krijgen, maar toch haalde hij diep adem en stelde zijn voorwaarden: 'Je geeft me terug wat aan mij toebehoort en me zo smerig door die heks Davis is ontstolen. Je zet nooit meer een voet in mijn huis. Je blijft uit de buurt van Catherine Marvell, de kinderen en mijn dienstmeisje. Je laat Thomas Woode vandaag nog gaan, en je vertelt me waar je de vier zwervers uit Hog Lane naartoe hebt gebracht, zodat ze kunnen worden vrijgelaten. In ruil daarvoor zal ik niet naar de familie Howard gaan met bewijzen over jouw rol in de marteldood van lady Blanche. Maar ik heb een verklaring achtergelaten bij een advocaat, die onmiddellijk Howard van Effingham zal waarschuwen als ik een ongeluk mocht krijgen. Is dat goed begrepen?'

'Val dood, Shakespeare, kleine rat, smerige papenvriend! Je denkt zeker dat je me bij de ballen hebt.'

'Daar lijkt het wel op, nietwaar?'

Opeens begon Topcliffe blaffend te lachen. 'Wat vind jij, Nicholas?' zei hij tegen zijn leerjongen. 'Dacht je dat ik me zo makkelijk bang liet maken?' Toen richtte hij zich weer tot Shakespeare. 'En wat wil je met die vier Ierse landlopers? Wou je er soms met een het nest in duiken? Nu je bent overgelopen naar die paapse sukkels...'

'Het zijn getuigen van de kroon en jij hebt ze illegaal meegenomen.'

Topcliffe schudde langzaam zijn hoofd. 'Illegaal? Welnee. Ik had een bevel van rechter Young, magistraat van Londen. Ze liggen nu in een van de smerigste holen van de stad. Je mag ze hebben – als je ze kunt vinden! En van die verrader Woode is niet veel meer over, dus ik hou hem nog even. Als ik me goed herinner heb ik volgens het bevel van rechter Young nog zeven dagen voor ik hem voor het gerecht moet brengen.'

'Dan laat je me geen keus. Ik zal onmiddellijk naar Deptford vertrekken om te overleggen met de vlootvoogd, lord Howard van Effingham.'

'Ga je gang, Shakespeare. Je hebt geen greintje bewijs tegen me. Je zult zelf van ontucht en hekserij worden beschuldigd voordat ik ooit terecht zal staan. Ik zal over je heen pissen als je aan de galg bungelt.'

De deur viel dicht. Shakespeare bleef achter, bevend van woede. Hoog boven hem verhief zich de indrukwekkende pracht van Westminster Abbey. Heel even had hij hoop gehad, maar daar was niets van over. De moordenaar liep nog steeds rond, vrij om mensen op te pakken en te folteren terwijl hij, Shakespeare, een onzekere toekomst tegemoet ging.

Boltfoot Cooper legde zijn caliver weer over zijn schouder. 'Het wordt tijd om vuur met vuur te bestrijden, heer.'

Zijn woorden wekten Shakespeare uit zijn duistere verdoving. 'Wat bedoel je, Boltfoot?'

'Ik zal die zwervers wel vinden. Desnoods ga ik alle veertien gevangenissen van Londen langs en trap ik de hekken in. En u gaat op zoek naar die heks Davis en haar hoer.'

'Dank je, Boltfoot. Gelukkig is er nog iemand van ons tweeën die helder kan denken.'

Toen ze zich omdraaiden in de heldere voorjaarszon, zag Shakespeare een jonge vrouw, met een knap gezichtje en blond haar, op weg naar Topcliffes huis. Ze had een bundeltje in haar armen dat hij voor een baby hield.

Shakespeare voer in een huifboot van Westminster naar de aanlegplaats bij St. Mary Overy, en liep van daar nog bijna een kilometer naar de straat waar hij door Moeder Davis en Isabella Clermont was verleid. Hij merkte dat hij werd geschaduwd door Topcliffes leerjongen Jones en een andere, forsgebouwde man. Shakespeare wist dat hij weinig tijd had. Topcliffe zou magistraat Young zo snel mogelijk om een arrestatiebevel vragen. En als hij in Newgate werd opgesloten zou hij weinig kunnen doen voor Catherine Marvell of Thomas Woode.

Het huis waar hij Moeder Davis en haar hoer had ontmoet, stond er donker en verlaten bij, met gesloten deuren en luiken voor de ramen. Op de vergrendelde deur hing een affiche met de mededeling dat het gebouw te huur was. Toen Shakespeare omhoogkeek naar de geblindeerde ramen, hoorde hij Jones en zijn metgezel joelen: 'Zoek je een hoer, Shakespeare? Een lekkere zwarte? Of mijn zuster, voor een halve kroon? Dan kom je niks tekort!'

Een sjouwer kwam voorbij met een kleine handkar, volgeladen met uitpuilende jutezakken. Shakespeare hield hem aan en gaf hem een penny. 'Van wie is dit gebouw?'

De man was blij dat hij de kar even kon neerzetten. Hij wierp een blik naar Jones en zijn makker. 'Vrienden van u?'

'Niet echt.'

'Gelukkig maar. Ik heb die kleine met zijn grijnzende smoel hier al eerder gezien en hij bevalt me niet. Dit mooie gebouw was vroeger van een Spaanse koopman, heer. Hij importeerde wijn uit Portugal en verder weg. Ik hielp hem wel eens als er een schip aankwam. Maar hij werd betrapt bij hulp aan roomse priesters en de grens over gezet, terug naar zijn eigen land.'

'En nu?'

'Nu staat het leeg, heer, in afwachting van een nieuwe huurder.'

'Wordt het ooit gebruikt?'

'Niet dat ik weet, heer. Het is door de rechtbank verbeurd verklaard.'

'Wie heeft de sleutels?'

'De nieuwe eigenaar, heer, ene Richard Topcliffe uit Westminster, een beroemde priesterjager die schatrijk zou zijn geworden door jonge papisten de darmen uit hun lijf te snijden.' De sjouwer lachte.

Een doodlopend spoor, dacht Shakespeare. Topcliffe had Moeder Davis de sleutel van het gebouw gegeven om een val voor hem te zetten. Hij had nog één kans. Haastig liep hij naar het westen, langs de oever van de Theems, op weg naar The Clink. Nog steeds werd hij geschaduwd. De gevangenis was een lang gebouw van twee verdiepingen, op een straat afstand van de rivier, dicht bij de Londense woning van de bisschop van Winchester.

Straatventers met manden pasteitjes, koek, brood en gebraden gevogelte onderhandelden met de gevangenen aan de andere kant van de getraliede ramen, die muntjes door de smalle openingen staken om voor het eten te betalen. Iedereen brulde en schreeuwde. Shakespeare bonsde op de zware deur. De cipier, een kleine man met holle wangen en een tong die voortdurend langs zijn lippen gleed, als van een slang, nam hem achterdochtig op. Uit naam van de koningin eiste Shakespeare toegang tot Starling Day en Parsimony Field.

De bewaarder keek hem nog eens aan. 'Ze zijn hier wel, jongeheer, maar het kost je twee shilling om bij ze te kruipen. Ze kunnen vragen wat ze willen, als ik mijn twee shilling maar krijg.'

'Hoorde je niet wat ik zei, cipier? Ik kom uit naam van de koningin.'

'En u betaalt me twee shilling voordat u die meiden kunt krijgen. Ze zijn hun geld meer dan waard.' Nijdig overhandigde Shakespeare de man het geld. Jones stond vlak achter hem, op straat, en hij wilde hem kwijt. De andere schaduw was verdwenen, waarschijnlijk om verslag uit te brengen aan Topcliffe en Young. 'Je begrijpt toch wel, cipier, dat je je vergunning kunt verliezen door geld te vragen en deze gevangenis te veranderen in een bordeel? Ik zal je aangeven bij de gevangenisraad.'

'U doet maar, heer. Dacht u dat ze iets zouden ondernemen tegen hun eigen voordeel in?' Hij keek over Shakespeares schouder naar Jones. 'Neemt u uw jonge vriend ook mee? Dat kost een shilling, dan mag hij ook naar binnen.'

Shakespeare gaf de man nog twee shilling. 'Dit is om hem buiten de deur te houden, cipier. Zorg dat hij niet binnenkomt.'

'Zoals u wilt, heer.' De bewaarder greep Shakespeare bij de mouw van zijn wambuis, sleurde hem naar binnen en smeet de versterkte, tien centimeter dikke deur dicht op het moment dat Jones zijn rechtervoet ertussen wilde zetten. De jongen jammerde van pijn toen het zware hout tegen zijn knie sloeg.

Shakespeare vond Starling en Parsimony naast elkaar, in de beste cellen van The Clink, twee kamers waar ze leefden als koopmansvrouwen, met veren bedden en genoeg eten en drinken.

'Aha, heer Shakespeare,' zei Starling. 'Wat kunnen we voor u doen op deze mooie dag? U ziet dat we hier al aardig thuis zijn, tevreden als bijen in de honingpot.'

Met enige verbazing keek Shakespeare de cel rond. Het leek wel een fraai ingerichte kamer in een luxueuze hoerentent of herberg. Overal brandden waskaarsen en er lagen mooie lakens op het bed. Starling zag er weldoorvoed uit en had kleur op haar wangen. 'Ik zie dat je het hier goed voor elkaar hebt, maar ik ben gekomen om je hier vandaan te halen, op één voorwaarde: dat je me vertelt waar ik de hoer Isabella Clermont en haar madam, Moeder Davis, kan vinden.'

'Nooit van gehoord. Vraag het maar aan Parsey, die kent iedereen in het vak.'

Parsimony's deur zat dicht. Ze was bijna klaar met een klant. Twee minuten later ging de deur open en kwam er een dikke man met een rood gezicht naar buiten. Hij droeg de dure kleren van een hoveling en probeerde zich haastig te fatsoeneren. Toen hij Shakespeare zag, sloeg hij schichtig zijn ogen neer. Parsimony hield de deur voor hem open. 'Kom binnen, heer Shakespeare. Dit is een geweldige tent waar u ons naartoe hebt gestuurd. Het wemelt hier van de hoge heren.'

Haar kamer was net zo comfortabel als die van Starling. 'Ik bied je de kans om je vrijheid terug te krijgen, Parsimony Field.'

Ze lachte. 'Ik zit goed, heer. En ik heb u al vergeven voor het feit dat u ons hier hebt laten opsluiten. We hebben elkaar ontmoet op een slecht moment. Heel triest, de dood van Harry Slide. God hebbe zijn ziel. Een man die wist hoe je een meisje gelukkig maakt. Hij dacht niet alleen aan zijn eigen pleziertjes maar ook aan de onze, en dat kom je niet vaak tegen bij een man – heer of knecht. Hij was een goede vriend.'

Starling zag Shakespeares ongeduld. 'Hij vroeg naar een paar hoertjes uit Winchester, Parsey, en hij heeft haast.'

'Ik zoek Moeder Davis en Isabella Clermont. Ken jij ze?'

Parsimony verbleekte. 'Of ik ze ken? O, ik ken die heks wel, heer. Blijf uit haar buurt! Die vrouw verkeert met demonen en met Satan zelf. Ze is een kwade geest van de ergste soort, een monster uit de hel, met scherpe tanden en giftige klauwen.'

'Heb je met haar te maken gehad?'

'Nou en of. Ze heeft twee van onze beste meiden gestolen toen ik nog bij Gilbert Cogg zat – gewoon op klaarlichte dag meegesleurd en bij haar eigen van luizen vergeven sletten gezet. Tegen de tijd dat we ontdekten waar ze zaten, hadden ze allebei de Franse pokken, waren hun tieten verschrompeld door te weinig eten en hadden ze rattenbeten op hun armen en benen. Ze waren voor een man nog net zo aantrekkelijk als een zak stinkende botten. Niets meer waard, heer.'

'Ik moet haar vinden.'

'En wat levert mij dat op?'

'Je vrijheid… en wraak op Davis.'

'En krijgen we onze eigen zaak weer terug?'

'Als dat kan. Maar ik heb geen geld voor je.'

'U hoeft alleen maar voor ons in te staan, heer Shakespeare.'

Shakespeare voelde zich er ongemakkelijk bij, maar hij had geen keus. 'Goed,' zei hij. 'Als je me vertelt waar ik haar kan vinden, zal ik mijn best voor je doen.'

Parsimony glimlachte. Ze had mooie witte tanden. 'Die heks is ongrijpbaar als rook, heer,' zei ze, 'maar ik zal u een adres geven waar u een kans hebt...'

46

Aan de achterkant van de gevangenis was een deur naar een erf, met nog een paar bijgebouwen. De cipier maakte ze open en wees Shakespeare de weg naar een lange, modderige tuin met twee varkens; een beer die energiek bezig was een zeug te beklimmen.

Aan het eind van de tuin was een muur van tweeënhalve meter hoog. De cipier drukte Shakespeare een fruitboomladder in zijn armen.

Zonder moeite klom Shakespeare over de muur. Jones was nergens te bekennen. Haastig liep Shakespeare de straten door naar het oosten, van The Clink vandaan, op weg naar London Bridge om de Theems over te steken naar de noordkant. Toen hij de brug op rende, voelde hij de doodse blikken van de afgehouwen hoofden van de verraders die aan staken boven het poortgebouw waren gestoken.

Parsimony had hem een adres gegeven in Billiter Lane, niet ver van zijn eigen huis in Seething Lane. Het was niet de omgeving waar je een toverkol en haar hoertjes zou verwachten, een dure straat midden in de stad, waar vooral kooplieden woonden die hun vrouwen in kostbare bontjassen konden kleden. Maar misschien was dat wel aantrekkelijk voor Moeder Davis: dat ze zich een rijke status kon aanmeten om juist niet op te vallen.

Hij rende langs Fen Church, over de grote vlakte van Blanch Appleton. Zijn hart bonsde in zijn keel en zijn longen piepten. Links zag hij de grote verbouwing van Ironmongers' Hall. Reusachtige kranen van eiken- en iepenhout met touwen en katrollen verhieven zich boven het geraamte.

Hij sloeg links af naar Billiter Lane en bleef stokstijf staan. Voor hem uit, als een muur van staal en zwart leer, stonden twintig papenjagers opgesteld, met getrokken zwaarden en hun radslotgeweren op hem gericht.

Heel even bleef Shakespeare zo staan, zonder te beseffen wat hij eigenlijk zag. Toen draaide hij zich om en wilde de andere kant op rennen, maar hij stuitte op de vuist van hun aanvoerder, Newall, die hem vol in zijn gezicht raakte. Shakespeare zakte door zijn knieën en stortte in de modderige greppel midden in de straat. Meteen kreeg hij nog een klap, nu met de zilveren kop van een wapenstok tegen zijn linkerslaap, en alles werd donker.

Hij kwam bij in het halfduister. Nog nooit in zijn leven had hij zo'n hoofdpijn gehad, zo onverdraaglijk dat hij liever dood was. Hij probeerde zich te bewegen maar merkte dat zijn voeten met ringen stevig aan de grond waren bevestigd. Hij lag in een cel, verlicht door een talgkaars in een zwarte ijzeren houder aan de muur. Nicholas Jones, het hulpje van Topcliffe, keek hem smalend aan. 'Je dacht zeker dat je me kon afschudden?' Hij had een pijp in zijn mond en braakte rookwolken uit. 'We hebben een paar leuke verrassingen voor je in petto, John Shakespeare. Wacht maar tot ik heer Topcliffe heb verteld dat je weer bij kennis bent. Niet weglopen, hoor...' Hij haalde de pijp uit zijn mond en klopte de as en het brandende tabaksblad over Shakespeares hoofd uit.

Shakespeare wilde de hete as van zijn hoofd schudden, maar had er de kracht niet voor. Zijn zicht kwam en ging in vlagen, als sneeuw in de wind, voor hij weer wegzakte in het niets.

Toen hij wakker werd, dacht hij dat hij nog droomde. Boven zijn hoofd zag hij de warme eiken plafondbalken van zijn eigen slaapkamer. Zonlicht stroomde naar binnen door het raam tegenover het bed waarin hij lag. Hij draaide zijn hoofd opzij. Naast hem, op een driepotig krukje, zat Jane, zijn dienstmeisje.

'Heer Shakespeare?'

'Jane? Ben jij dat echt?'

'U bent eindelijk wakker.'

Shakespeare sloot zijn ogen, ten prooi aan een dodelijke vermoeidheid. Was het maar een droom geweest dat hij in een cel lag met Jones als cipier? Een vreemde nachtmerrie, het werk van demonen?

'Hoe lang lig ik hier al, Jane?'

'Drie dagen en drie nachten, heer. Goddank bent u nog bij ons. We waren bang dat u nooit meer wakker zou worden. Die klap op uw hoofd...'

'Hoe ben ik hier terechtgekomen?'

Jane pakte zijn hand. 'Op een wagen, gebracht door de mannen van minister Walsingham. Praat maar niet verder. Ik zal u wat vlees en drinken brengen.'

Geleidelijk werd hij zich bewust van zijn lichaam. Hier en daar voelde hij een doffe pijn – zijn arm, waar Herricks mes hem had geraakt, zijn gekneusde gezicht, zijn achterhoofd. 'Walsinghams mannen hebben me hier gebracht, zei je? Ik dacht dat ik in een cel lag, opgesloten door Richard Topcliffe.'

Jane stond op van haar krukje, boog zich over hem heen, streek zijn lakens glad en klopte zijn hoofdkussen op. 'Heer, u hebt al drie dagen of langer niet gegeten. De arts zei dat u zich rustig moest houden als u wakker werd en voorzichtig wat moest eten en drinken.'

Shakespeare hees zich op zijn ellebogen. 'Jane, je hoeft me niet te vertroetelen als een kind. Vertel me wat er is gebeurd.'

'U was gevangengenomen door Topcliffe, heer. We vreesden het ergste. Maar Boltfoot is naar minister Walsingham gegaan, die onmiddellijk zijn mensen heeft gestuurd met een bevel om u vrij te laten. Toen u hier aankwam, was u er slecht aan toe. U zat onder het bloed en het vuil, en u ademde zo zwak dat ik het nauwelijks meer kon horen.'

Shakespeare probeerde zijn gedachten op een rij te krijgen. Hij herinnerde zich nog dat hij van The Clink naar Billiter Lane was gerend, waar hij op de papenjagers was gestuit. Toen een vuistslag in zijn gezicht en een klap tegen zijn achterhoofd. Daarna niets meer, behalve flitsen van de cel in Topcliffes huis, met Nicholas Jones, diens beulsknecht.

'Is Catherine hier?'

Jane was bezig het raam te openen. 'Niet op dit moment, heer.'

'Waar is ze dan?'

Jane hield haar blik nog steeds afgewend en staarde over de kleine achtertuin. Het geluid van vogels zweefde naar binnen door het open raam. 'Terug naar Dowgate, heer. Ze heeft een brief voor u achtergelaten.' Ze gaf de brief aan Shakespeare en liep toen haastig naar de deur.

'Jane, wacht.'

Voorzichtig verbrak Shakespeare het zegel met het mes dat altijd op zijn nachtkastje lag. De brief, in een mooi handschrift, was niet lang, maar het leek Shakespeare een eeuwigheid te kosten om hem te lezen:

John,

Als je deze brief leest, weet ik dat je bent hersteld en dank ik God dat onze gebeden zijn verhoord. Maar dit verhaal kent geen gelukkig einde. Ik kan je niet zeggen hoeveel verdriet het me doet om je dit te moeten schrijven. Mijn heer, Thomas Woode, is weer thuis in Dowgate en ik moet naar hem teruggaan met de kinderen. Hij is een gebroken man. Hij kan niet meer lopen of zelfs zijn armen en handen voldoende bewegen om te eten. Hij heeft op het randje van de dood gebalanceerd en zal nooit meer de oude worden. Ik moet hem verplegen en zijn kinderen, Andrew en Grace, verzorgen. Dat is mijn christenplicht.

Je weet dat ik van je houd, John. Twijfel daar niet aan. Een paar korte uren waren wij één, en nooit zal ik die nacht vergeten. Maar ik kan niet aan jou toebehoren, omdat hun behoefte groter is dan de onze. Wees niet boos op me en kom me niet achterna naar Dowgate. Ik zou de pijn niet kunnen verdragen om opnieuw afscheid van je te moeten nemen.

John, dankzij jouw inspanningen is Thomas Woode weer vrij, en daar ben ik je dankbaar voor. Ik heb spijt van al die dingen die ik tegen je heb gezegd, want ik weet dat je een goed mens bent. Ik moet ook Jane, jouw broer en zijn gezelschap bedanken, en ik zal hun allemaal schrijven, want zij hebben mij en de kinderen voor een afschuwelijk lot behoed, dat staat wel vast. Vergeef me, John.

Voor altijd de jouwe, in Christus' liefde, Catherine.

Na een tijdje keek Shakespeare op. Hij haalde diep adem. 'Weet je wat er in deze brief staat, Jane?'

'Ja, heer,' antwoordde ze met verstikte stem, nog steeds zonder hem aan te kijken. Ze veegde een traan van haar gezicht.

'Is er nog hoop dat ze van gedachten zal veranderen?'

Jane schudde haar hoofd. Tranen drupten over haar wangen en ze kon geen woorden vinden.

'Nee?'

Weer schudde ze haar hoofd.

'Dank je, Jane. Ga nu maar.'

Ze rende zijn kamer uit. Hij hoorde haar jammeren als een gewond dier toen ze de trap af liep. Hij verfrommelde de brief tot een prop en smeet hem tegen de vloer. Even later kwam hij voorzichtig tussen de lakens vandaan. Onvast op zijn benen schuifelde hij de kamer door en raapte de verfrommelde brief op. Hij liep ermee naar het raam, streek hem glad en las hem opnieuw.

47

'Is er nieuws van Drake?' vroeg Walsingham.

'Nee, geen berichten, goed of slecht,' antwoordde John Hawkins. 'En dat is gunstig.'

Walsingham leek niet overtuigd. 'Daar denk ik toch anders over, kapitein Hawkins. Ik zou liever horen dat hij met zijn schepen de haven van Lissabon is binnen gevaren en de Spaanse vloot in brand heeft geschoten voordat die kan vertrekken, want wij zijn nog lang niet klaar om die armada het hoofd te bieden.'

Het bleef even stil in de kamer. Iedereen aan de lange tafel in de bibliotheek van Walsinghams huis in Seething Lane besefte dat hij gelijk had. De Engelse verdediging schoot nog pijnlijk tekort. Als de geharde Spaanse troepen ooit in Sussex, Kent of Essex zouden landen, zouden ze zich als leeuwen door de pasgevormde milities van de koningin vechten en naar Londen oprukken. De steden en akkers van Engeland zouden bloedrood kleuren in een slachting die het land in vijfhonderd jaar niet meer had meegemaakt.

Rond de tafel zaten Hawkins, de architect van de nieuwe marine, Walsingham zelf, zijn assistenten Arthur Gregory en Francis Mills, codebreker Thomas Phelippes en John Shakespeare.

'In elk geval is hij veilig uitgevaren,' verbrak Walsingham de stilte. 'En daar mogen we Shakespeare dankbaar voor zijn.'

Iedereen knikte in Shakespeares richting. Mills legde zijn handen tegen elkaar, alsof hij applaudisseerde in een theater.

'Maar ik maak me ernstige zorgen over jouw inlichtingenoperatie, Mills.'

Mills kleurde. 'Heer minister?'

'Jazeker. Toen we de vorige keer hier bijeenkwamen, zonder kapitein Hawkins, deed u verslag over de gebeurtenissen rond de moord op Willem de Zwijger in Delft. Dat was in het algemeen heel nuttig en accuraat, maar één detail bleek toch gevaarlijk onjuist. Ik zou het zelfs vals en misleidend willen noemen. Hopelijk was dat niet met opzet. Je zei dat de moordenaar, Balthasar Gerards, een medeplichtige had en je had inlichtingen, zogenaamd uit Holland, over zijn reputatie dat hij hoeren sloeg en er zelfs een had vermoord en haar lichaam had verminkt met religieuze symbolen. Waar had je die informatie vandaan, als ik vragen mag?'

Mills sputterde wat en zocht naar woorden. Enigszins in paniek sperde hij zijn scherpe kleine oogjes open toen hij de blikken van alle anderen op zich gericht voelde. 'Nou, van mijn contacten binnen het Hollandse netwerk, heer minister.'

Walsingham schudde langzaam zijn hoofd. 'Ik heb de vrijheid genomen om de autoriteiten in Delft en Rotterdam te benaderen. Zij weten niets van dit verhaal. O, ze zijn ervan overtuigd dat Balthasar Gerards een medeplichtige had, maar er was geen enkele aanwijzing voor een connectie met die vermoorde vrouw. Gerards' kompaan was wel een flagellant en betaalde hoertjes om hem te geselen, maar zelf sloeg hij hen niet. En er waren ook geen religieuze symbolen in het lichaam van de vermoorde vrouw gekerfd.'

'Ik... daar begrijp ik niets van. Zo had ik het toch gehoord.'

'Weet je zeker, Mills, dat je die informatie niet van heel iemand anders hebt gehoord, veel dichter bij huis? Van Topcliffe en zijn kameraden, bijvoorbeeld?'

Mills zat in de val. Shakespeare hield hem scherp in de gaten. De situatie was net zo fascinerend als bij het berengevecht, wanneer een van de grote beren, Sackerson of Hunks, een hond had gegrepen en zijn rug brak met de geweldige kracht van zijn poten. Mills gaf het op en knikte. 'Hij zei dat hij connecties in Holland had die het hem hadden verteld, heer. Ik had het natuurlijk moeten nagaan.'

'Zoals je je ook had moeten afvragen waarom Topcliffe juist jou dat verhaal vertelde. Dat ligt niet echt op zijn weg.' Walsingham richtte zich tot Shakespeare. 'Is het niet zo, John? Zonder dat valse spoor zou jouw werk heel wat eenvoudiger zijn geweest.'

'Het spijt me vreselijk,' zei Mills, en hij stond op. 'Topcliffe zei dat hij informatie over de zaak had, afkomstig van een priester die hij had ondervraagd. Maar ik mocht niet onthullen dat hij de bron was. Ik had die inlichtingen natuurlijk niet mogen doorgeven zonder de feiten te controleren of in elk geval na te gaan waar ze vandaan kwamen. Wilt u hierbij mijn ontslag accepteren, heer minister? Ik heb een ernstige fout gemaakt en verdien uw honende woorden volledig.'

'Nee Mills, ik zal je ontslag niet accepteren. Je excuses zijn voor mij voldoende en ook voor Shakespeare, neem ik aan. Laten we hier allemaal een les uit trekken. De betrouwbaarheid van onze inlichtingen is van het grootste belang. We moeten elk feit kritisch bekijken en de motieven van de informant analyseren. En jullie moeten mij altijd je bronnen bekendmaken. Trek zelf maar je conclusies over Topcliffes motieven in deze zaak. Goed, dan hebben we nog enkele punten die hier verband mee houden. Om te beginnen de kwestie van John Doughty, de broer van Thomas Doughty, die jaren geleden door Drake op een verre kust is terechtgesteld. We weten dat John Doughty een paar jaar terug een eigen samenzwering tegen Drake had beraamd om de dood van zijn broer te wreken – en de twintigduizend dukaten te incasseren die door Filips van Spanje waren uitgeloofd. John Doughty werd ontmaskerd en naar de gevangenis van Marshalsea gestuurd. Maar niemand scheen te weten hoe het met hem was afgelopen en ik meen dat Shakespeare zich afvroeg of hij niet was vrijgekomen en iets met deze laatste samenzwering te maken zou kunnen hebben. Nou, op dat punt kunnen we iedereen geruststellen. Gregory?'

Arthur Gregory stond op terwijl Mills ging zitten, blij dat hij niet langer het middelpunt van alle aandacht was. Gregory glimlachte en sprak langzaam, om zo min mogelijk te stotteren. 'Ik heb nog eens navraag gedaan. Het s-s-schijnt dat John Doughty zo'n v-v-vier jaar geleden van Marsh-sh-shalsea naar Newgate is overgebracht om zijn executie af te wachten. Dat had n-n-natuurlijk in het zwarte boek van Marshalsea moeten staan, maar dat was niet zo. Doughty is de beul voor geweest door te overlijden aan bloederige buikloop. Een alledaags einde voor zo'n k-k-kleine, wraakzuchtige man. Heel p-p-passend dat niemand wist wat er met hem gebeurd was en dat het niemand blijkbaar kon schelen. Maar het staat wel vast dat hij met deze laatste samenzwering niets te m-m-maken had.'

Walsingham nam het van hem over. 'Dus blijven er nog twee man over: de Vlaming die allerlei namen gebruikte, waaronder Herrick, en onze verraderlijke kapitein, Harper Stanley. Herrick past bij het signalement van de medeplichtige van Balthasar Gerards in Delft. Ik ben ervan overtuigd dat hij de "drakendoder" was die door Mendoza en Filips hierheen was gestuurd om de vice-admiraal te doden, wat hem twee keer bijna is gelukt. Ik denk niet dat we ooit meer over hem te weten zullen komen, maar dat doet er niet toe. Ik wil geen martelaar van hem maken, dus Shakespeare heeft goed gehandeld door hem in Plymouth te laten berechten en executeren. Hoe minder mensen iets weten van deze aanslagen op Drakes leven, hoe beter. In de ogen van het volk moet de vice-admiraal een onkwetsbare held blijven. Zijn kracht maakt ons sterk.'

'En kapitein Stanley?' vroeg Shakespeare. 'Wat weten we over hem?'

Walsingham keek naar zijn codebreker. 'Ik heb Phelippes wat inlichtingen laten inwinnen terwijl jij herstelde, John.'

Phelippes ademde op zijn bril en veegde de glazen schoon met de mouw van zijn hemd. Het glas was gekrast en bijna ondoorschijnend door al dat poetsen. Phelippes stond niet op voor zijn verhaal. 'Dat heb ik gedaan, ja. Hij had zijn naam veranderd van Percy in Stanley. We hadden hem allang in de gaten moeten hebben. Ik heb met een paar medeofficieren van hem gesproken en ontdekte dat hij regelmatig op de Franse ambassade kwam. Zijn vrienden vertelde hij dat hij een relatie had met een Française daar. Hij kon komen en gaan naar believen. Toen herinnerde ik me een paar onderschepte brieven van de ambassade aan Mendoza, met details over vlootbewegingen. We hadden nooit ontdekt van wie die gegevens afkomstig waren. Ze waren erg schadelijk voor Engeland omdat ze de posities en sterkte van onze marineschepen weergaven. Als Drake of kapitein Hawkins op zee was, wist Mendoza dat binnen een paar dagen. Ik heb het handschrift van die brieven vergeleken met dat van kapitein Stanley. Het is identiek. Waarschijnlijk heeft hij die informatie verkocht voor geld en uit wraak voor de straf en vernedering die zijn familie had ondergaan na de noordelijke opstand, achttien jaar geleden. Het is heel goed mogelijk dat hij contact heeft gehad met Herrick. Mijn theorie… meer is het niet… is dat hij de Spanjaarden vier of vijf maanden geleden heeft gezegd dat hij een eventuele Spaanse huurmoordenaar zou kunnen helpen met wapens en toegang tot de vice-admiraal. Toen de samenzwering leek te mislukken, heeft hij de zaak in eigen hand genomen. Gelukkig wisten Drakes vriend Diego en Boltfoot Cooper hem de voet dwars te zetten.'

Walsingham schraapte zijn keel. 'Dus zo ligt de situatie. Drake is gered. Voorlopig. Maar we moeten waakzaam blijven en alles in het werk stellen om nog meer complotten te ontdekken op de mestvaalten van Londen. Dit zal zeker niet de laatste poging van Mendoza zijn, uit naam van zijn koning. Zeg uw gebeden, heren, elke ochtend en elke avond en zo vaak mogelijk daartussenin, want het ligt nu echt in Gods hand of Engeland dit gaat overleven.' Toen iedereen opstond om te vertrekken, strekte Walsingham zijn wijsvinger naar Shakespeare uit. 'Blijf nog even.'

Zodra ze alleen waren, bood Walsingham hem iets te drinken aan en begon toen te ijsberen, met zijn handen op zijn rug. Shakespeare volgde hem zwijgend met zijn ogen.

Eindelijk nam de minister het woord: 'Er is nog één ding, John, dat ik onder vier ogen met je wilde bespreken. De kwestie van Robert Southwell, de jezuïet. Je hebt hem toch nog niet gevonden?'

'Nee, sir Francis,' antwoordde Shakespeare meteen. Hij had dit moment in gedachten al gerepeteerd. Misschien had hij Southwell wel ontmoet, maar dat wist hij niet zeker want de priester had niet zijn naam genoemd.

'Topcliffe denkt dat je hem gesproken hebt. Volgens hem had Southwell onderdak gekregen bij Thomas Woode en diens gouvernante, Catherine Marvell, en collaboreerde jij met hen.'

'Dat is niet zo. Ik collaboreer met niemand.'

'Maar als je hem vond, zou je me dat toch zeggen, is het niet?'

'Jawel, heer minister.'

'En als je dacht dat Woode of Catherine Marvell jezuïeten verborg, zou je dat ook zeggen?'

'Ik weet zeker dat ze geen jezuïeten verbergen, heer minister.'

Walsingham trok een donkere wenkbrauw op. 'Een interessante woordkeus, John: de tegenwoordige tijd. Je begint de roomse kunst van het ontwijkende antwoord al aardig onder de knie te krijgen.'

'Heer minister?'

Walsingham pakte een papier van de tafel. 'Ik zal het erbij laten, voor deze keer. Maar je moet niet te lichtvaardig over die jezuïeten denken, John. Southwell is onze vijand.' Hij liet het papier aan Shakespeare zien. 'Dit is een gedicht van Southwell zelf. Lees het, John, al zal je maag ervan omdraaien. Hij noemt Mary Stuart een heilige, een martelares en een roos – de vrouw die plannen had om onze vorstin uit de weg te ruimen.'

Shakespeare las het gedicht. Was dit de man die hij in de siertuin had ontmoet? Hoe had hij zoiets kunnen schrijven? Zelfs rooms-katholieken moesten toch weten wat voor een achterbakse moordenares Mary was geweest?

Walsingham pakte het papier weer aan. 'Genoeg. Ik wil je alleen zeggen dat Thomas Woode bekend is bij mijn inlichtingenofficieren in Rome, want hij was een gulle sympathisant van het Engels seminarie. Maar nu iets anders. Vertel me eens, John, of er gevoelens bestaan tussen jou en Catherine Marvell. Is dat zo?'

Shakespeare haalde diep adem en knikte, zoekend naar de juiste woorden. 'Er waren warme gevoelens, heer.'

'Maar die zijn voorbij?'

Shakespeare knikte weer. Hij kon niets zeggen.

Walsinghams toon werd milder. 'Het spijt me. Ik begrijp je verdriet, John, maar het is beter zo. Op dit punt moet je me geloven. Zulke verhoudingen hebben geen toekomst in het huidige klimaat, zolang jij nog zulk belangrijk werk doet en achterdocht en opruiing voortdurend op de loer liggen...'

Shakespeare wilde schreeuwen dat het niét beter was zo, dat zijn hart aan scherven lag. Hij wilde schreeuwen dat hij liever schoolmeester zou zijn en getrouwd met Catherine, dan dit werk te moeten doen zonder haar. Maar zijn keel leek dichtgeknepen.

Walsingham zag hoe hij eraan toe was en schonk wijn in. 'We hebben het er niet meer over. Je moet een paar dagen rust nemen na al je inspanningen, John. Ik meen dat je broer in de stad is? Breng wat tijd met hem door, als je wilt. Je bent gewond geraakt. Probeer te herstellen. Maar voordat je van je welverdiende rust gaat genieten – je rit naar Plymouth en alles wat daarna volgde heeft grote waardering geoogst bij Hare Majesteit – wil ik je nog één ding vragen. Ga naar lord Howard van Effingham en zeg hem dat je de moord op zijn dochter hebt opgelost. Vertel hem dat ze is vermoord door een zekere Herrick, die inmiddels is terechtgesteld voor die daad en voor een aanslag op sir Francis Drake.'

Eindelijk vond Shakespeare zijn stem terug. 'U vraagt me iets te zeggen waarvan we allebei weten dat het een leugen is, heer minister. Wij weten wie lady Blanche Howard heeft vermoord.'

Walsinghams gezicht verstrakte. 'Doe dit voor mij, John. Ik heb een gunsteling van onze koningin gedwarsboomd om jou te beschermen tegen de wet. Soms moeten we onaangename dingen doen om erger te voorkomen. Wie van ons zou voor de inquisitie worden gespaard als Spanje ons verslaat? Niemand. Wij maken alleen jacht op onrust-stokers. Als jij dit voor me doet, beloof ik je dat Thomas Woode en Catherine Marvell nooit meer door Richard Topcliffe zullen worden bedreigd of lastiggevallen. Begrijp je me?'

Shakespeare knikte.

'Doe het vandaag nog, John. En ga met God.'

48

Boltfoot Cooper keek opvallend verlegen voor zijn doen. Hij wrong zijn muts tussen zijn knoestige handen alsof hij een haan de nek omdraaide.

Shakespeare keek hem onderzoekend aan. 'Laat horen, Boltfoot. Hoe is je speurtocht naar die vier vagebonden uit Hog Lane verlopen?'

'Ik heb ze gevonden en vrijgelaten, heer.'

'O ja? Dat is geweldig nieuws. En waar zaten ze nou?'

'Nog steeds in Bridewell, heer.'

'In Bridewell!'

'Ze waren in geen van de andere gevangenissen, dus ben ik daarheen teruggegaan. Toen ik de cipier ondervroeg, gedroeg hij zich schichtig, zelfs schuldig, dus heb ik hem gedreigd met de macht van de minister – en uzelf, natuurlijk. Ten slotte gaf hij angstig toe dat ze er nog waren. Newall had hem opgedragen te zeggen dat ze waren verdwenen. De cipier zal er wel wat voor hebben gekregen, hoewel hij dat ontkent.'

'Wát? Ik zal die vuile bedrieger voor de gevangenisraad slepen. Tegen mij hield hij vol dat ze naar een andere gevangenis waren overgebracht. En hoe ging het met die vier mannen? Hoe waren ze eraan toe?'

'Niet best, heer. Ze moesten touw pluizen en ze waren afgeranseld en uitgehongerd. Maar ze zijn vrij en ze zullen hun beproevingen wel overleven. Ik heb ze na een stevige maaltijd naar hun toneelgroep teruggebracht.'

'En heb je ze nog gevraagd wat ze de nacht van de brand hadden gezien?'

'Ja. Helemaal niets, behalve de brand zelf. De leider van het viertal vertelde me dat ze meteen te hulp waren gesneld. Ze hebben twee uur met emmers gesjouwd tot het vuur was gedoofd. Daarna zijn ze uitgeput in slaap gevallen in de stallen. Het was er warmer dan in het theater, zeiden ze.'

'Dus ze hebben niet gezien dat er een lichaam dat huis in Hog Lane werd binnengedragen?'

'Nee heer.'

'En ze weten niets over lady Blanche?'

Boltfoot schudde zijn hoofd. 'Nee. En verder hebben ze ook niets verdachts gezien.'

Shakespeare dacht daarover na. Natuurlijk had Topcliffe niet zeker kunnen weten of het viertal iets had opgemerkt, maar toen hij ontdekte dat ze zo dichtbij hadden geslapen, had hij het veiliger gevonden om ze te laten zitten waar Shakespeare hen niet kon ondervragen. En was er een betere plek dan vlak onder zijn neus? 'Goed werk, Boltfoot. Je hebt je weer nuttig gemaakt.'

'Dank u, heer,' zei Boltfoot tevreden. Maar hij maakte geen aanstalten om te vertrekken en draaide zijn muts nog fanatieker in zijn handen rond. Elke haan of kip zou in zijn krachtige knuisten allang dood zijn geweest. 'Heer Shakespeare,' zei hij, met neergeslagen ogen, 'ik zou u een gunst willen vragen; uw permissie, eigenlijk.'

Shakespeare zuchtte. 'Zeg het nou maar. Ik weet ook wel dat je mijn toestemming wilt om Jane het hof te maken. Waar of niet?'

Boltfoot knikte schaapachtig. 'Ja heer.'

'Waarom zou een knappe jonge meid als Jane Cawston geïnteresseerd zijn in een norse, grijze, kreupele oude vent van boven de dertig, Boltfoot?'

Boltfoots gezicht betrok. Hij leek echt gekwetst. 'Het spijt me, heer. U hebt natuurlijk gelijk.'

Shakespeare sloeg zijn arm om Boltfoots schouders. 'Rare kerel! Ik zit je te stangen. Natuurlijk mag je Jane het hof maken. Ik ben heel blij voor jullie allebei. Je bent een gelukkig man, en zij mag ook niet klagen. Mijn zegen hebben jullie. Ik zal alleen bidden dat jullie kinderen meer op haar lijken dan op jou!'

Boltfoot grinnikte. 'Dat hoop ik ook, heer. En dank u.'

Shakespeare lachte tegen hem. Boltfoots blijdschap vormde een schril contrast met zijn eigen verdriet, maar hij was oprecht verheugd voor de man. Niemand verdiende dat geluk meer dan Boltfoot. Het had hem al vaak genoeg tegengezeten in het leven; het werd tijd dat de kansen keerden. 'Kom, Boltfoot, dan roepen we Jane en drinken we een glas zoete wijn om het te vieren. Ik heb de afgelopen dagen weinig reden gehad om te feesten...'

Het gesprek met lord Howard van Effingham verliep vanaf het begin moeizaam. Howard was niet blij om Shakespeare te zien en toonde geen enkele emotie bij het nieuws dat de veronderstelde moordenaar van zijn geadopteerde dochter was opgepakt en terechtgesteld. Hij knikte kort. Ze stonden in de hal van zijn huis in Deptford en Shakespeare werd niet gevraagd om verder te komen.

'Dus dat is het verhaal, Shakespeare?'

'Heer, de moordenaar, een Vlaming die Herrick heette, is in Plymouth geëxecuteerd. Hij wilde een aanslag plegen op vice-admiraal Drake. Misschien dacht hij dat hij Drake kon treffen via u. Daarom probeerde hij vriendschap te sluiten met uw dochter, ben ik bang. Misschien kwam ze te veel over hem te weten en wilde hij haar het zwijgen opleggen.'

'Ja, ik heb het allemaal gehoord. Ik geloof wel dat je goed werk hebt geleverd, Shakespeare, maar ik ben niet achterlijk en ik heb mijn eigen ideeën over de moord op Blanche, net als jij, neem ik aan. Maar we zijn allemaal onderdanen van Hare Majesteit en we moeten bepaalde dingen nu eenmaal accepteren.'

'Ja heer.'

'Dan zeg ik je goedendag,' besloot lord Howard kortaf, en hij hield de deur open. Shakespeare had geen andere keus dan te vertrekken.

Toen hij de kade op stapte, kon hij zich niet onttrekken aan het gevoel dat hij Howard had verraden. Er liep nog steeds een moordenaar vrij rond die kon toeslaan wanneer hij wilde. En dat wist Howard ook. Dit was de makkelijkste oplossing, verder niets, maar wel een vlek op het blazoen van het land. Beide mannen zouden de bittere smaak moeten wegslikken.

Thomas Woode was zich bewust van de koele linnen lakens op zijn lichaam. Het leek alsof hij zweefde. Zolang hij stillag, voelde hij geen pijn, maar bij de kleinste beweging gingen er felle scheuten door hem heen.

Catherine stond naast zijn bed. Voorzichtig depte ze zijn voorhoofd met een neteldoek, gedoopt in water.

'Dank je,' zei hij, bijna zonder zijn lippen te bewegen.

Hij was nu twee weken thuis. Het herstel ging langzaam. Niemand wist of hij ooit nog zou kunnen lopen of zelfs maar zijn armen gebruiken, zo ernstig was hij eraan toe. Zijn gezicht was ingevallen en zijn haar wit geworden, maar toch blonk er nog een lichtje in zijn ogen.

'Ik had me al verzoend met de dood,' zei hij, met een grimas van pijn omdat dit al te veel woorden voor hem waren.

'U bent veilig nu. Wij allemaal.'

Woode sloot zijn ogen en zag Margarets gezicht weer voor zich opdoemen. Ja, hij was veilig. Niets kon hem nog deren. En toch wist hij dat er iets niet klopte. Er waren al te veel levens geofferd. Dat mocht niet nog eens gebeuren...

'Is dit hem, Rose? Is dit jouw baby?'

Rose Downie hield het kind in haar armen. Hij was veel groter nu, maar ze wist onmiddellijk dat het William Edmund was, haar eigen Mund. Zijn blauwe ogen keken naar haar op zonder een spoor van herkenning. Twee maanden lang was hij verzorgd door een andere moeder, de vrouw die hem op de markt had gestolen toen Rose hem even had neergelegd om met een koopman te onderhandelen.

'Hij is gezond en wel, nietwaar Rose?'

Tranen rolden over haar wangen. 'Ja, heer Topcliffe. Ik was vergeten hoe blauw zijn ogen zijn. En hij is dikker nu, veel dikker.'

'Goed. Ik kan je zeggen dat die andere baby, als je zo'n monsterlijk schepsel zo kunt noemen, weer bij zijn eigen moeder is. Maar nog altijd heb je me die smerige priester Southwell niet uitgeleverd, Rose.'

'Het spijt me, heer, maar hij was er echt. U moet me geloven, ik smeek het u.'

'Ik geloof je wel, Rose, maar dat is niet genoeg. Je moet in dat huis van de verraders blijven tot hij terugkomt en me onmiddellijk waarschuwen als dat gebeurt. Want hij komt zeker terug. Begrijp je me?'

Rose kon haar ogen niet losmaken van Munds gezicht. Ze kuste zijn oogleden en zijn zachte roze wangen. Tranen vertroebelden haar zicht. 'Ja heer, maar lady Tanahill vertrouwt me niet meer. De andere bedienden ook niet. Ze zullen wel vermoeden dat ik naar u ben gegaan met informatie over die priester.'

'En zijn er nog andere bezoekers geweest sinds ons vorige gesprek?'

Rose schudde haar hoofd, terwijl ze nog steeds snikte en lachte tegen de baby. 'Nee, heer.'

Topcliffe stapte op haar toe en greep haar borsten. 'Je geeft nog melk, kleine koe. Je tieten zijn vol en zwaar van romige melk. Dat kind zal zijn buikje rond kunnen drinken.'

'Ja heer.'

'Let goed op of je priesters ziet, Rose. Als ik iets hoor wat jij voor me hebt achtergehouden, ziet het er niet best voor je uit. Ik heb je je kind teruggegeven, maar ik kan het je ook weer afnemen. Je bent nu van mij, Rose, onthou dat goed. Probeer nooit te ontsnappen.'

Topcliffe liet haar borsten weer los. Rose klemde de baby nog steviger tegen zich aan. 'Ik zal u altijd vertellen wat ik weet, heer Topcliffe. Dat zweer ik bij alles wat me heilig is.'

'Goed. Wil je niet weten waar je kind al die tijd is geweest?'

'Ja, heer. Maar hij lijkt goed verzorgd, God zij dank.'

'Hij was bij de echtgenote van een koopman in de stad. Mensen met geld, een ridder van het rijk. Ik zal je hun naam niet noemen. De vrouw was van streek door de geboorte van haar kleine monster – gek van verdriet. Ze kende jou niet, maar toevallig zag ze je met je baby en ze is je gevolgd. Toen je het kind neerlegde, zag ze haar kans schoon en ruilde de baby's eenvoudig om. Helaas voor haar zag een voedster het verschil tussen de twee kinderen en begon te roddelen. En als mensen roddelen, dan hoor ik het. Het was heel verstandig van je om naar mij toe te komen, Rose. Topcliffe is je man.' Hij stak Rose' hand onder haar rokken en streelde de binnenkant van haar dijen. Rose deinsde niet terug. Hij kon met haar doen wat hij wilde, dat maakte haar niet uit. Ze had haar kind terug.

'Dank u voor alles wat u hebt gedaan, heer Topcliffe. Ik zal de wereld vertellen dat u een goed mens bent.' Maar ergens in haar achterhoofd dacht ze aan het kind waarvoor ze al die weken had gezorgd, ze voelde zich schuldig. Ze bad dat het goed terecht zou komen.

'Doe dat, Rose.'

49

Aan de noordkant van Seething Lane hield John Shakespeare zijn merrie in en liet zich uit het zadel glijden. Hij had een paar dagen in Stratford doorgebracht en zijn dijen en rug deden pijn van de lange rit terug naar Londen. Maar zijn fysieke wonden heelden in elk geval voorspoedig. Hij kon zijn linkerarm weer gebruiken en de kneuzingen in zijn gezicht waren verdwenen. Samen met de grijze merrie stak hij de keitjes van de binnenplaats over, waar de stalknecht de teugels van hem overnam. Hij gaf het paard een tik op de flank en kriebelde haar oor voordat hij de man vroeg zijn zadeltassen mee te brengen en zelf de laatste twintig meter naar zijn voordeur liep.

Jane deed meteen open, bijna nog voor hij de klink van de deur had aangeraakt. 'O heer, goddank dat u weer veilig thuis bent.'

Shakespeare glimlachte, maar er stond ook bezorgdheid in zijn ogen. 'Wat is er aan de hand, Jane?'

'Niets, heer Shakespeare, maar er is zo veel gebeurd sinds u weg bent, dat ik niet weet waar ik moet beginnen.'

'Nou, help me maar eerst mijn laarzen uit te trekken. Die lijken wel aan mijn kuiten vastgelijmd. En een kroes bier zou lekker zijn.'

Jane glimlachte, maar barstte toen in tranen uit. Haastig greep ze haar rokken en rende naar een andere kamer. Shakespeare keek haar verwonderd na, zette toen zijn hoed af en ging op een driepotig krukje in de hal zitten om zich zonder hulp van zijn laarzen te ontdoen.

Na veel gesjor en getrek had hij eindelijk de rechterlaars uit en hij was aan de linker begonnen, toen hij de deur hoorde opengaan en opkeek. Lange seconden staarden ze elkaar aan.

'Catherine,' zei hij, fluisterend.

Ze stond in de deuropening. 'Dag John.' Ze stak hem een vel papier toe. 'Ik heb een uitnodiging voor je. Van Little Bird en Queenie. Het schijnt dat ze een ongelooflijk luxueuze zaak gaan openen en zich heel vereerd zouden voelen om jou als gast te ontvangen.'

Shakespeare maakte zijn blik van haar los en rukte ongeduldig aan zijn laars. Hij wist niet wat hij moest zeggen. 'Ze hebben me bij mijn onderzoek geholpen en me het spoor naar Plymouth gewezen,' mompelde hij.

'Dan moet je hun uitnodiging zeker aannemen.' Ze zag hoe hij zat te stuntelen. 'Hulp nodig?'

Hij lachte en voelde tranen in zijn ogen prikken. 'Ja, dat zou fijn zijn.'

Ze knielde voor hem neer, trok de laars van zijn voet en hield het schoeisel omhoog. 'Misschien moet je die waardeloze dienstmeid van je ontslaan en mij nemen, in haar plaats.'

'Catherine?'

'Ja...'

'Goddank dat ik je zie.'

'Anders had je nooit die linkerlaars losgekregen.'

Ze kwam overeind. Nooit had ze er mooier uitgezien. Haar donkere haar glansde en hij moest steeds zijn hand uitsteken om het aan te raken.

'Je mag me kussen als je wilt, John.'

Hij nam haar in zijn armen en hun lippen ontmoetten elkaar. Ze liet zijn laars op de grond vallen, sloeg haar armen om hem heen en trok hem dicht tegen zich aan. 'Ik heb u gevangen, heer Shakespeare.'

'Had ik dan geprobeerd om weg te komen, juffrouw?'

Ze schudde haar hoofd. 'Misschien niet, maar toch heb ik u nu.'

'En ik u, mag ik hopen. Wilt u met me trouwen, juffrouw?'

'Daar sta ik op, heer, want ik meen dat u mijn maagdelijkheid al hebt geroofd. Zo'n diefstal kan niet ongestraft blijven.'

'Als ik me goed herinner, was u daarin niet onwillig.'

'Dan zijn we medeplichtigen en moeten we samen onze straf dragen. Trouwen dus.'

'En dat alles voor een gestolen maagdelijkheid.' Shakespeare trok Catherine tegen zich aan en ze kusten weer.

Eindelijk deed ze een stap naar achteren. 'Heer, u bent weer gulzig als altijd. Ik had u een kus aangeboden, geen feestmaal.'

Shakespeare lachte. 'Catherine, hoe is dit gebeurd? Ik dacht dat we niet konden trouwen omdat je Thomas Woode niet in de steek wilde laten. Is hij toch voldoende hersteld?'

Opeens werd Catherine weer ernstig. 'Nee.' Ze schudde haar hoofd. 'Hij zal nooit volledig herstellen maar we hebben een plan. Hij stond erop, en ik zie geen bezwaren. Jij misschien wel, John.'

'Wat voor plan?'

'Dat kunnen Boltfoot en Jane je beter vertellen. Zij vragen jouw toestemming om te trouwen. Janes vader heeft al zijn zegen gegeven.'

'Natuurlijk hebben ze mijn toestemming. Maar wat heeft dat met ons te maken?'

'Thomas Woode is kreupel en heeft meer hulp nodig dan alleen ik hem kan geven. Hij is een grote man en ik ben niet sterk genoeg om hem te tillen en goed te verzorgen. Jane stelde voor dat Boltfoot en zij bij hem zouden intrekken. Ze kan heel goed overweg met de kinderen.'

Shakespeare lachte. Het was allemaal zo onwaarschijnlijk. 'Dus wat je voorstelt is een ruil. Jane en Boltfoot gaan naar Thomas Woode en ik krijg jou?'

'Dat klinkt niet gunstig, is het wel, John? Je verliest er twee en krijgt er één voor terug.'

'Nee, als je het zo stelt... Bovendien zal ik een baantje als schoolmeester moeten vinden want ik krijg zeker ruzie met de minister.'

'Dan worden we collega's want ik ga nog wel naar Dowgate om de kinderen les te geven. Ik ben tenslotte hun gouvernante.'

'Dus tweeënhalf voor Thomas Woode, en maar een half voor mij.'

'Afgesproken, heer?'

'O ja, Catherine, dat is afgesproken. Maar Boltfoot blijft ook voor mij werken als en wanneer dat nodig is.'

'Laten we het dan bezegelen met een handdruk, als echte kooplui.'

'Nee,' zei Shakespeare, en hij strekte zijn armen weer naar haar uit. 'Dat doen we met een kus.'

Pater Robert Southwell, die zich ook 'Cotton' noemde, liep in de ochtendschemer vanaf zijn nieuwe schuiladres in Holborn naar de brug. Hij was weer op weg naar de gevangenis van Marshalsea om de mis op te dragen en de gelovigen daar te troosten. Toen hij bij de rivier kwam, steeg er een grijze nevel uit het water op.

De gebogen gestalte van een vrouw met een capuchon liep hem haastig voorbij door New Fish Street. Southwell hield zijn pas niet in, maar keek haar wel na. Ze liep zo krom alsof ze het liefst tot de afmetingen van een mier zou verschrompelen om door niemand te worden gezien. Toen ze London Bridge bereikte, ging het steeds langzamer. Aarzelend liep ze tussen de grote huizen door die aan weerskanten op de brug waren gebouwd. Southwell bleef op afstand en volgde haar bewegingen. Ze was al meer dan halverwege, vlak voor Drawbridge Gate, toen ze bleef staan. Ze liep naar de rand van de brug en keek over de leuning aan de oostkant. Beneden haar kolkte en wenkte het water van de Theems.

In haar armen, onder haar lange mantel, had ze de baby met een merkwaardige, krijsende stem en vreemde, griezelige ogen. Het kind was in een jutezak gewikkeld, behalve zijn hoofd. Heel even keek ze nog naar het kind. Toen deed ze een grote steen in de zak met de baby, trok de zak ook over het hoofd van het kind en bond hem dicht met touw. De baby krijste als een kat.

Southwell verstijfde. Het was een geluid dat hij al eerder had gehoord, ergens anders. Hij liep naar de vrouw toe, maar ze tilde de zak met de baby en de steen al over de leuning. Zonder zich te bedenken liet ze hem in het snelstromende water vallen. Heel even leek de zak te blijven drijven op een luchtbel, maar toen vulde hij zich met water en zonk. Tranen stroomden over het gezicht van de vrouw. Ze draaide zich om, zag het gezicht van de man die op haar toe kwam, maar wrong zich langs hem heen. Zonder om te kijken rende ze terug over de brug, terug naar haar grote huis, haar wandkleden, haar kleren van goud- en zilverdraad, haar talloze bedienden en de rijke koopman met wie ze was getrouwd.

The London Informer, 21 mei 1587

GEZEGENDE OVERWINNING VOOR STOUTMOEDIGE SIR FRANCIS

* * * *

Duid het ons niet euvel, waarde lezer, dat uw geliefde krant enige tijd afwezig was, maar dit was te wijten aan een gedwongen absentie onzerzijds. Aan die episode is gelukkig een eind gekomen dankzij de welwillende tussenkomst van die trouwe en rechtschapen dienaar van de kroon, heer Richard Topcliffe, parlementslid voor Old Sarum. Inmiddels zijn wij weer vrij om onze aangename plicht te vervullen als belangrijkste Londense nieuwsvoorziening en kunnen wij verslag doen van een vreugdevolle gebeurtenis. Laat de kerkklokken luiden van blijdschap en ontsteek vreugdevuren in de straten.

Een pinas van de vloot van sir Francis Drake is deze week de haven van Plymouth binnengevaren met het nieuws dat de geliefde admiraal een overwinning heeft geboekt die mag worden bijgeschreven in de annalen van de Engelse geschiedenis, naast de overwinningen op Agincourt, Crécy en Poitiers. Drake, onze grootste Engelse zeevaarder en held van de wereldreis heeft met een meesterzet van durf en zeemanschap ons land voor een aanval behoed. Wij hebben vernomen dat de admiraal in de avond van 29 april jongstleden een gedurfde aanval heeft uitgevoerd op de haven van Cádiz, waar hij onbevreesd de strijd aanging met de geduchte galjoenen van de Spaanse koning. In totaal werden daarbij eenendertig schepen vernietigd en zes meegevoerd, terwijl aan Engelse kant geen verliezen werden genoteerd. De laffe Spanjaarden boden nauwelijks verzet. De meesten probeerden te vluchten uit angst voor de man die zij 'de Draak' noemen. Maar tevergeefs.

Onbevreesd bleef sir Francis drie dagen in de baai liggen om de buit te verzamelen en de schepen van Señor Felipe in brand te steken. Al die tijd keken de soldaten van de koning vanaf de wal met verbazing toe, zonder in de tegenaanval te durven gaan.

De vloot van sir Francis schijnt nu ergens voor de kust van Portugal te liggen, in afwachting van de zilverschepen van de Spaanse koning, klaar om nog meer schade toe te brengen aan zijn havens en schepen. Met groot genoegen en vertrouwen voorspelt *The London Informer* hierbij dat Drake de doodsklok voor de Spaanse armada en haar zogenaamde Engelse avontuur heeft geluid. Het zal er niet van komen, mijne heren en dames. De armada zal nooit uitvaren tegen Engeland. Opnieuw is sir Francis Drake de vijand een stap voor geweest, zodat wij allemaal rustig kunnen slapen, zonder zorgen om de veiligheid van onze vorstin of haar volk. God behoede de koningin.

Walstan Glebe, uitgever

Dankbetuiging

Ik ben dank verschuldigd aan de publicaties van een groot aantal uitmuntende historici, maar enkele boeken verdienen een speciale vermelding, omdat ze mij veel meer inzicht hebben gegeven in de latere jaren van Elizabeths bewind.

Vooral noem ik daarbij *The Life of Robert Southwell* door Christopher Devlin, een levendige biografie en geschiedenis die voor het eerst in 1956 werd gepubliceerd en de lezer het gevoel geeft dat de beschreven gebeurtenissen pas vorige week hebben plaatsgevonden. Andere boeken die ik sterk kan aanbevelen zijn: *The Defeat of the Spanish Armada*, door Garrett Mattingley; *The Confident Hope of a Miracle*, door Neil Hanson; *Elizabeth's Spy Master*, door Robert Hutchinson; *God's Secret Agents*, door Alice Hogge; *The Awful End of Prince William the Silent*, door Lisa Jardine; *The Secret Voyage of Sir Francis Drake*, door Samuel Bawlf; *A Brief History of the Tudor Age*, door Jasper Ridley; *The Reckoning*, door Charles Nicholl; *The Elizabethan Underworld*, door Gamini Salgado; *The A to Z of Elizabethan London*, samengesteld door Adrian Prockter en Robert Taylor; *Elizabeth's London*, door Liza Picard; *Shakespeare*, door Bill Bryson; *The Master Mariner*, door Nicholas Monsarrat; *The Coming of the Book*, door Lucien Febvre en Henri-Jean Martin; *The Englishman's Food*, door J.C. Drummond en Anne Wilbraham; *Invisible Power*, door Alan Haynes; *Palaces & Progresses of Elizabeth I*, door Ian Dunlop; *Entertaining Elizabeth I*, door June Osborne.

Ten slotte dank ik mijn vrouw, Naomi, mijn broer Brian en dominee Selwyn Tillett voor hun onschatbare hulp.

Aantekeningen

Papenjagers: agenten van de overheid met de macht om huiszoekings- en arrestatiebevelen uit te voeren. Ze vormden een bonte verzameling van gewapende huurlingen, dikwijls haastig gerekruteerd uit de plaatselijke bevolking, lagere hovelingen, juridische ambtenaren en zelfs gevangenen, die hun legale status dankten aan het wapen van de koningin. Ze werden vooral ingezet bij de jacht op rooms-katholieke priesters en degenen die hen onderdak verschaften. In *The Life of Robert Southwell* beschrijft Christopher Devlin hen als 'bloedhonden die het goedkoper en sensationeler vonden om vrouwen lastig te vallen dan op herten te jagen'.

Priesterholen: schuilplaatsen die diep in rooms-katholieke huizen waren weggewerkt. Meester op dit terrein was Nicholas Owen, een kleine timmerman en jezuïtische lekenbroeder uit Oxford, die talloze priesterholen aanlegde voor hij zelf in zo'n schuilplaats werd uitgehongerd en in 1606 de marteldood stierf in de Tower, waar hij tot het eind bleef zwijgen. Owen, bekend als 'Little John', werd in de twintigste eeuw zalig verklaard. Een van de best bewaard gebleven voorbeelden van zijn werk, toegankelijk voor bezoekers, bevindt zich in Oxburgh Hall, Norfolk, eigendom van de National Trust.

Inlichtingenofficieren: spionnen die verslag uitbrachten aan de Principal Secretary, sir Francis Walsingham, die wordt beschouwd als de vader van de moderne geheime dienst. Zijn netwerk van agenten en correspondenten besloeg heel Europa en het Midden-Oosten, maar toch werd hij geacht de hele operatie zelf te bekostigen. Bij zijn dood in 1590 was hij zo verarmd dat hij particulier werd begraven, bij nacht, om de kosten uit te sparen van de schitterende begrafenis die passend zou zijn geweest voor zo'n eminente figuur.

Jezuïeten: leden van de Societas Jesu, een zeer gedisciplineerde religieuze orde, in 1534 gesticht door de Spanjaard Ignatius van Loyola met het doel om heidenen tot het christendom te bekeren. Ze legden een eed af van armoede, kuisheid en de pelgrimage naar Jeruzalem (hoewel dat in die tijd onmogelijk was). Ze stonden bekend om hun onvoorwaardelijke gehoorzaamheid aan de paus en hun zorg voor zwakken en zieken. De jezuïeten werden al snel de 'stoottroepen van de contrareformatie' (in de ogen van de protestanten) en stuurden mensen als Robert Southwell en Edmund Campion naar Engeland om daar als martelaren te sterven. Elizabeth I en haar ministers beschouwden de jezuïeten als verraders die bereid waren tot moord om het gezag van de paus te herstellen. In 1606 werd de jezuïet Fr. Henry Garnet (die in 1586 samen met Southwell in Engeland was aangekomen) opgehangen en gevierendeeld voor zijn aandeel in het Gunpowder-complot.

Wapens: vuurwapens namen in hoog tempo de plaats in van de middeleeuwse lange boog en kruisboog. De meest verontrustende vernieuwing voor vorsten was het radslotpistool, dat het lontslot verving. Het radslot was een mechaniek dat een gekartelde stalen rand tegen een stuk ijzerpyriet spande, waardoor vonken in het buskruit sprongen, dat vervolgens explodeerde om de kogel af te vuren. Bij de oudere lontslotwapens als de onhandige haakbus, moest het kruit worden ontstoken door een van tevoren aangestoken lont. Het grote voordeel van radslotwapens was dat ze in één hand konden worden gehouden, van tevoren schietklaar konden worden gemaakt en klein genoeg waren om onder een mantel of in een mouw te verbergen. Fraai versierde radslotpistolen werden een veelgevraagd accessoire voor mannen van aanzien. Hele cavalerie-eenheden gingen ermee de strijd in, waarbij elke man twee of meer schietklare wapens in zijn handen of aan zijn riem droeg. In het algemeen bewapenden mannen zich met zwaarden en dolken (een ponjaard is een kleine dolk). Wachtposten hadden lange steekwapens, zoals pieken en hellebaarden. De piek was weinig meer dan een stok met een speerpunt, de hellebaard had een driekantige kop met een bijl, een piek en een haak.

Hoeren: het is merkwaardig dat de zedeloze kant van het leven zo floreerde in een tijd van religieuze ijver. Southwark was beroemd om zijn bordelen, waarop de autoriteiten in Londen geen greep hadden omdat ze buiten de stadsmuren lagen. Prostitutie was verboden, maar dienders werden regelmatig omgekocht. Hoertjes werden vaak '*Winchester Geese*' genoemd, omdat een groot deel van Southwark onder het gezag van de bisschop van Winchester viel. Er bestonden ook andere benamingen, zoals '*punk*', '*hobby horse*' of '*strange woman*'. Een hoerenmadam heette '*Mistress of the Game*', haar cliënten waren '*hobby horse men*'. Seksueel overdraagbare ziekten, bekend als '*French welcome*', tierden welig en waren, omdat er geen antibiotica bestonden, bijna niet te behandelen. Dat weerhield kwakzalvers er overigens niet van om allerlei zogenaamde kuurtjes te bedenken en te verkopen.

Leger en marine: anders dan Spanje, dat professionele troepen had, kende Engeland geen regulier leger. In tijden van gevaar, zoals de dreigende invasie door de armada, werden door de adel milities gerekruteerd uit pachters en grote ambachtsgilden. Ook de marine was geen vaste organisatie, maar dankzij het enthousiasme voor de kaapvaart van mannen als Drake, Hawkins en anderen hadden de Engelsen zich tot uitstekende zeevaarders ontwikkeld. Hun schepen waren slanker en sneller dan de hoge, logge Spaanse galjoenen, die wel een voordeel hadden in gevechten op de korte afstand, maar door de Engelsen van verder weg gemakkelijk werden bestookt en beschoten.

De Geheime Raad: vergelijkbaar met het hedendaagse kabinet van ministers. Tijdens het bewind van Elizabeth varieerde het aantal leden van tien tot twintig. De koningin woonde de vergaderingen niet bij, maar kreeg uitvoerige verslagen en had het laatste woord in politieke kwesties. In het algemeen hadden de ministers de vrijheid om de dagelijkse gang van zaken te bepalen. De Raad had niet alleen een uitvoerende macht, maar fungeerde ook als gerechtshof als zij bijeenkwam in de Star Chamber (de oude raadskamer van Westminster).

Gedurende lange tijd waren lord Burghley en sir Francis Walsingham de belangrijkste leden van de Geheime Raad.

Gevangenis: Londen telde veertien gevangenissen. Gevangenisstraf werd gegeven voor een groot aantal vergrijpen, variërend van landloperij, schulden of waarzeggerij tot zware criminaliteit. De omstandigheden waren grotendeels afhankelijk van de steekpenningen waarmee een gevangene de cipier kon omkopen. De gevangenissen waren verrassend open, zodat Robert Southwell en andere priesters op bezoek konden komen om de mis op te dragen. Marshalsea en The Clink in Southwark waren minder streng dan de gevangenissen in de stad zelf, zoals Newgate, Bridewell, Wood Street Counter en The Fleet. Southwells collega, Fr. Henry Garnet, schreef dat hij zich 'veilig voelde voor gevaren' als hij de gevangenis bezocht.

Tabak: het was niet sir Walter Ralegh die de tabak in Engeland introduceerde. Hoewel hij na 1580 expedities naar Virginia financierde, is hij daar zelf nooit geweest. Tabak werd vermoedelijk al vanaf 1560, toen Ralegh nog veel te jong was, naar Europa gebracht door Spaanse, Portugese en Engelse zeelui.

Beesten: term die Richard Topcliffe en anderen gebruikten voor de paus, de jezuïeten en de katholieke kerk in het algemeen, omdat ze werden beschouwd als de antichrist, 'het beest van de apocalyps' uit de Openbaring, hoofdstuk 13.

Drukwerk en kranten: sommige historici menen dat aan het eind van de zestiende eeuw de helft van de Engelse bevolking kon lezen. Vooral Londenaren waren hongerig naar nieuws en kochten gretig alle krantjes. Ze waren geïllustreerd met houtsneden en vaak geschreven in de vorm van balladen, heel anders dan de kranten die wij tegenwoordig kennen.